RÉGINE DEFORGES

Noir Tango

D0211761

ÉDITIONS FAYARD

L'auteur tient à remercier pour leur collaboration le plus souvent involontaire, les personnes suivantes :

Lenora Acuña de Randle, Henri Alleg, Waldo Ansaldi, Robert Antelme, Roger Arnould, Robert Aron, Laura Ayerza de Castillo, Maurice Bardeche, Willis Barnstone, Georges Bearn, Maurice Bedel, Michel ben Zohar, Christian Bernadac, Hector Bianciotti, Adolfo Casares Bioy, Jorge Luis Borges, Ady Brille, Barbara Buber-Neumann, Roger Caillois, Jolie Gil Casalis, Lucien Castella, Jean-François Chaigneau, Patrice Chairoff, Fermin Chavez, le Centre de documentation juive contemporaine, Roberto Conde, Gérard de Cortanze, Jorge Cruz, Dominique Deceze, Charlotte Delbo, Henri Deluy, Dominique Desanti, Gustavo Fazio, Odile Felgine, Claude Fléauter, Frédéric Forsyth, Anne Frank, Gisèle Freund, Romain Gaignard, Jean Galtier-Boissière, Charles de Gaulle, Ricardo A. Gietz, G. M. Gilbert, Rita Gombrowicz, Witold Gombrowicz, Juliette Greco, Ernesto Che Guevara, Gilbert Guilleminault, Robert Jay Lifton, Noé Jitrik, Pierre Kalfon, Thomas Keneally, Beate Klarsfeld, Serge Klarsfeld, Primo Levi, Herbert Lieberman, Albert Londres, Félix Luna, Pierre Lux-wurmn, Mary Maim (Maria Flores), Micheline Maurel,

Claude Mauriac, François Mauriac, Jean-Yves Merian, Henri Michel, Edmond Michelet, Bartholomé Mitre, Adrienne Monnier, Claude Montet, Charles Moshe Pearlman, Benno Müller-Hill, Henri Nogueres, Silvina Ocampo, Victoria Ocampo, Albert Ouzoulias, Cécile Ouzoulias-Romagnon, Octavio Paz Hornos, Eduarte Paz Leston, Moshe Pearlman, (*La Longue Chasse*), Eva Perón, Gilles Perrault, l'abbé Pierre, Léon Poliakov, Sylvain Reiner, Charles Richet, Jacqueline Richet, Olivier Richet, David Rousset, Catherine Roux, Fernando Saesay, Simone Saint-Clair, Horacio Salas, Oscar Schindler, Victor Smeru, Jean-François Steiner, Janet Spencer Talbois, Germaine Tillion, Maria Esther Vazquez, *Le Magazine Littéraire*, *Cahier de l'Herne*, Michel C. Vercel, Charlotte Wardi, Pierre Wiazemsky, Princesse Wiazemsky, Elie Wiesel, Simon Wiesenthal, Olga Wormser, Hector Yanover, Saúl Yurkievich.

à mes enfants,
Franck, Camille et Léa.

« *Seigneur, qui êtes saint et véritable, jusqu'à quand différerez-vous de nous faire justice, et de venger notre sang sur ceux qui habitent la terre.* »

L'APOCALYPSE de Jean

1

Le bonheur avait cloué Léa sur place dès qu'elle avait vu François Tavernier s'avancer vers elle tenant le petit Charles par la main. C'était bien eux, ici, à Montillac, Montillac qu'elle avait cru détruit à jamais et qui résonnait du crissement de la scie des charpentiers, de coups de marteaux, de la chanson d'un ouvrier :

Un maçon chantait une chanson,
Tout là-haut sur le toit des maisons.

Sa maison renaissait...
Elle comprit dans un serrement de cœur heureux qu'il en était l'artisan. Immobile, elle regardait son amant retrouvé ; vivant ! il était vivant, la contemplant, incrédule, ébloui, bouleversé... Il eut un élan vers elle mais Charles fut plus rapide. Avec émotion, Léa serra l'enfant entre ses bras, balbutiant des mots tendres et incohérents. Le repoussant doucement, elle s'agenouilla pour mieux le voir. Comme il avait grandi ! comme il ressemblait à sa mère ! Le souvenir de Camille morte lui arracha un gémissement.
— T'as mal ? s'inquiéta l'orphelin.
— Non, mon chéri, je suis si contente de te revoir...
— Alors, pourquoi tu pleures ?

Comment expliquer à un garçon de cinq ans que les larmes pouvaient exprimer la joie aussi bien que la peine ?

Qui était ce bébé blond qui s'accrochait à la jupe de son uniforme et cette jeune femme vêtue d'une robe à fleurs qui lui rappelait celle que portait sa mère l'été d'avant la guerre ?

– Françoise ?...

Avant de l'embrasser, sa sœur l'aida à se relever. Puis ce fut le tour de Laure, habillée à la dernière mode, de Lisa, rose sous ses boucles blanches, d'Estelle, dont le sévère chignon n'arrivait pas à atténuer l'air de bonté, Ruth, la chère Ruth, gardienne des souvenirs d'enfance, vieillie, voûtée, aux pauvres mains agitées de tremblements... Portée de l'une à l'autre, pas vraiment présente, comme si ces baisers, ces caresses, ces mots affectueux ne lui étaient pas adressés. Il y avait pour Léa, après les ruines de Berlin, de l'Allemagne vaincue, quelque chose d'irréel à se retrouver sur cette terre, dans ce domaine où elle avait cru ne jamais revenir.

Peu à peu, le bonheur du retour, la joie éprouvée en voyant François et Charles venir à elle, s'estompaient. Rien de tout cela n'était vrai ; ce n'était qu'une farce, une mascarade... ce n'étaient que des fantômes... Que faisait cette femme tondue, gesticulant dans la robe de sa mère ?... et cette jeune fille trop maquillée qui lui rappelait les putains de haut-vol fréquentant les officiers allemands dans les bars de Bordeaux ?... ces enfants bruyants aux doigts et aux joues barbouillés de jus de mûres ?... ces vieilles femmes en robes noires qui ressemblaient aux bigotes de Saint-Macaire ?... et cet homme au visage marqué, au sourire ironique ?... pourquoi souriait-il ? Qu'y avait-il de si drôle ?... et cette façon de la regarder ! Une exaspération grandissante brouillait ses pensées. Jamais !... jamais ! elle n'aurait dû remettre les pieds à Montillac, tout y était détruit, sali, mort !... De l'allée des charmilles, elle s'attendait à voir surgir Maurice Fiaux et ses miliciens... des cris, des hurlements résonnaient dans sa tête... ce n'étaient pas les coups de marteaux des charpentiers qu'elle entendait, mais les coups de crosse des fusils détruisant les portes de la maison... cette fumée s'élevant en contrebas de la terrasse, ce n'était pas celle de l'herbe brûlée, mais celle qui montait du corps martyrisé de sa tante Bernadette...

Avec violence, Léa repoussa ces femmes et ces enfants qui s'accrochaient à elle. Ils ne l'auraient pas... elle ne se laisserait pas prendre...

Stupéfaites, ses tantes et ses sœurs la regardèrent s'enfuir. François Tavernier fut le seul à deviner ce qu'éprouvait la jeune femme.

Elle courut à travers les vignes comme un animal affolé, butant contre les mottes de terre, tombant, se relevant, retombant... Il n'était qu'à quelques pas quand elle l'aperçut, et ne le reconnut pas. Une seule phrase cognait dans son esprit confus : «Ils ne m'auront pas!... ils ne m'auront pas!...» La terreur et la haine lui donnaient des ailes, elle repartit, plus vite encore, en dépit de ses genoux écorchés. En passant devant la maison de Sidonie, elle crut entendre la voix de Mathias... Ses pieds faisaient s'envoler la poussière blanche du chemin menant au calvaire de Verdelais, lieu de refuge de ses chagrins enfantins, des doutes mélancoliques de son adolescence et de ses peurs de jeune fille confrontée à la guerre et à la mort. Elle s'arracha les mains en écartant les branches épineuses d'un buisson... à quatre pattes, elle gravit les marches du calvaire... Il la rattrapa et sur ces marches ils luttèrent en silence. François dût user de toute sa force pour l'empêcher de lui lacérer le visage. Quand il la sentit faiblir, il murmura des mots apaisants :

— Doucement, petit, doucement... n'aie plus peur... c'est fini... là, là, calme-toi... Mon amour, plus personne ne te fera du mal, je te le promets...

Peu à peu le corps frémissant se détendit, son regard perdit de sa démence. Léa se laissa bercer, les yeux clos... elle avait huit ans, son père la consolait après une mauvaise chute... blottie contre lui ses sanglots s'apaisaient, sa douleur se calmait... Maintenant, il la soulevait, la portait dans son lit...

François l'allongea à l'ombre d'un chêne. Comme une enfant elle s'endormit brusquement, sa main agrippée à la sienne. Cela lui rappelait leurs trop rares nuits quand, après l'amour, elle s'endormait au milieu d'une phrase ; c'était une de ses forces, cette fuite dans le sommeil.

Avec douceur, à l'aide de son mouchoir, il essuya la poussière que les larmes avaient collée sur son visage. Une nouvelle fois il fut touché par sa beauté, par l'énergie et la vulnérabilité qui émanaient de ce visage sali. Comme à chacune de leurs retrouvailles, c'était ce contraste qui le frappait et le bouleversait. Aux frémissements de ses paupières, il sentait toutes ses souffrances. Il se jura de les lui faire oublier, de lui donner une vie heureuse et calme, de la combler de cadeaux, de bijoux, de lui faire découvrir le monde, d'autres paysages, des lieux préservés de la main de l'homme, de sa présence même... De nouveau, elle le ferait souffrir par sa coquetterie, de nouveau il entendrait son rire, la regarderait boire du champagne, l'entraînerait dans une valse qui la laisserait étourdie. Ah ! chasser par tous les moyens ces images d'horreur qui la jetaient dans l'épouvante !...

– François !

– Oui, petite fille, je suis là.

– François, si tu savais !...

– Je sais, ma chérie, je sais. Maintenant, il faut t'efforcer à oublier...

Il sentit le corps de son amie se raidir, prêt à lui échapper.

– Ce sera dur, mais il le faut. Tu as une maison à rebâtir, un enfant à élever, une famille à...

– Tais-toi! Tais-toi!

Elle lui martela la poitrine de ses poings fermés. Il rit.

Exaspérée par ce rire, elle tenta de le griffer, de le battre! Il s'allongea sur elle, lui maintenant les bras tendus derrière la tête.

– Tu ne crois pas que nous avons mieux à faire qu'à nous disputer? dit-il en cherchant sa bouche.

Elle se débattit, le mordant avec une telle violence qu'il lâcha prise. Ébouriffée, enlaidie de colère, Léa se redressa; pendant un long moment ils s'affrontèrent du regard. Peu à peu, elle se calma, la fureur fit place à la tristesse. Les abondantes larmes qui coulaient de ses yeux grands ouverts lui lavaient les joues. Ce chagrin, sans sanglots, l'apaisa. Quand François lui tendit son mouchoir, elle le remercia d'un léger sourire.

– Excuse-moi, je suis ridicule.

– Tu es tout sauf ridicule, viens contre moi.

Elle se blottit entre ses bras, attentive au désir qui éloignait l'angoisse. Déboutonnant la chemise, elle passa sa main dans l'échancrure, retrouvant la douceur de la peau de son amant, son odeur. Comme il lui avait manqué pendant ces longs mois, au point qu'elle avait failli céder à un jeune et bel officier anglais! À son tour, il fit sauter les boutons du sévère chemisier, desserra la cravate et glissa les bretelles de la combinaison... Ses seins apparurent, sompteux! Abolis la guerre, les souffrances, le ciel, la terre, la mort... Il n'y avait plus qu'un homme et une femme dont les corps s'unissaient comme à l'aube des temps sans autre exigence que le plaisir; un plaisir brutal et rapide qui les surprit, les laissant inassouvis.

François l'aida à se relever. Enlacés, ils reprirent le chemin de Montillac. À Bellevue, Léa s'assis sur le vieux banc de pierre accoté à la maison de Sidonie. Ses yeux errèrent sur le paysage familier. Rien n'avait changé, rien n'indiquait qu'une guerre avait eu lieu, que dans ces bois, ces villages, des gens avaient fait le sacrifice de leur vie pour que demeurent ces clochers, ces champs, ces vignes. Rien ! Elle revit le pauvre corps dénudé de Sidonie. Fermant les yeux, elle chassa l'image d'épouvante, ne voulant garder que le souvenir de la brave cuisinière disant :

– Petite, tu boiras bien de mon cassis ?

L'automne approchait, la lumière de cette fin d'après-midi donnait toute sa splendeur à ce paysage aimé.

– Regarde, on voit les Pyrénées !

Ce n'était sans doute pas vrai, mais Sidonie lui avait si souvent dit que par très beau temps on voyait les vieilles montagnes.

Secouant la tête comme un cheval qui chasse une mouche importune, elle se redressa et planta son regard dans les yeux de son amant. Il lui disait, ce regard : « Je suis là, je suis vivante, je veux jouir de la vie, vite, maintenant ! Tu es là pour m'y aider puisque tu m'aimes. Car tu m'aimes, n'est-ce pas ? » Elle amena l'échelle devant la lucarne du grenier à foin de la petite maison et grimpa les échelons branlants. Que de fois elle y était venue s'y cacher des adultes avec Mathias et les copains de leurs jeux d'enfants. Le foin des dernières fenaisons embaumait. Léa, les pieds enfoncés dans la masse odorante, arracha ses vêtements et s'allongea, nue, indifférente aux piqûres de l'herbe sèche. Appuyé à une solive, François la regardait, n'essayant pas de cacher son trouble. À son tour, il se dévêtit lentement, sans la quitter des yeux.

La soirée était très avancée quand, épuisés et heureux, ils regagnèrent Montillac.

Personne n'avait trouvé à redire quand, en dépit des convenances, Léa et François avaient partagé la même chambre. Les demoiselles de Montpleynet, Françoise, Laure, Ruth et les enfants campaient tant bien que mal dans le logement du maître de chais et des journaliers, en attendant que les travaux de la grande maison fussent terminés. L'architecte engagé par Tavernier avait promis que tout serait prêt à la mi-octobre. Estelle et Ruth en doutaient ; Laure harcelait les ouvriers trop lents à son gré ; Françoise n'osait plus rien dire depuis qu'un vieux maçon avait grommelé sur son passage : « Putain. » Les épaules voûtées, elle s'en était allée et n'avait plus jamais remis les pieds sur le chantier.

L'arrivée de Léa stimula tout le monde, c'était à qui avancerait le plus vite pour lui faire plaisir. Elle eut la surprise de retrouver le bureau de son père presque intact : la suie seule avait sali les livres, les murs et les tapis. Sans demander leur avis à ses sœurs, elle s'installa dans cette pièce. Si on l'avait écoutée, les choses seraient restées dans l'état où elles étaient, mais François réussit à la convaincre de faire repeindre, nettoyer les tapis et changer les rideaux. La seule chose pour laquelle il n'eut pas gain de cause fut le vieux divan : Léa ne voulut rien entendre ; on ne toucherait pas à ce meuble qu'elle avait toujours connu vieux et abîmé ; François s'inclina.

Léa suivait avec passion dans les journaux et à la radio le procès des tortionnaires du camp de Bergen-Belsen à Luneburg. Elle se souvenait du chef du camp, Joseph Kramer, que la police militaire anglaise avait eu bien du mal à arracher des mains des déportés valides et des soldats britanniques et du docteur Fritz Klein que les alliés avaient obligé à poser pour les photographes hirsute, botté, le visage tuméfié, debout au milieu de milliers de cadavres nus. Elle se souvenait des larmes des jeunes soldats anglais devant ces morts vivants qui tendaient vers eux des bras si décharnés qu'ils n'osaient les toucher de peur de les briser, elle revoyait la stupeur puis l'horreur des médecins quand ils avaient découvert que l'on avait prélevé sur certains cadavres les joues, les bras, les fesses et même le foie, et compris qu'ils avaient été mangés par des détenus rendus fous par la faim.

Quand en finirait-on avec cette épouvante ? La guerre

était terminée, il fallait oublier. Oublier ? Non, on ne pouvait pas, on ne devait pas. Et sans cesse se heurtait dans l'esprit de Léa cette contradiction. C'était pour elle d'autant plus difficile qu'elle se refusait à en parler, même quand ses cauchemars la réveillaient, hurlante, au milieu de la nuit. François avait essayé de la questionner mais avait dû y renoncer devant ses larmes ou sa colère. Il lui expliquait que dire les choses permettait de les mieux comprendre, de les mettre à leur juste place, mais Léa rejetait ce sage discours. Estelle de Montpleynet, à qui il avait fait part de l'attitude de Léa, de ses peurs et de ses angoisses, lui avait dit d'être patient : c'était trop tôt encore et il faudrait du temps, beaucoup de temps pour que, sinon l'oubli, du moins une sorte de sérénité vînt à Léa.

Mais comment ? Le souvenir des moments de bonheur était sans cesse effacé par les souvenirs d'horreur. Parmi eux celui de la mort de Raoul Lefèvre qu'elle avait enterré, aidée de son frère Jean et du docteur Jouvenel, le long du chai derrière le massif de troènes et de lilas. Le corps de son ami d'enfance était toujours là. Un jour qu'elle déposait sur cette tombe de fortune une pensée cueillie dans une jardinière, elle avait été surprise par François. Il connaissait les circonstances de la mort de Raoul, mais elle ne lui avait jamais parlé de l'endroit où celui-ci reposait. Il l'engagea vivement à prévenir la gendarmerie. Cette nouvelle épreuve fut adoucie par la joie de revoir, à l'occasion de ces moments pénibles, Jean Lefèvre vivant.

Tôt le matin, les gendarmes arrivèrent suivis des maires de Verdelais, de Saint-Macaire et de Saint-Maixent, d'anciens résistants camarades du défunt. En présence de madame Lefèvre soutenue par son fils survivant, on procéda à l'exhumation. Le temps et la nature avaient fait leur œuvre : un squelette dans des lambeaux

18

de vêtements que la mère reconnut. Pas un cri, pas un gémissement, seulement un silence oppressant souligné par le crissement des pelles s'enfonçant dans le sol meuble et le choc sourd et mou de la terre rejetée. Venu avec Jean Lefèvre, un jeune prêtre au visage émacié, flottant dans la soutane noire verdie d'usure, bénit la triste dépouille que l'on déposa dans un cercueil.

Incrédules et heureux, Jean et Léa étaient tombés en pleurant dans les bras l'un de l'autre. La mère de Raoul avait serré l'amie de ses fils contre elle en lui murmurant un merci qui acheva de la bouleverser.

Après sa fuite de Montillac, Jean Lefèvre, malgré sa blessure, avait réussi à gagner Pauillac dans le Médoc où il avait retrouvé des camarades rescapés du maquis de Grand-Pierre. Soigné dans une ferme près de Lesparre, il rejoignit le groupe Charly et, le 23 juillet, avec soixante-dix maquisards, participa à l'attaque de la poudrerie de Sainte-Hélène où des dizaines d'Allemands furent tués et avec eux vingt-sept de ses compagnons. Blessé une nouvelle fois, il fut fait prisonnier et emmené avec sept autres de ses camarades au fort du Hâ. Battu, torturé, il fut jeté le 9 août dans un train partant pour l'Allemagne avec des détenus français et étrangers, la plupart arrêtés dans la région de Toulouse puis transférés le 2 juillet des prisons de la ville à la synagogue et au fort du Hâ de Bordeaux. Entassés à soixante-dix par wagon, par une chaleur torride, se battant pour un peu d'air, un filet d'eau ou un quignon de pain, certains prisonniers se laissèrent aller au désespoir ou sombrèrent dans la folie. Échappant aux mitraillages des avions alliés, le train passa par Toulouse, Carcassonne, Montpellier, Nîmes, la vallée du Rhône... pour arriver le 27 août à Dachau.

Jean était en vie, mais dans quel état. Au cours du voyage, dix-huit de ses compagnons étaient morts. À chaque arrêt, quand les Allemands ouvraient la porte, on basculait les cadavres sur le ballast. À l'arrivée, dans la petite gare de Dachau, six corps dégageant une insupportable odeur de décomposition furent jetés sur le quai. Pendant l'interminable trajet, Jean avait été soutenu et soigné par un jeune moine, curé d'un maquis de Corrèze, Michel Delfand, qu'on appelait le père Henri. Brûlant de fièvre, il avait aidé les mourants, consolé et réconforté les autres. Vu sa constitution frêle, tous se demandaient comment, malade lui-même, il tenait. Il « tint » jusqu'au 29 avril 1945, jour de la libération du camp par les Américains. Là, le typhus qui ravageait le camp le força à s'allonger. Transporté au *Revier*[1], il reçut l'extrême-onction des mains d'un prêtre polonais et s'apprêta, avec un sourire heureux, à rejoindre son Dieu. Mais son heure n'était pas venue : la frêle carcasse résista à la maladie. Après la quarantaine imposée par les libérateurs, le père Henri et Jean furent rapatriés en France. Très affaiblis, ils passèrent deux mois dans une maison de repos de Savoie avant de rentrer dans leurs familles. Pendant ce séjour, des liens d'amitié très forts s'établirent entre les deux jeunes hommes. La santé du père ne lui permettant plus la vie rude des capucins, il avait obtenu de ses supérieurs l'autorisation de quitter le monastère. On l'envoya à Bordeaux assister le curé de Saint-Michel dans son ministère. Dès son arrivée, il appela son ami qui, lui, n'avait retrouvé les siens que depuis la veille. C'est au cours de son premier séjour à La Verderais que les gendarmes vinrent annoncer à madame Lefèvre que le corps de son fils Raoul serait exhumé le lendemain. Jean, alors, avait raconté à sa mère et à son ami les circonstances de la mort de son frère.

Malgré ses cauchemars qui la réveillaient presque toutes les nuits et la laissaient sans force, Léa s'appliquait,

1. L'infirmerie du camp.

20

le jour levé, à chasser ces images atroces. La présence de François auprès d'elle, sa tendresse, ses caresses, ces heures passées à s'aimer, à jouir l'un de l'autre, furent pour beaucoup dans son revirement ; sans doute, elle ne pouvait pas oublier, elle ne le pourrait jamais, mais son appétit de vivre reprenait le dessus.

Les quinze jours de permission accordés par madame de Peyerimhoff se terminaient. Léa devait rejoindre le siège de la Croix-Rouge à Paris. Le raisin mûrissant, ses sœurs avaient passé un accord avec un propriétaire voisin pour que fussent assurées les premières vendanges de la France libérée. Grâce à l'argent de François Tavernier, on put embaucher une trentaine de vendangeurs dont les deux tiers étaient des prisonniers allemands. La mort dans l'âme, elle laissa tout ce qu'elle s'était repris à aimer. Ces deux semaines passées à Montillac lui faisaient croire que tout pouvait recommencer.

Le voyage vers Paris dans la grosse limousine de Tavernier avait ressemblé à un départ en vacances tant le temps était chaud et ensoleillé, les auberges accueillantes et François amoureux et gai.

Dès son arrivée, Léa se rendit au siège de la Croix-Rouge auprès de madame de Peyerimhoff. Là, elle eut la joie de retrouver Claire Mauriac et Jeanine Ivoy qui arrivaient de Berlin. Les trois jeunes filles se jetèrent dans les bras les unes des autres avec des cris et des rires qui firent sortir madame de Peyerimhoff de son bureau.
— Eh bien, mesdemoiselles, que se passe-t-il ?... Du calme, que vont penser nos amies américaines de la tenue de leurs consœurs françaises !
— Laissez, ma chère, c'est bien normal à leur âge d'aimer rire, dit avec un fort accent américain, une belle

et grande femme apparaissant dans l'embrasure de la porte du bureau.

– Laureen, puis-je vous présenter trois de mes filles. Elles ont l'air de trois jeunes écervelées mais ce sont des femmes de tout premier ordre, courageuses, efficaces, pitoyables ; tête en l'air et cœur d'or, coquettes mais supportant vaillamment le froid et la saleté, gourmandes comme des chattes mais partageant leurs maigres rations avec les malheureux. Elles viennent toutes d'Allemagne et doivent y retourner. Mesdemoiselles, je vous présente Laureen Kennedy.

– Parlent-elles allemand ? demanda l'Américaine.

– Léa Delmas, je crois. Vous aviez bien une nourrice ou une gouvernante qui vous a enseigné l'allemand ? questionna madame de Peyerimhoff.

– Enseigné, pas vraiment, elle nous racontait des histoires, nous chantait des chansons, nous lisait des poèmes en allemand, mais de là à nous l'apprendre… Elle était Alsacienne, alors…

– Alors quoi ? On peut être Alsacien et être un bon Français, cela n'empêche pas de parler sa langue natale.

– Si, quand cette langue est l'allemand, fit sèchement Léa.

Madame de Peyerimhoff eut un haut-le-corps devant la dureté du ton. Surprise, elle se contenta d'un regard sévère.

– Le parlez-vous oui ou non ?

– Je le parle assez mal mais je le comprends plutôt bien.

– Alors si madame de Peyerimhoff le veut bien, dit Laureen Kennedy, vous m'accompagnerez à Nuremberg.

– Nuremberg !

– Oui, c'est là que va avoir lieu le procès des criminels de guerre.

2

Pour Sarah, le cauchemar continuait.

Sa découverte par Léa parmi les cadavres de Bergen-Belsen et son «évasion» du camp restaient pour elle irréelles, comme sa présence dans cet hôpital militaire de la banlieue de Londres. Chaque nuit l'horreur recommençait : c'était le bordel à soldats où, en dépit des traces des brûlures de cigarettes infligées par Massuy, elle restait une des filles les plus demandées par les officiers SS. Son corps meurtri se refusait en vain. Et quand la pénétration était trop laborieuse, ils barbouillaient son sexe de corps gras divers, le meilleur, prétendaient-ils, avec d'ignobles éclats de rire, était la graisse de juif. La première fois qu'elle avait compris, elle s'était évanouie. Un verre d'eau glacée l'avait ranimée. Depuis, quand les verges enduites d'innommables bouillies glissaient en elle, elle se murmurait le nom de tous ses amis juifs disparus et jurait de vivre pour les venger, puisqu'elle n'avait pas le courage de se tuer pour échapper aux infâmes étreintes. Un jour, elle avait cessé de plaire et on l'avait envoyée à l'entretien des routes. Là, au camp de Ravensbrück, elle avait subi les sarcasmes des autres prisonnières, marquées du triangle vert des droit commun, jalouses de ses formes encore séduisantes qui insultaient leur maigreur.

– Alors la queue de Boche, c'était bon ?

– C'est parce que tu ne savais pas sucer les bites qu'ils t'ont renvoyée ?

– C'est leur foutre qui t'a laissée gironde ?

La honte et la colère l'avaient rendu féroce ; elle s'était jetée sur deux mégères dont les os perçaient la peau sous la robe rayée et n'avait eu aucun mal à les assommer. La horde grondante des détenues s'était refermée sur elle. Elle n'avait dû son salut qu'à l'intervention des kapos[1], des gardes et de leurs chiens. Deux femmes étaient restées sans vie dans la boue. Six prisonnières avaient été désignées pour traîner les cadavres jusqu'au four crématoire. Sarah, sans émotion apparente, s'était laissé conduire à l'infirmerie où une jeune déportée, ravissante, lui avait donné les premiers soins et l'avait fait coucher sur un lit pliant aux draps raides de crasse et de sanie. Sarah s'était endormie.

À son réveil, une forte femme, en uniforme, assez belle malgré des traits lourds, était à son chevet.

– Je suis le docteur Schaeffer, assistante du docteur Oberheuser, médecin de ce camp de merde. Je vois sur votre fiche que vous êtes allemande, juive et allemande ; c'est une de trop vous ne trouvez pas ? Les juifs sont la lie de l'humanité et doivent être éliminés comme tels. Notre Führer l'a bien compris qui a décidé de débarrasser le monde de ces sous-hommes, ces presque singes. Mais comme vous êtes malgré tout allemande, je vais vous soigner pour que la juive puisse arriver en forme jusqu'à la chambre à gaz.

– La chambre à gaz ? avait murmuré Sarah en se redressant.

– Oui, c'est un moyen efficace d'éliminer des centaines de parasites. Ah... ah... si vous les voyiez gigoter, se battre, s'entretuer dans leur cage... comme des poux...

1. Gardiennes choisies parmi les déportés.

ah… ah… comme des poux… Rien de tel qu'un bon jet de cyclon pour se débarrasser de la vermine juive…

Sarah l'avait saisie à la gorge et, avec une force décuplée par la haine qui la brûlait, tentait de l'étrangler. Les cris de la jeune déportée avaient alerté les kapos. Il n'en avait pas fallu moins de trois pour lui faire lâcher prise. Toussant, crachant, le cou barré d'une marque rouge où perlait un peu de sang, le docteur Schaeffer essayait de reprendre son souffle. Sarah, à nouveau évanouie, l'arcade sourcilière ouverte, les lèvres éclatées, gisait dans un coin.

Ayant recouvré ses esprits et son souffle, le médecin s'était acharné à coups de pieds sur le corps inerte. Sans doute l'aurait-elle tuée si une des kapos n'avait dit :

– Laissez, docteur, elle pourra servir à vos expériences.

Alors pour Sarah commença une longue descente dans l'horreur.

Jetée sur une paillasse au fond de l'infirmerie, elle resta pendant plusieurs jours sans soins et sans nourriture, avec juste un peu d'eau croupie apportée par une jeune déportée polonaise amputée d'une jambe. Au matin du troisième jour on lui arracha ses vêtements déchirés et on la traîna, brûlante de fièvre, mais lucide, dans une sorte d'enclos où étaient parquées une centaine de femmes, nues, tondues, sans âge, réduites, pour la plupart, à l'état de squelette, certaines amputées d'un bras, d'autres d'une jambe, toutes avec des plaies à vif, purulentes, parfois grouillantes de vers, aux épaules, au ventre, aux seins, aux cuisses ; recouvertes de croûtes de sang, de boue, d'excréments, allongées ou accroupies sur un sol humide tapissé d'immondices, de paille pourrie et de guenilles sordides. Projetée dans la fosse elle fut repoussée avec des cris de colère et de douleur par les femmes sur lesquelles on l'avait jetée et dut batailler, surmontant sa faiblesse, pour échapper aux coups et aux morsures. La fièvre

lui faisait tout appréhender avec un sentiment d'irréalité.
« C'est un cauchemar, pensait-elle, je vais me réveiller. »

Sarah ne se « réveilla » que le lendemain avec une impression d'étouffement. Il faisait sombre. Où était-elle ? Qui la retenait ainsi ? À grand peine, elle parvint à libérer un de ses bras et, tâtonnant, essaya de se retrouver. Sa main saisit quelque chose de glacé et de mou, puis de dur et glacé, de mou encore, de dur, de mou, de glacé, de mou, de... avec un hurlement, elle jaillit de la masse des corps sous laquelle elle était ensevelie. Mortes, elles étaient toutes mortes, les femmes mutilées de l'enclos ; des mortes bleues, vertes, grises, jaunes, couleurs qui transparaissaient sous l'ordure. Les visages figés dans une grimace de douleur, une bave épaisse sortant des bouches ouvertes, les membres tordus, les corps arqués par quelle intolérable souffrance ? Mortes ! comment ?... Pourquoi ?... Quand ?... Que faisait-elle, apparemment seule vivante, nue, tournoyant, essayant de fuir, écrasant une tête, s'enfonçant dans un ventre, brisant une épaule, piétinant dans une bouillie brune et puante, titubant, tombant, se relevant, retombant à la recherche d'une issue... Et puis ces rires, ces battements de mains, cet air allègre d'harmonica et, soudaine, cette odeur d'essence... Oh, ce cauchemar !... Elle avait cru se réveiller mais elle dormait encore. C'était de la faim sans doute que venaient ces songes noirs... Alors, elle s'arrêta de courir – peut-on fuir ses rêves ? – et attendit, les yeux clos, debout, les bras ballants, de se réveiller.

Une brusque chaleur les lui fit ouvrir : devant elle des flammes bleues léchaient des cadavres avec des grésillements gourmands et l'empyreume qui s'en dégageait fit surgir dans son esprit l'image d'un fabuleux repas offert par le roi du Maroc à son père à l'issue d'un concert : des dizaines de moutons rôtis sur les lits de braises qui éclairaient la nuit. Sarah saliva. Presque en même temps, elle fut envahie par un sentiment de honte qui l'arracha à son immobilité fascinée. Pour cette salive dans sa bouche, pour ces corps vus, l'espace d'une seconde, comestibles, pour la honte éprouvée, en saisissant la crosse de fusil qu'un SS lui tendait en riant, pour la peur qui lui vrillait le ventre, dans un bref éblouissement elle jura de se venger jusqu'à ce que l'oubli efface ces images et le souvenir de cette fringale obscène.

Sur un ordre jeté par une kapo, quatre déportées se saisirent des bras et des jambes de Sarah et la portèrent dans un baraquement presque propre où étaient alignés, derrière une tenture rouge, quatre ou cinq lits. Au fond, une baignoire pleine dans laquelle les femmes déposèrent sans douceur leur fardeau. Sarah poussa un cri, l'eau était glacée. Elle tenta de se relever mais une des déportées lui dit en français :

– Tu ferais mieux de te tenir tranquille, ce sera plus vite fait ; nous devons te laver...

– Me laver ?

– Oui, tu dois plaire à la grosse Bertha...

– La grosse Bertha ?

– La doctoresse du camp, elle ne s'appelle pas comme ça, c'est le surnom qu'on lui a donné entre nous. Elle aime les femmes. Quand une femme lui plaît, elle lui fait prendre un bain avant de s'en servir et puis après...

– Tais-toi, ordonna une déportée qui avait dû être belle.

– Chez moi on dit toujours qu'un homme averti en vaut deux, alors une femme !...

Tout en lui parlant, elles lui lavaient le corps et les cheveux avec une savonnette rose au parfum écœurant. Malgré le froid de l'eau, Sarah éprouvait une sorte de bien-être.

– Tu dois lui plaire beaucoup pour avoir droit à sa savonnette. La semaine dernière la petite Yougoslave n'a eu droit, elle, qu'au savon de graisse de juif.

– Tais-toi, on n'a pas la preuve !…

– La preuve ? Quelle preuve ? De quoi crois-tu qu'ils soient incapables dans la monstruosité ?… Tu ne le vois pas chaque jour, de quoi ils sont capables ?… Et toi, qui fais ta mijaurée, qui prends des airs de donneuse de leçons de morale, tu acceptes bien, moyennant un bol de soupe supplémentaire et un bout de saucisse de temps en temps, certaines besognes !

– Je sais, je sais !… Je t'en supplie, tais-toi !

Les larmes coulaient sur le visage de la malheureuse tandis qu'elle rinçait les cheveux de Sarah.

– Tu as de beaux cheveux. Comment se fait-il qu'ils ne t'aient pas tondue comme nous autres ?

– Je ne sais pas.

– Cherche pas, elle était dans un bordel ; tu sais bien qu'ils n'aiment pas les putains chauves.

Allongée dans un lit aux draps blancs, ses blessures pansées, nourrie d'une soupe épaisse et chaude, vêtue d'une chemise de toile grossière mais propre, Sarah essayait de rassembler ses esprits. Pourquoi ce brusque revirement ? On la bat, on la laisse sans soins, on tue une centaine de femmes mais pas elle, on la sauve des flammes, on la lave, on la soigne, on l'alimente, tranquille, bien au chaud dans un bon lit, pourquoi ? Sarah eût aimé ne jamais avoir la réponse.

Ce n'était pas pour en faire une amante que le docteur Schaeffer faisait soigner la jeune femme, mais pour qu'elle ait une conscience plus grande de ce qu'elle allait subir.

Jeune médecin ayant réussi brillamment avant la guerre ses examens en gynécologie, le docteur Rosa Schaeffer était devenue l'assistante du professeur Carl Clauberg, gynécologue de grande réputation dont le test sur l'action de la progestérone lui avait valu une renommée mondiale et dont les articles sur les traitements hormonaux faisaient autorité. Après avoir exercé à l'hôpital de Königshutte, elle avait aidé le professeur dans ses expériences de stérilisation des femmes de races dites inférieures au camp d'Auschwitz en compagnie de l'infirmier Bünning et du chimiste Göbel, représentant les laboratoires Schering-Kahlbaum. Totalement insensible, elle avait assisté et participé à la stérilisation de dizaines de femmes, toutes juives, d'origines française, hollandaise, belge, grecque, polonaise, russe... Carl Clauberg et Rosa Schaeffer, couple monstrueux qui prêtait à rire, lui avec son mètre cinquante, elle avec son mètre soixante-quinze !... Envoyée à Ravensbrück pour diriger la maternité, elle s'était liée avec le docteur Herta Oberheuser, assistante du professeur Karl Gebhardt, ami et médecin de Himmler, qui expérimentait sur des détenues l'efficacité des sulfamides. Plusieurs cobayes qu'il appelait affectueusement ses «petits lapins» moururent et d'autres restèrent mutilées à vie.

À Ravensbrück, le docteur Schaeffer se complut avec ce qu'il y avait de plus ignoble parmi le personnel du camp et parmi les déportées de droit commun ou les prostituées. Malheur aux jeunes filles et jeunes femmes qu'elle conviait à ses parties fines, elles n'en ressortaient presque toujours que pour la chambre à gaz ou mortes d'une «crise cardiaque» provoquée par une piqûre mortelle. Être choisie par la grosse Bertha signifiait la mort. Certaines déportées encore belles se barbouillaient le visage de suie ou de terre pour n'être pas remarquées par la formidable amazone qui n'aimait rien tant que la chair fraîche et l'humiliation de ses conquêtes. Elle était habituée depuis des années à voir ses collaborateurs, puis les prisonnières trembler devant elle, et la révolte de Sarah l'avait mise dans un état de rage et de stupeur difficilement imaginables.

3

Toutes les certitudes simples et bourgeoises d'Estelle et de Lisa de Montpleynet avaient été balayées par ces quatre années d'occupation allemande, les exactions qui avaient suivi la Libération, le climat de haine et de suspicion dans lequel était plongée la France et cette pénurie dont rien n'annonçait la fin. La guerre était finie, mais rien n'était redevenu comme avant ; les restrictions alimentaires, de textile, de charbon étaient les mêmes que sous l'occupation. Elles n'étaient plus que deux vieilles femmes tremblant devant les incertitudes de l'avenir. Elles avaient cru que la fin des combats sonnait celle des privations. Mais le temps passant, elles durent se rendre à l'évidence qu'elles ne connaîtraient plus la douceur de vivre de l'avant-guerre. Pour l'heure, le quotidien était aussi difficile que durant les années noires : restrictions, pénurie, cartes d'alimentation, queues interminables devant les boutiques vides. Sans les trafics de Laure, elles n'auraient pu subsister, d'autant que l'argent commençait à leur faire défaut. Moralement c'était bien pire : l'opprobre de Françoise rejaillissait sur elles. Peu à peu les visites d'amis s'étaient espacées. Lisa n'arrivait pas à se consoler de ne plus avoir ses partenaires de bridge. Estelle faisait preuve de davantage de force de caractère mais souffrait plus profondément ; elle se reprochait de n'avoir pas su protéger les filles de sa nièce Isabelle, de manquer de rigueur face aux agissements de Léa et aux commerces douteux de Laure. La pauvre femme n'avait même plus le secours de la prière ; elle avait perdu la foi. Cela, c'était son drame intime. Souvent la pensée du père Adrien l'envahissait. Seule la peur de peiner ses nièces et surtout Lisa, qu'elle avait toujours considérée comme une enfant, l'empêchait, à l'exemple du dominicain, de mettre fin à ses jours.

Les demoiselles de Montpleynet durent se rendre à l'évidence : leur fortune était perdue. Il ne leur restait que l'appartement de la rue de l'Université et une petite maison à Langon sur les bords de la Gironde qu'elles avaient achetée sur les conseils de Pierre Delmas pour se rapprocher, l'âge venu, de leur chère Isabelle. Leur vieux notaire avait été formel : elles devaient vendre l'appartement et se retirer à Langon. Mais que feraient Françoise et son petit garçon, Laure et Léa qui avait la responsabilité de Charles ? La réponse leur vint de François Tavernier venu les saluer lors d'un passage à Paris.

– Mesdemoiselles, vous avez raison de vouloir quitter la capitale.

– Mais que vont devenir les enfants ? Où iront-elles ?

– Elles peuvent aller à Montillac.

– À Montillac !... mais Montillac est une ruine à ce qu'on nous a dit.

– Les ruines, cela se relève. Regardez autour de vous, il n'est question que de reconstruction.

– Mais les pauvres petites n'ont pas d'argent et ce n'est pas nous, hélas !...

Estelle ne put retenir une larme qu'elle essuya discrètement. Ce chagrin n'échappa pas à François. Il fit cependant celui qui ne le remarquait pas.

– Avez-vous des nouvelles de Léa ? Je l'ai quittée à Berlin il y a un mois et depuis, plus rien.

– Elle n'écrit pas souvent. Sa dernière lettre a mis

quinze jours à nous parvenir. Nous l'avons reçue il y a une semaine environ. Elle nous parle de votre départ de Berlin. Tenez, voulez-vous la lire ?

Estelle sortit de sa poche une lettre sur papier bleu. François fut ému en reconnaissant la grande écriture désordonnée.

Mes tantes chéries, ma petite Laure, ma chère Françoise, ma chère Ruth,

Juste un tout petit mot car une fille part dans un instant à l'avion. J'ai reçu hier votre lettre et les photos, merci mille fois. Charles est vraiment très mignon, comme il ressemble à sa mère ; Laure a un chapeau qui me plaît beaucoup, je lui emprunterai à mon retour ; la nouvelle coiffure de Françoise lui va très bien ; le petit Pierre est si flou sur la photo – il a dû bouger – qu'on ne voit pas très bien la tête qu'il a. La vie à Paris a l'air très difficile et le ravitaillement ne semble pas s'être amélioré. C'est comme ici où nous ne mangeons que des conserves américaines. Quant à moi, tout va bien malgré les conditions de travail très dures. Hier je suis revenue d'une mission de trois jours jusqu'à la Baltique du côté de Schwein. Il faisait très beau. J'ai ramené un prisonnier français et deux belges. Les autres voitures étaient pleines. J'ai dû rouler quatre heures de nuit avec de mauvais phares et quand la pluie s'est mise à tomber, sans essuie-glaces, je ne voyais plus rien, à tel point que je fonçais dans le noir le plus complet. J'étais sûre de ne pas arriver entière et j'avais les nerfs tellement tendus qu'à la fin je souhaitais presque le choc pour en terminer avec ce cauchemar. Mais il y a un dieu pour les conductrices et je suis arrivée entière, mais de quelle humeur ! Nous faisons très bon ménage avec les Soviétiques, ils nous facilitent les choses dans leurs secteur, ce n'est pas comme les Américains qui ne nous font que des tracas. J'ai fait cent cinquante kilomètres avec un Russe qui me remettait mon manteau sur les épaules dès qu'il tombait. Quand nous sommes en mission avec eux, nous partageons leurs repas. Voici le menu type : petit déjeuner, soupe ; déjeuner, purée de pommes de terre et radis coupés ; dîner, soupe ; et le lendemain la même chose. Comme vous le voyez, rien de bien réjouissant pour une gourmande comme moi. Heureusement, il y a la vodka. Rassurez-vous, je n'en bois pas beaucoup. Ce n'est pas comme nos amis qui peuvent en absorber des quantités invraisemblables. Je ne sais pas comment ils se la procurent car la circulation de l'alcool est très réglementée.

Pouvez-vous m'envoyer de l'argent ? Je n'en ai plus. Je pourrai vous rembourser car j'en ai beaucoup qui m'attend à la C. R. F[1]. Je me suis acheté un appareil photo épatant. Claire Mauriac m'a prise près de mon ambulance ; je vous les adresse par le même courrier. J'ai acheté également trente-cinq paquets de cigarettes. Je suis à sec.

François Tavernier a quitté Berlin depuis une semaine, il me manque beaucoup.

Quelle drôle d'idée de vouloir vendre la rue de l'Université et d'aller vous installer à Langon. Pas question pour moi de revenir dans la région, trop d'affreux souvenirs s'y rattachent. À mon retour, nous trouverons une solution. Je travaillerai. En attendant, Laure doit pouvoir se débrouiller. À propos ma petite Laure, peux-tu me procurer de bonnes chaussures, je n'en ai plus qu'une paire et je ne suis pas sûre qu'elle tienne encore longtemps ? Merci, petite sœur. Je compte sur toi.

Occupez-vous bien de Charles et embrassez-le pour moi. Dites-lui que je pense souvent à lui.

Je dois arrêter là cette lettre car on me fait signe que l'avion n'attendra pas. Prenez bien soin de vous toutes, je vous embrasse de tout mon cœur.

Votre Léa.

1. Croix-Rouge Française.

François plia la lettre.

– Pauvre enfant, comment peut-elle conduire de si gros engins, dit Lisa en tendant les photos envoyées par Léa.

Comme elle avait l'air mélancolique, la jolie conductrice, assise, jambes pendantes, sur le marchepied du véhicule, entourée de trois de ses compagnes, souriantes, elles ! Sur une autre, elle se tenait très droit dans l'uniforme gris-bleu de la Croix-Rouge, le chapeau réglementaire bien ajusté, les mains gantées, le nœud de cravate impeccable, debout devant les ambulances bien alignées, passées en revue par le commandant Rozen.

En rendant les photos, François Tavernier se fit la réflexion qu'il ne possédait aucun portrait d'elle.

– Comment l'avez-vous trouvée la dernière fois que vous l'avez vue ? demanda Estelle.

– Magnifique, fit-il avec un sourire.

– Pardon ?

– Excusez-moi... je voulais dire très bien, je l'ai trouvée très bien.

– Pas trop éprouvée par son travail ?

– Un peu, bien sûr ; mais Léa est très forte, très courageuse. Ses supérieurs n'ont que des éloges à lui faire ; quant à ses compagnes, quoiqu'elle soit la plus jolie, toutes l'adorent.

– Nous en sommes bien heureuses. Je suis si inquiète pour cette enfant ; elle a la sensibilité de sa mère et le caractère têtu de son père. Elle est fière et obstinée, forte comme vous le dites, mais fragile aussi...

– Je le sais, c'est ce qui la rend, entre autres, si attachante.

– ... Je crains qu'elle n'ait du mal à retrouver une vie normale, se marier, avoir des enfants. Ne croyez-vous pas, monsieur Tavernier ?

Comme elles étaient charmantes, ces demoiselles de Montpleynet, tellement naïves et si candides, surtout Lisa sous ses boucles blanches où le coiffeur avait mis des reflets d'un rose un peu trop soutenu.

François éluda la question.

– Revenons à vos projets. La vente de votre appartement vous permettra-t-elle de vivre ? Pardonnez-moi cette indiscrétion…

– Je vous en prie, monsieur, nous sommes entre amis et au point où nous en sommes… d'après notre notaire, oui, sans faire de folies évidemment. Mais cela ne résout pas le problème de nos nièces.

– Je peux vous aider à le résoudre.

– Comment cela ?

– En avançant l'argent pour les travaux de Montillac…

– Mais monsieur !

– Laissez-moi continuer : argent que vos nièces me rembourseront quand elles toucheront les indemnités de guerre…

– Cela ne suffira pas !

– Vous oubliez le produit de la vigne. Le vin de Montillac est un bon vin.

– Mais il n'y a plus personne pour s'occuper de la propriété.

– Ne vous inquiétez pas, on trouvera. Le plus important c'est que Françoise, Laure et Léa le veuillent. Pensez-vous que ce soit là leur désir ?

– Françoise, je crois que cela lui est égal. Ici ou là, que lui importe ; elle est très malheureuse et nous ne savons quoi faire pour atténuer son chagrin. Laure est encore mineure et nous pourrons peut-être la convaincre de venir avec nous ; ce serait un moyen de l'arracher aux gens qu'elle fréquente. Quant à Léa, vous avez vu dans sa lettre qu'il ne saurait être question pour elle de revenir à Montillac.

– Ce n'est pas sûr, c'est une fille de la terre, elle y est très attachée. Ce qu'elle redoute, c'est de trouver sa maison en ruines ; reconstruite, elle l'aimera à nouveau.

– Croyez-vous ?

– Oui, elle aura à cœur de redresser le domaine en souvenir de son père et de sa mère. Et puis, a-t-elle vraiment le choix ? Vous devriez accepter ma proposition.

Lisa poussa un gros soupir, Estelle baissa la tête. Tous les trois restèrent silencieux un bon moment.

– Puis-je vous poser à mon tour une question indiscrète, demanda Estelle.

– Je vous en prie.

– Eh bien voilà... c'est dur à dire, pardonnez-moi... mais, je dois vous la poser avant d'accepter votre offre généreuse... Quels sont vos sentiments pour Léa... quelles sont vos intentions ?

– Vous voulez dire sans doute : avez-vous, cher monsieur, l'intention de l'épouser ? dit-il avec plus d'ironie qu'il ne l'eût voulu.

– Oui, c'est cela même.

– Pour vous répondre franchement, cela demande réflexion...

– Comment ? firent ensemble les deux sœurs.

–... Je veux dire par là que je ne suis pas du tout convaincu que Léa fasse une bonne épouse et encore moins convaincu qu'elle veuille de moi comme mari.

– Dans ce cas, monsieur... dit Estelle en se levant.

– Rasseyez-vous, mademoiselle, je n'ai pas voulu vous blesser, seulement vous dire que cela ne dépend pas de moi mais de Léa. Pour répondre plus simplement à votre question, oui, j'épouserais volontiers votre nièce.

Un énorme soupir de soulagement s'échappa des poitrines des vieilles demoiselles.

– Que vous m'avez fait peur ! s'exclama Lisa d'une voix étouffée en s'éventant avec son mouchoir.

Estelle ne dit rien, se contentant de sourire.

– Si vous le permettez, mesdemoiselles, j'irai m'entretenir avec votre notaire. Comment se nomme-t-il ?

– Maître Loiseau, il habite boulevard de Courcelles.
– Très bien, j'irai le voir dans la semaine.

François Tavernier alla voir le notaire et se proposa pour acheter l'appartement à un prix très avantageux pour les vieilles demoiselles, à la condition qu'il garde secret le nom de l'acquéreur jusqu'à nouvel ordre. En compagnie de Françoise, il se rendit à Montillac pour voir l'état de la propriété. Les dégâts de la maison étaient moins importants qu'il ne l'avait imaginé. La toiture était entièrement à refaire ainsi qu'une partie de la charpente ; pour le reste, après nettoyage, il suffirait de repeindre ou de tapisser les différentes pièces, d'acheter quelques meubles.

Françoise ne put cacher son émotion en revoyant les lieux de son enfance.

– Je ne pensais pas que notre chère maison eût tant souffert ! Mais vous avez raison, c'est ici que nous devons vivre. Pour moi la décision est prise de m'y installer avec mon fils. C'est encore là que j'arriverai le mieux à oublier et à élever mon enfant. J'espère convaincre Laure et Léa de venir aussi.

– C'est une sage décision que vous prenez, je souhaite que vos sœurs aient votre sagesse.

– Pour Léa, je n'en sais rien. Vous seul, je crois, pouvez la convaincre. Je suis plus inquiète pour Laure. Elle a pris l'habitude d'une vie facile, mondaine, parisienne. Je la vois mal reprendre la vie simple de la province.

– Je suis assez de votre avis. Mais pouvez-vous la laisser seule à Paris ? Elle est encore bien jeune.

– De toute façon, elle n'en fera qu'à sa tête. Je sais qu'elle voulait quitter la rue de l'Université pour s'installer dans un studio, rue Grégoire-de-Tours. Je la connais, si elle a décidé de vivre à Paris, rien ne la fera changer d'idée. Elle est encore plus obstinée que Léa.

Après avoir pris l'avis de Françoise, Tavernier confia

les travaux à un architecte de Bordeaux qui s'engagea à leur fournir des devis dans les meilleurs délais.

Grâce aux soins d'un propriétaire voisin, la vigne n'avait pas trop souffert. Le brave homme, monsieur Testard, recommanda un de ses parents comme régisseur. Prisonnier pendant quatre ans, Alain Lebrun avait passé son temps de captivité dans un domaine viticole des bords du Rhin où, en l'absence du vigneron et de ses fils combattants, il avait fait merveille. À tel point que sa patronne, sans nouvelles de ses hommes à la fin de la guerre, lui avait proposé une de ses filles en mariage. Alain avait décliné poliment l'offre et, vendanges faites, s'apprêtait à rentrer au pays.

– C'est un consciencieux, avait dit Testard, il aime et respecte la terre, il a accepté de rester là-bas jusqu'à la fin des vendanges. Les demoiselles Delmas ne pourront pas trouver mieux que lui, je m'en porte garant. Je lui ai écrit pour lui en parler et le sonder sur ses intentions. Il m'a répondu que s'il convenait aux demoiselles, il était d'accord.

– Je me souviens de lui, avait dit Françoise. C'est un garçon de mon âge qui n'a ni famille ni fortune. Il a été élevé par un oncle tonnelier à Saint-Macaire. Jeune, il était travailleur et taciturne. S'il n'a pas changé, c'est exactement le genre de personne qu'il nous faut à Montillac.

Françoise lui écrivit et rendez-vous fut pris à son retour.

Tout alla très vite dans les deux mois qui suivirent et au début de l'été les demoiselles de Montpleynet quittèrent Paris avec Françoise, son fils et le petit Charles. Laure avait accepté d'y passer les vacances mais avait refusé de s'installer à Montillac, disant qu'elle s'enfuirait si ses tantes l'y obligeaient. De guerre lasse, ses tutrices avaient accepté qu'elle louât le studio de la rue Grégoire-de-Tours. Reconnaissante, Laure promit de reprendre ses études et d'aider à la remise en état de Montillac.

En accord avec François Tavernier, on n'avait pas informé Léa de ces grands changements dans la vie de la famille.

– Ce sera une surprise, avait-t-il dit.

Les premières semaines se passèrent dans l'euphorie et le désordre. La maison de Langon était trop petite pour accueillir tout le monde. On s'installa tant bien que mal à Montillac, il faisait beau, ce campement amusait petits et grands et puis, les travaux avançaient vite.

Françoise et Laure avaient eu une grande joie en retrouvant Ruth, leur vieille gouvernante. Comme elle avait changé !... Elles gardaient le souvenir d'une femme dans la force de l'âge et là... ses mains sans cesse agitées de tremblements révélaient les tourments endurés. Sa présence était chère à tous et disait que la vie continuait, que l'enfance n'était pas complètement enfuie puisque celle qui racontait de si belles histoires, chantait des berceuses si tendres était là et qu'à nouveau, elle racontait les fées et les loups, les ogres et les belles princesses endormies à deux petits garçons qui, sans s'être concertés, l'appelaient : mémé Ruth.

4

Après son hospitalisation de deux mois, Sarah Mulstein avait été hébergée par la famille du major George McClintock dans leur vaste propriété au nord de l'Écosse. Là, la jeune femme, entourée de soins et d'affection, avait recouvré sa santé avec une rapidité qui étonnait les médecins. L'un deux, plus perspicace, s'inquiétait de son état mental. Elle refusait obstinément de parler de ce qu'elle avait subi en Allemagne et donnait à tous l'impression de vouloir oublier. Une chose cependant contredisait cela : dès que ses cheveux avaient commencé à repousser et qu'elle en avait eu la force, elle s'était rasé le crâne. Aux questions de ses hôtes, elle s'était contenté, avec une noire ironie, de répondre qu'elle trouvait cela seyant. Lady Mary, la mère de George McClintock, avait fait venir de Londres une superbe perruque ; Sarah l'avait remerciée sèchement en ajoutant qu'il lui était impossible de la porter jamais car cela lui rappelait d'autres chevelures, qui étaient envoyées par ballots entiers des camps vers les fabriques de tissus. Ce fut une de ses rares allusions à l'univers concentrationnaire nazi tant que dura son séjour. Bien que choqués par son attitude, ils surent faire preuve de tact et de compréhension.

À l'automne, elle leur fit part de son intention de

retourner en Allemagne pour essayer de savoir ce qu'étaient devenus la sœur de son père et ses cousins et ce qu'il était advenu de la famille de son mari et de ses biens.

George tenta de l'en dissuader.

– J'avais de la famille à Berlin et à Munich, je veux savoir s'il reste des survivants. Par ailleurs les procès des criminels nazis vont commencer. Je ne veux pas manquer ça et je suis prête à témoigner.

– Il n'y a que ruines à Berlin, il doit en être de même à Munich comme dans toutes les grandes villes d'Allemagne.

– Je le sais, mais je tiens quand même à m'y rendre. Ne devez-vous pas aller à Nuremberg ? Emmenez-moi.

– Vous n'êtes pas en mesure de retourner là-bas !

– Détrompez-vous. Si vous ne voulez pas m'y emmener, j'irai seule.

McClintock dut céder et s'occupa des formalités nécessaires.

Il accompagna Sarah jusqu'à Munich avant de rejoindre Nuremberg. Dans l'ancienne capitale de la Bavière, elle eut la joie de retrouver un de ses cousins, jeune avocat avant la guerre, Samuel Zederman, échappé par miracle à la police le jour de l'arrestation de toute sa famille : parents, grands-parents, frères et sœurs. Tous avaient été déportés à Mauthausen.

Samuel avait survécu caché dans la cave de sa petite amie non juive qui, pendant deux ans, l'avait nourri et protégé à l'insu de tous. Les bombardements devenant de plus en plus fréquents, ils prirent l'habitude de passer toutes leurs nuits dans la cave. C'est là que naquit une petite fille qui mourut à la naissance et qu'ils enterrèrent, désespérés, dans un coin. Un soir son amie ne revint pas ; il l'attendit en vain plusieurs jours. Quand enfin il se résigna à sortir, fou d'angoisse et de faim, il ne reconnut rien. Autour de lui ce n'était que ruines où erraient des créatures grises fouillant entre les pierres. Il marcha longtemps avant de trouver un immeuble presque intact, se dressant seul au milieu des décombres; au rez-de-chaussée il y avait un café aux vitres remplacées par du carton. À l'intérieur une unique lampe à pétrole ou à l'huile éclairait chichement la salle où se tenait une humanité grisâtre, assise sur des bancs devant des récipients hétéroclites d'où montait un filet de vapeur. On se serra pour lui faire une place et, sans rien lui demander, une jeune fille maigre et pâle, posa devant lui un bol ébréché rempli d'un liquide fumant. Il le saisit avec reconnaissance; cela avait un goût indéfinissable mais c'était chaud. La tête lui tourna; il perdit connaissance. Quand il revint à lui, la salle était vide, les sirènes hurlaient. Très vite les premières bombes explosèrent. Autour de lui, le sol, les murs tremblaient, sur les étagères les verres s'entrechoquaient avec des sons cristallins aussitôt recouverts par le fracas des explosions tandis que des morceaux de plafond lui tombaient sur la tête. Il fallait fuir, mais auparavant il devait trouver quelque chose à manger. Il passa derrière le comptoir et fouilla dans les placards. Au fond de l'un deux, il trouva un paquet de gâteaux secs et trois boîtes de lait concentré. À l'aide du poinçon de son couteau, il ouvrit l'une d'elles et avala avec délice la sirupeuse boisson. Il eut assez de volonté pour ne pas tout boire et rangea la boîte dans la musette qu'il avait eu la présence d'esprit de remplir d'un peu de linge, d'une timbale en argent, d'un collier de perles ayant appartenu à sa mère et d'une photo le représentant en compagnie de son amie. À peine venait-il de sortir qu'une bombe pulvérisa l'immeuble. Le souffle de la déflagration le projeta en l'air. Il se releva étourdi, toussant, mais indemne, au milieu d'un opaque nuage de poussière. On n'entendait plus que le bourdonnement des avions s'éloignant dans le ciel et le crépitement des flammes s'échappant de l'immeuble effondré. Les mains tendues devant lui, il s'éloigna du brasier, butant sur les gravats. Peu à peu le nuage de poussière devint moins dense. Tels des spectres, il voyait se lever des créatures à l'aspect vaguement humain qui semblaient surgir de l'ombre ; pas un cri, pas un pleur, pas le moindre gémissement, des gestes comme ralentis. Bientôt, il y eut une petite foule s'éloignant lentement, sans bruit. Samuel se mêla à cette foule : des femmes surtout, auxquelles la poussière qui les recouvrait ne permettait pas de donner d'âge, de très vieux hommes courbés et des enfants qui marchaient droit devant eux, sans hâte, comme sans but.

Combien de temps dura son périple à travers l'Allemagne dévastée à fuir les bombardements, les hordes de pillards, les soldats déserteurs ? Il ne le sut jamais. Il se réveilla un jour sur le bord d'une route, soutenu par un grand soldat noir américain qui lui donnait à boire.

Quand Sarah et lui se retrouvèrent, le jeune et brillant avocat servait d'interprète aux troupes françaises et américaines tout en cherchant à savoir ce qu'était devenue sa famille. Il réussit à convaincre le commandement français de la région de la nécessité d'avoir une interprète féminine pour s'occuper plus particulièrement des enfants. Un jour, ils suivirent un convoi de la Croix-Rouge Internationale chargé de rapatrier de nombreux orphelins qui voyageaient accompagnés de médecins et d'infirmières allemands. À la descente du train, chaque enfant recevait un verre de lait chaud et une tablette de chocolat. Les pauvres petits, pour la plupart habillés de mauvais vêtements aux couleurs indéfinissables, certains les pieds enveloppés de chiffons, maigres, les yeux immenses mangeant leur visage pâle et sale, en état de choc, regardaient ces friandises avec appréhension avant de les engloutir en un tour de main avec dans le regard un bref éblouissement.

Samuel interpella l'un des deux médecins reconnaissables à leur brassard et demanda lequel était responsable du convoi.

– *Das bin ich*[1], répondit une forte femme assez belle. Sarah, en entendant cette voix, s'immobilisa, saisie d'épouvante. Au prix d'un incroyable effort, elle parvint à se retourner mais ses yeux troublés de larmes, n'arrivaient pas à distinguer les traits du visage : elle remarqua seulement, comme dans un brouillard, que celle qui avait parlé portait l'uniforme bleu de la Croix-Rouge... Elle devait rêver, ce n'était pas possible.

– *Die Kinder sind blutarm, aber im algemeinen ziemlich gesund, nicht wahr, Inge ?*[2]

– *Ja, Frau Doktor, wie haben unser Bestes getan, um sie zu pflegen*[3], dit une infirmière qui se tenait près d'elle.

Cette autre voix ?... non !... non !...

Elle avait dû crier car Samuel revint vers elle précipitamment.

– Qu'as-tu ? Tu n'as pas l'air bien, qu'est-ce qu'il t'arrive ?

Sarah tremblait, incapable de parler, suffoquante, livide. Il la gifla.

– Ces auxiliaires de la Croix-Rouge, parvint-elle à articuler en désignant le médecin et l'infirmière.

– Eh bien quoi, ce sont des personnes compétentes chargées par les alliés de retrouver les enfants égarés à travers l'Allemagne.

– Mais ce n'est pas possible, pas elles !

– Que veux-tu dire, je ne comprends pas ?

Les convoyeuses avaient remarqué le bouleversement de cette femme en tenue vaguement militaire coiffée d'un bonnet qui dissimulait ses cheveux. Ce visage

---

1. C'est moi.
2. Les enfants sont anémiés mais sont, dans l'ensemble, plutôt en bon état. N'est-ce pas, Inge ?
3. Oui, docteur, nous les avons soignés de notre mieux.

leur disait vaguement quelque chose. Soudain, celle qui se nommait Inge pâlit et, se penchant vers sa compagne, lui murmura :

– *Ich erkenne sie, sie war es, die euch in Ravensbrück Widerstand leistete.* [1]

– *Spricht nicht so laut, du Idiotin !.. Du hast recht !* [2]

Un train entra en gare sur l'autre voie, les infirmières américaines rassemblèrent les enfants pour les éloigner de la bordure du quai créant un moment de confusion dont profitèrent les deux Allemandes pour, passant derrière le groupe agité, se diriger vers la sortie. Les passagers du nouveau train descendirent, provoquant une cohue qui permit aux deux femmes de s'échapper avant que Sarah et Samuel eussent pu réagir. Quand, à leur tour, ils atteignirent le parvis de la gare, elles avaient disparu. Il ne leur restait qu'à faire leur rapport aux autorités américaines.

– Vous êtes sûre qu'il s'agit bien du docteur Rosa Schaeffer, médecin au camp de Ravensbrück et de l'infirmière Ingrid Sauter ? demanda à Sarah le commandant qui les reçut.

– Aussi sûre que je vous vois. En tant que médecin, elle est responsable de la mort de centaines de déportées. Elle a pratiqué sur des dizaines de femmes des expériences qui, quand elle ne les ont pas tuées, les ont mutilées à vie. Je suis l'une d'elle et je suis prête à témoigner.

– Merci, madame. Elle figurent bien sur nos listes de personnes à arrêter. Nous allons mettre tout en œuvre pour les retrouver.

– Mais comment se fait-il qu'elles aient réussi à s'infiltrer dans les rangs de la Croix-Rouge ?

– Je n'en sais rien, tout ce que je peux dire c'est que nous avons dû faire appel aux médecins et infirmières

1. Je la reconnais, c'est celle qui vous avait tenu tête à Ravensbrück.
2. Parle moins fort, idiote !.. Tu as raison !

allemands qui étaient disponibles, nos équipes médicales étant débordées. Ce n'est pas le premier cas qui nous est signalé de médecins nazis ayant profité de l'occasion. Certains réseaux se sont constitués pour la fabrication de faux papiers, d'hébergements sûrs parmi la population. Des filières se mettent en place pour faire sortir les plus compromis du pays. Toute une partie des services alliés travaillent à démanteler ces réseaux. Ce n'est pas facile car ils bénéficient non seulement de la complicité d'une partie de la population, mais d'aides étrangères. Dans le cas qui nous intéresse, cela ne devrait pas être trop difficile de mettre la main dessus.

Durant les deux jours qui suivirent cette sinistre rencontre, Sarah resta prostrée dans sa chambre, refusant de parler. Samuel Zederman, conscient du choc subi par sa cousine, la laissa tranquille, jusqu'au moment où il éclata.
– Tu ne vas pas rester à te morfondre ainsi sans rien faire en attendant qu'on te les amène. D'ailleurs, qui te dit que les Américains vont les retrouver, ils sont des milliers dans ce cas, autant chercher une aiguille dans une meule de foin. C'est à nous de partir en chasse, c'est à nous de nous venger. Mais avant, nous devons savoir si nous avons une chance de retrouver les nôtres. Beaucoup de survivants de Mauthausen se trouvent près de Linz dans des camps pour personnes déplacées. Nous allons y aller, Linz n'est qu'à trois heures de Munich.

Ils mirent deux jours pour faire le voyage dans un train bondé qui s'arrêtait parfois pendant plusieurs heures. À leur arrivée, après de minutieux contrôles d'identité, ils se précipitèrent, affamés, sur un marchand ambulant de boissons chaudes et de saucisses. Leur fringale calmée, ils demandèrent au marchand s'il y avait une possibilité de loger dans la ville. Il leva les bras au ciel mais leur souffla à l'oreille que sa sœur pourrait peut-être les dépanner, moyennant un loyer honnête.

Le loyer honnête s'avéra coûter le prix d'une suite dans un palace parisien. Mais la chambre avait deux lits, un lavabo derrière un paravent et un poêle ; le comble du luxe en ces temps difficiles. Après une rapide toilette, ils se rendirent au Comité juif de Linz récemment organisé. Une foule d'hommes et de femmes aux visages maigres et pâles d'où ressortait le brun des cernes de leurs yeux, vêtus de pauvres vêtements trop grands ou trop petits, se pressait dans les deux pièces et sur le seuil du bureau du Comité pour consulter les listes des survivants. Cris, rires, pleurs, embrassades, imprécations, injures... Sarah assourdie par le bruit, bousculée, sortit. Elle s'appuya contre le mur et alluma une cigarette. Des mains se tendirent auxquelles elle abandonna son paquet. Un turban de laine cachait son crâne chauve, son manteau de gabardine était d'une bonne coupe, ses chaussures et son sac de vrai cuir. Ceux qui entraient la dévisageaient, les femmes surtout. Perdue dans ses pensées, elle ne remarqua pas tout de suite qu'un homme, très grand, très maigre, s'était arrêté devant elle.

— Puis-je vous être utile, madame ?

Elle releva la tête et fut saisie par le regard de son interlocuteur, un regard intense, profond, inquisiteur, qui semblait lire en elle, un regard bon mais triste, immensément triste.

— Merci, monsieur, je ne crois pas. Mon cousin est à l'intérieur.

— Vous recherchez des parents, des amis ?

— Moi je ne recherche rien, mon père et mon mari sont morts. Toute ma famille a disparu sauf mon cousin Samuel qui lui espère encore retrouver les siens.

— Il a raison d'espérer, l'espoir fait vivre. Certains arrivent à se retrouver.

Sarah répondit par un ricanement.

Au même moment, Samuel dégringola les marches le visage couvert de larmes, un sourire radieux aux lèvres traînant derrière lui un tout jeune homme d'une effrayante maigreur.

«Il est devenu fou», pensa Sarah.

– Daniel... j'ai retrouvé Daniel, mon petit frère... Dieu est bon, Sarah... mon petit frère!...

Dieu est bon!... où allait-il chercher ça lui, le brillant avocat athée! Elle sentait monter en elle une froide colère. Son regard croisa celui du garçon, elle y lut la même colère.

– Vous voyez bien qu'il ne faut pas désespérer, dit l'inconnu.

– Oui, sans doute, dit-elle sèchement.

Samuel venait vers eux sans lâcher son frère.

– Daniel, tu ne la connais pas, c'est notre cousine Sarah Mulstein, embrasse-la.

Ils s'embrassèrent sous l'œil attentif de l'étranger.

– Simon, dépêche-toi, on a besoin de toi, lui dit une femme sortant du bureau.

– J'arrive. Au revoir et bonne chance.

Sarah l'arrêta.

– Excusez-moi, connaissez-vous le responsable du Comité?

– C'est moi.

– J'aimerais vous parler, c'est important. Quand pourrais-je vous voir?

– Venez ce soir chez moi dans la Landstrasse vers huit heures.

– Merci. Mon nom est Sarah Mulstein.

– Moi, c'est Simon Wiesenthal.

Pendant le déjeuner, Daniel raconta brièvement, froidement, sans détails, son arrestation et celle de leurs parents. Leur arrivée au camp où les grands-parents avaient été immédiatement gazés. Un jour, leur mère et leurs sœurs avaient disparu, pour Ravensbrück, croyait-il. Quant à leur père, il était mort d'épuisement dans ses bras.

Il avait un peu plus de dix-huit ans, il parlait d'un ton détaché, sans émotion apparente. Sarah avait éprouvé une attirance immédiate en le voyant mais lui s'était méfié de cette femme trop belle malgré les marques de ses joues, trop élégante lui semblait-il. Ce ne fut que plus tard, quand elle retira son turban et qu'elle lui montra le tatouage de son bras, qu'il cessa d'être sur la défensive et se jeta contre elle en pleurant. Là, pendant quelques instants, il s'abandonna comme un petit enfant sur le sein de sa mère. De ce jour naquit entre eux un sentiment de fraternité, une complicité, une compréhension totale du caractère de l'autre. Ce fut la seule fois où il pleura sur lui-même.

Sarah insista pour se rendre seule au rendez-vous de Simon Wiesenthal.

L'appartement se composait d'une seule pièce meublée très modestement dont les fenêtres donnaient sur un petit jardin.

C'est ce jardinet qui avait séduit Wiesenthal.

– Que puis-je pour vous ?

– M'aider à me venger.

– Je savais que c'était cela que vous vouliez me demander. Je l'ai vu à vos yeux. Je comprends votre sentiment, je ne l'approuve pas. Ce que je veux, moi, c'est la justice.

– Comment pouvez-vous parler de justice, vous qui comme moi avez connu l'horreur nazie ! s'écria Sarah exaspérée.

– Justement. Nous devons porter témoignage devant le monde. Je ne crois pas à la responsabilité collective du peuple allemand. Personnellement, je peux témoigner de soldats SS ayant eu un comportement humain envers les détenus juifs...

– Ils ne devaient pas être nombreux, l'interrompit Sarah avec un ricanement mauvais.

– Il suffit d'un juste, rappelez-vous Sodome et Gomorrhe...

– Ah non! je ne suis pas venue vous trouver pour vous entendre citer la Bible. Si Dieu a jamais existé, il est mort dans les camps.

– Vous en êtes sortie et moi aussi. Pourquoi? Pourquoi avons-nous été épargnés alors que des centaines de milliers d'autres ont été assassinés?... Qu'avons-nous fait qui nous donne le droit de survivre? Ne devons-nous pas tout faire pour justifier cette faveur du destin? Moi aussi, dans un premier temps, j'ai pensé à la vengeance; toute ma famille a été exterminée, ma mère emmenée sous mes yeux, ma femme que je croyais morte... pour qui vivre, pour quoi vivre, me disais-je? Plus le temps passe, plus la liste des disparus s'allonge... c'est par millions qu'ils ont tué...

– Et ces millions de morts ne crient-ils pas vengeance?

– Non, ils demandent justice. Ils demandent que leurs assassins soient jugés et condamnés, ils demandent que leurs crimes soient dénoncés à la face du monde entier, ils nous commandent de ne jamais oublier, de faire que nos enfants et les enfants de nos enfants entretiennent à jamais leurs mémoires afin que pareille chose ne se reproduise pas dans vingt ans, dans cent ans...

La pièce était trop petite pour cet homme maigre et grand qui marchait de long en large en faisant de grands mouvements avec ses bras, lui, si calme au début de l'entretien, laissait percer une violente émotion.

–... Un Juif qui croit en Dieu et en son peuple ne peut pas croire à la culpabilité collective du peuple allemand. Bien sûr, il n'était pas totalement ignorant des atrocités qui se commettaient derrière les barbelés des camps de la mort, mais par peur, par honte, il préférait détourner ses regards devant les magasins juifs dévastés, leurs voisins juifs emmenés, leurs enfants chassés des écoles, les croix gammées salissant les vitrines juives...

– Tout ce que vous dites montre que les Allemands savaient et vous soutenez que leur culpabilité n'est pas collective ?

– N'avons-nous pas souffert, nous autres Juifs, pendant des milliers d'années, parce que l'on nous accusait d'être «collectivement coupables», tous, même les enfants à naître, de la mort du Christ, des épidémies du Moyen-âge, du communisme, du capitalisme, des guerres désastreuses et des traités de paix également désastreux ? Tous les maux de l'humanité, de la peste à la bombe atomique, sont «la faute des Juifs». Nous sommes les éternels boucs émissaires. Nous savons bien, nous, que nous ne sommes pas collectivement coupables ; alors comment pourrions-nous accuser aucun autre peuple de l'être, quels que soient les crimes commis par certains de ses enfants ? Cependant, je prie Dieu de me donner la force de mener à bien la tâche que je me suis imposée ; qu'aucun criminel ne se sente à l'abri, qu'il sache que partout où il se trouvera et ce jusqu'à la fin de sa vie nous le traquerons afin qu'il réponde devant les tribunaux de ses crimes contre l'humanité.

Épuisé, Wiesenthal se laissa tomber sur une chaise. Sarah le regardait, bouleversée. Comment cet homme déchiré pouvait-il parler de justice ? Elle éprouvait une admiration incrédule devant cette confiance en la justice, devant ce courage d'homme tranquille. Rien de ce qu'il avait vu et vécu n'avait pu ébranler ni tuer en lui cette croyance en l'homme.

L'atmosphère de la petite pièce était chargée d'une telle émotion qu'ils restèrent longtemps l'un et l'autre plongés dans leurs pensées. Sarah réagit la première.

– Monsieur, je vous admire mais je ne peux pas vous suivre. Je sais que je ne pourrai vivre si je ne me venge pas non seulement du mal que l'on m'a fait mais de celui fait aux autres. Je sais que vous avez des listes de criminels, des témoignages que vous avez transmis à Nuremberg pour la préparation des procès. Moi, ce que je vous demande, ce sont les noms de ceux de Ravensbrück.

– Ces noms sont entre les mains des autorités alliées. Ces gens seront jugés et punis en fonction de leurs crimes. Vous n'êtes pas la première et vous ne serez pas la dernière à venir me faire cette demande. Nous, les victimes, nous devons accepter de déléguer notre volonté de vengeance aux tribunaux et de respecter leur jugement quel qu'il soit. Nous, Juifs, ne nous comportons pas comme des nazis qui ont tué des hommes parce qu'ils pensaient en avoir le droit. En les tuant sans jugement vous agiriez comme eux.

– Non ! jamais je ne croirai cela ! Jamais ! Je ne peux pas attendre sinon ils se fondront dans la masse « innocente ». J'ai vu il y a quelques jours deux des monstres de Ravensbrück en uniforme de la Croix-Rouge. Je vous jure que je vais mettre tout en œuvre pour les retrouver et les tuer car seule la mort peut empêcher cette vermine-là de propager l'épidémie nazie.

– Vous n'en retirerez que de nouvelles souffrances.

– Qu'importe. J'ai perdu mon âme là-bas. Vous, vous avez toujours la vôtre... C'est toute la différence.

Sarah sortit sans un mot d'adieu. Sur sa chaise, Simon Wiesenthal pleurait.

5

Léa était sortie de la salle d'audience surchauffée du palais de justice de Nuremberg, bouleversée et nauséeuse. Elle n'en pouvait plus de cette longue énumération d'atrocités, et les films que l'on venait de présenter sur les camps de concentration de Dachau et de Buchenval avaient eu raison de sa résistance. Pendant la projection, casque sur la tête pour comprendre les interventions en anglais, elle avait regardé, examiné, fascinée, les accusés. Un silence inouï pesait sur l'assistance. Cramponné à son siège, Hans Fritzsche, chef de la propagande radiophonique, observait les atroces images avec un air de grande souffrance ; Hjalmar Schacht, président de la Reichbank, la tête obstinément baissée, refusait de voir l'écran ; Hans Frank, ancien avocat, gouverneur général de Pologne, pleurait en se rongeant les ongles ou cachait ses yeux de ses mains ; Franz von Papen, chancelier du Reich, se tenait très droit, figé ; Baldur von Schirach, protecteur de Bohème et de Moravie, chef des Jeunesses hitlériennes, au beau visage pâle et grave, regardait très attentivement, haletant parfois ; Rudolf Hess, aux yeux de fou, frileusement enveloppé dans un plaid, semblait se demander où il était ; Albert Speer, ministre de l'Armement, était de plus en plus triste ; l'amiral Dœnitz s'agitait, la tête le plus souvent basse ;

Hermann Gœring, maréchal du Reich, appuyé à la balustrade, jetait de temps à autre autour de lui un regard découragé ; Joachim von Ribbentrop, ministre des Affaires étrangères, portait des mains tremblantes à son front ; Julius Streicher, directeur du journal *Der Stürmer*, était immobile, sans émotion apparente ; Alfred Rosenberg, philosophe des doctrines nazies, pilleur des objets d'art européens, s'agitait en tout sens ; Ernest Kalten Brunner, chef de la sûreté de Himmler, semblait s'ennuyer ; le général Alfred Jodl, très raide, avait l'air plus prussien que jamais ; le maréchal Wilhelm Keitel, également très raide, se détournait parfois ; Arthur Seyss-Inquart, chancelier d'Autriche, essuyait ses lunettes d'un air impassible ; Constantin von Neurath, ministre des Affaires étrangères, avait la plupart du temps les yeux baissés ; Wilhelm Frick, ministre de l'Intérieur, secouait la tête comme pour chasser une mouche ; Walter Funk, ministre de l'Économie, sanglotait ; Fritz Sauckel, chef de recrutement du travail forcé, la bouche ouverte comme s'il manquait d'air, ne cessait de s'éponger le visage ; quant à l'amiral Erich Raeder, il était cloué sur place.

Depuis l'ouverture du procès, le 21 novembre 1945, par le procureur général américain Robert H. Jackson qui avait prononcé en préambule : « Que quatre grandes nations victorieuses mais lésées n'exercent point de vengeance envers leurs ennemis prisonniers, c'est là un des tributs les plus importants qu'une puissance ait jamais payé à la raison », Léa n'avait cessé de se demander si elle n'était pas dans un univers de fous ou dans un théâtre où se jouait une mauvaise pièce du boulevard du crime. Tout lui semblait grand-guignolesque jusque dans l'exposé des horreurs et il lui paraissait impossible que des acteurs aussi quelconques, aussi minables eussent été capables de jouer le rôle qu'un nommé Hitler leur avait attribué. Deux ou trois seulement lui semblaient à la hauteur de leur personnage : Gœring était le meilleur de tous, le plus fascinant ;

on sentait qu'il prenait plaisir à être là, en représentation. Sans cesse revenait à Léa cette question obsédante : comment des gens aussi ordinaires avaient-ils pu être si près de dominer le monde ? Par des tests pratiques, on savait que la plupart des hommes jugés était d'une intelligence au-dessus de la moyenne, mais cela n'expliquait pas qu'ils eussent pu faire partager leurs idées à l'ensemble du peuple allemand. C'est ce que semblait suggérer le juge Jackson toujours dans sa déclaration d'ouverture :

« Nous voudrions également préciser que nous n'avons pas l'intention d'incriminer le peuple allemand tout entier. Nous savons que le parti nazi n'est pas arrivé au pouvoir par le vote de la majorité des Allemands. Nous savons qu'il a pris le pouvoir grâce à une alliance néfaste des pires révolutionnaires nazis, des réactionnaires allemands les plus effrénés et des militaristes allemands les plus agressifs. Si le peuple allemand avait accepté de plein gré le programme nazi, le parti n'aurait pas eu besoin, au début, des troupes d'assaut ni, par la suite, de camps de concentration, ni de la Gestapo. Ces deux institutions furent créées aussitôt que les nazis eurent pris le contrôle de l'État allemand. Ce n'est qu'après que ces innovations criminelles eurent fait leurs preuves en Allemagne qu'elles furent utilisées à l'étranger. Le peuple allemand doit savoir que, désormais, le peuple des États-Unis n'a pour lui ni peur ni haine. Il est vrai que les Allemands nous ont appris les horreurs de la guerre moderne. »

Léa n'était pas d'accord avec ce discours, elle était convaincue, et d'autres avec elle, que l'Allemagne tout entière portait la responsabilité de ces crimes pour lesquels quelques-uns seulement étaient jugés.

Attablée à la cafétéria du palais, elle tentait de surmonter son écœurement en buvant un verre de cognac. C'en était trop, dès ce soir elle télégraphierait à madame de Peyerimhoff pour lui donner sa démission. La musique douce, diffusée en permanence, lui tapait sur les nerfs.

Croyaient-ils, les organisateurs, qu'un peu de musique pouvait calmer les bouffées de haine que toutes les personnes présentes au procès des principaux criminels de guerre nazis, secrétaires, avocats, traducteurs, police militaire, éprouvaient devant les témoignages des bourreaux et des victimes ? Beaucoup ne comprenaient pas le pourquoi d'un tel procès : ces salauds n'en méritaient pas tant ! Coupables, ils l'étaient, tous, on le savait : Russes, Américains, Anglais, Français étaient d'accord sur ce point. Alors, pourquoi se donner des justifications pour les pendre ou les fusiller ? Léa était de cet avis. Ce procès ne servait qu'à conforter la haine des vaincus. Rien ne pourrait faire que l'Allemagne entière ne porte la responsabilité du massacre de millions de Juifs, de Tziganes, de Russes, de communistes, de résistants, de femmes et d'enfants : massacres délibérés, génocide programmé. Comment imaginer que sans la complicité d'un peuple tout entier de telles horreurs eussent été possibles ?

– Un cognac, s'il vous plaît, dit en anglais une voix féminine.

Près d'elle venait de s'asseoir une grande et belle femme brune, vêtue d'un tailleur gris clair, portant au cou un foulard de soie. Léa se souvint l'avoir déjà vue au tribunal. Une des rares femmes présentes au procès. Assise, accablée, ses mains triturant son mouchoir, très pâle malgré son maquillage, elle murmurait en français cette fois :

– Quelle ignominie !… quelle ignominie !

Elle avala d'un trait le verre d'alcool que venait de lui apporter le serveur.

– Un autre, s'il vous plaît. Voulez-vous boire quelque chose ? ajouta-t-elle en se tournant vers Léa.

– Excusez-moi, je ne comprends pas l'anglais.

– Ah ! vous êtes française ! C'est une joie pour moi, dans cette horreur, de rencontrer une Française ici. Mais vous êtes bien jeune pour assister à ce déballage de monstruosités. Voulez-vous boire un autre verre, cela vous fera du bien. Moi qui déteste l'alcool, aujourd'hui cela me réconforte. Alors ?

– Pourquoi pas.

– Deux cognacs... C'est mon premier voyage en Europe depuis la guerre. Je me demande si j'ai bien fait d'accepter de venir ici ; jamais en Argentine on ne voudra croire ce que je raconterai. Oh ! je ne me suis pas présentée : Victoria Ocampo, de Buenos Aires, je m'occupe de la revue *Sur*. Je suis ici grâce à des amis anglais. Avant la guerre, je venais souvent en Europe, en France surtout. La France est ma seconde patrie et sa littérature la première du monde... Je suis incurable, pardonnez-moi, je ramène tout à la littérature. Peut-il y en avoir encore après tout ça, après Hiroshima ?...

Elle se tut et Léa resta silencieuse.

Après un long moment, Victoria Ocampo reprit :

– N'avez-vous pas l'impression d'être à un mauvais spectacle, le général Jodl ne vous fait-il pas penser à Laurel, Laurel le maigre, comme si en remettant son casque, il disait à Hardy : «Laisse-moi faire comme je veux, je vais remettre ce casque à ma façon.» Avez-vous remarqué que ce procès est une affaire d'hommes seuls ? Depuis mon départ de Londres à bord de mon Dakota vous êtes la première femme que je rencontre. À première vue les femmes ne semblent guère utiles dans ce genre de sport... Le complot hitlérien a été tramé par des hommes ; il n'y a aucune femme parmi les accusés, est-ce une raison suffisante pour qu'il n'y en ait aucune parmi les juges ? Puisque les verdicts prononcés auront des conséquences dans le destin de l'Europe, n'aurait-il pas été équitable que des femmes figurent parmi les jurés ? Se sont-elles montrées si indignes lors du conflit ? (*Another cognac, please*[1]).

1. Un autre cognac, s'il vous plaît.

Les deux femmes restèrent à nouveau silencieuses.

Tout à leurs pensées, elles n'avaient pas remarqué un groupe d'officiers français entrant dans la cafétéria. L'un deux s'approcha de leur table et s'adressa à Léa :

– N'êtes-vous pas mademoiselle Delmas ?

– Oui.

– Je suis le lieutenant Labarrère. Je suis ici avec le commandant Tavernier.

– François est là ? s'écria-t-elle d'un ton si haut qu'elle en fut aussitôt gênée.

– Oui, mademoiselle, il fait partie de la délégation française.

– Où est-il ?

– Nous l'attendons. Nous ferez-vous le plaisir de l'attendre avec nous ?

Léa se tourna vers Victoria Ocampo qui lui fit signe d'accepter. Les deux femmes se serrèrent la main et Léa, heureuse, suivit le lieutenant qui lui présenta ses compagnons. Les jeunes gens s'assirent et bavardèrent. Sans s'être donné le mot, ils parlèrent de tout, du prix des critiques attribué à Romain Gary pour *L'Éducation européenne*, du Goncourt à Jean-Louis Bory pour *Mon village à l'heure allemande*, du Renaudot couronnant *Le Mas Théotime* d'Henri Bosco, du dernier film de Danielle Darrieux, des quarante grammes de tabac par mois auxquels les femmes allaient avoir droit, de l'assassinat d'un éditeur parisien, de la reprise de la vie mondaine, des boîtes de jazz qui s'ouvraient un peu partout, de tout, sauf du procès. Léa leur en fut reconnaissante.

– Nous sommes invités ce soir chez nos camarades anglais pour fêter l'anniversaire de l'un d'eux. Ce serait épatant si vous veniez avec nous.

La jeune femme accueillit la proposition avec joie. Depuis son arrivée à Nuremberg, le climat n'était pas à la fête. Chaque soir voyait les membres des délégations alliées rentrer à travers les ruines dans les hôtels ou chez l'habitant comme assommés de ce qu'ils avaient vu ou entendu. Une atmosphère de haine et de mort planait sur la ville sillonnée par les MP aux casques blancs, distants et brutaux dès qu'on leur tenait tête.

– Tiens, voilà le commandant Tavernier.

Elle se dressa comme sous le coup d'un aiguillon. Une nouvelle fois la magie opérait : la même bouffée de bonheur, une envie irrésistible de se blottir contre lui, de ne plus penser à rien. Il venait vers elle à grandes enjambées avec sur les lèvres un sourire conquérant et heureux.

Sans se soucier de ces camarades qui s'étaient levés, il avait saisi Léa et la tenait fort, serrée dans ses bras.

– Enfin, ma jolie, je te tiens. Tu m'as manqué. Je ne pensais pas que tu me manquerais autant. Laisse-moi te regarder… malgré ce vilain uniforme, tu es ravissante.

Léa ne disait rien, se laissait emporter par un tendre bien-être ; surtout, ne pas bouger, laisser sa chaleur se mêler à la sienne, sentir son corps contre le sien. Sa main sur ses cheveux qui descendait vers sa nuque, la prenait comme on prend un petit animal, chiot ou chaton. Ce geste la soumettait à lui plus sûrement qu'aucun autre et il le savait. Qu'avait-elle eu besoin de le lui dire un jour de confidence amoureuse ? Une toux discrète les ramena à la réalité.

– Mon commandant…

– Oui, Bernier, asseyez-vous.

– Nous avons invité mademoiselle Delmas chez les Anglais.

– Vous avez bien fait. Où habites-tu ?

– Dans un immeuble réquisitionné pour la Croix-Rouge, sinistre et froid, où nous sommes parquées comme des pensionnaires avec interdiction de sortir passé 21 heures.

– On va arranger ça. Tu dépends de qui ?

– De Laureen Kennedy.

– Laureen ! c'est une vieille amie. Je ne savais pas qu'elle était là. Je la reverrais avec plaisir. C'est une femme charmante, un peu folle. Tu t'entends bien avec elle ?

– Ça va. Elle m'agace un peu avec les Américains par-ci, les Américains par-là. Elle ne jure que par les États-Unis. Pour elle, l'Europe est un pays de sauvages et la France, après l'Allemagne quand même, est le plus dégénéré de tous. Ça m'énerve.

– Cela ne m'étonne pas, chauvine comme tu es, fit Tavernier en éclatant de rire.

Que c'était bon d'entendre rire ! Léa avait l'impression qu'elle n'avait plus entendu rire depuis qu'elle était à Nuremberg. D'autres se firent sans doute la même réflexion car autour d'eux on les regardait d'un air à la fois réprobateur et surpris.

– Je crois qu'on n'apprécie pas trop, lui chuchota-t-elle à l'oreille.

– Hélas, mon cœur, tu as raison. On ne peut pas leur en vouloir. Pourtant la vie continue, il faut réapprendre à vivre, à rire, à s'amuser et à s'aimer, dit-il en lui prenant la main.

Léa ne demandait pas mieux ; quitter ces lieux mortifères et partir loin sous des cieux plus doux, dans des pays où les habitants ne connaissaient pas la guerre. Elle rêvait sans doute ; quel pays n'avait jamais connu la guerre ? Aucun, bien sûr.

Quand elle vit François Tavernier, Laureen Kennedy se précipita vers lui avec un empressement qui sembla suspect à Léa. Avaient-ils été amants, ces deux-là ? Non ! la manière dont ils s'étreignaient évoquait plutôt celle de vieux copains de collège ou de caserne. C'était du genre : « Comment vas-tu-yau de poêle et toi-le à matelas. » Mais cette bouffée de jalousie l'inquiéta. N'était-elle pas plus amoureuse de lui qu'elle ne le croyait ? Léa savait aimer François mais son instinct lui disait de se méfier ; que de cet homme elle aurait le meilleur mais le pire aussi et le pire, Léa n'en voulait pas – d'où cette attitude à la fois d'abandon et de réserve, presque de froideur, qui déroutait Tavernier chaque fois qu'il la retrouvait.

Dans cette relation si forte, elle croyait se méfier de lui ; en fait, c'était d'elle. Pourquoi n'arrivait-elle pas à s'abandonner sans arrière-pensées ? Il ne lui était venu de lui que des choses bonnes. De quoi avait-elle peur ?

Laureen Kennedy accorda la permission de minuit à la condition qu'il viendrait dîner le lendemain en sa compagnie pour «parler du bon vieux temps». Tavernier accepta et dit qu'il passerait prendre Léa à 18 heures et qu'il comptait qu'elle se fît belle.

– Entrez, entrez, soyez les bienvenus, dit en français une voix avec un fort accent anglais.

L'officier britannique qui leur ouvrit la porte resta bouche bée, comme statufié, une bouteille de champagne au bout de son bras levé.

– George ! s'exclama Léa.

Dans sa joie de revoir George McClintock, elle se jeta à son cou et fut arrosée de champagne.

– Du bonheur, du bonheur ! criait-elle en riant.

L'Anglais, le visage cramoisi, riait aussi en bredouillant :

– Pardonnez-moi... je suis confus... tellement heureux... Léa... je n'ose y croire... ce n'est pas possible... vous, ici !...

– Mais oui, c'est bien moi. George, je vous présente le commandant Tavernier. François, voici mon amoureux anglais, le major McClintock.

Les deux hommes qui avaient entendu parler l'un de l'autre par Léa se serrèrent la main avec une certaine froideur.

– C'est George qui a recueilli Sarah. Comment va-t-elle ?

– Aussi bien que possible, c'est même un miracle, aux

dires des médecins. Elle est en Allemagne depuis quelques jours...

– Comment, s'écria Tavernier en l'interrompant avec humeur, avez-vous pu la laisser partir ?

– Mon cher, je crois que vous êtes un vieil ami de madame Mulstein, vous savez donc que ce n'est pas une personne à se laisser dicter sa conduite. Elle voulait retourner en Allemagne, je n'ai pas pu l'en empêcher, à moins de la faire interner...

– C'est ce que j'aurais fait à votre place !

– François, George, je vous en prie, l'important c'est que Sarah soit en bonne santé. Ne me gâchez pas cette soirée. Aujourd'hui, c'est la fête, je ne veux penser qu'à m'amuser, à rire, à boire et à danser. Je vous ai retrouvés tous les deux, pour le moment, c'est le plus important.

Si chacun d'eux apprécia modérément ces propos, ils eurent la bonne grâce de ne pas le montrer et entrèrent souriants dans le salon, encadrant leur belle amie.

Léa fit sensation. Elle était superbe dans un long fourreau de velours rouge glissé en cachette dans sa valise. C'était la première fois qu'elle le portait. La robe laissait son dos et ses épaules nus et faisait ressortir la cambrure de ses reins. Les hommes en la voyant déglutissaient péniblement et les rares femmes présentes la regardaient avec envie.

Elle dansa avec tous, fut d'une gaieté communicative. Pendant quelques heures, par sa jeunesse et son rire, elle fit oublier aux convives qu'ils étaient à Nuremberg.

Minuit était largement dépassé quand François donna le signal du départ à une Léa un peu ivre et qui prétendait danser toute la nuit.

La ville en ruines était déserte et sombre – seuls les alentours du palais de justice bénéficiaient d'un éclairage généreux – et le silence n'était rompu que par le passage des patrouilles de la police militaire. Des sentinelles marchaient de long en large. Un vent froid soufflait balayant les rues. François conduisait lentement, attentif à ne pas déranger la jolie tête échevelée qui reposait sur son épaule.

– Où m'emmènes-tu?
– Ce soir nulle part. Ma logeuse est très stricte : pas de femmes dans ma maison.
– Oh non! je voudrais tant rester avec toi.
– Moi aussi, mais pour aujourd'hui ce n'est pas possible. Demain j'aurai trouvé un endroit.
Il ne détestait pas cette attente qui exacerbait son désir.
Pour Léa cela était insupportable : attendre, toujours attendre!
– C'est trop loin demain, dit-elle dans son cou.
La raucité de sa voix eut raison de sa patience. Il se gara près d'un immeuble effondré, éteignit le moteur et les phares. Comme il était pressé soudain. Quand sa main rencontra la tiédeur de ses cuisses juste au-dessus du bas, puis la toison humide que rien ne protégeait, il crut qu'il allait exploser.
– Petite coquine, tu penses à tout.
Elle rit doucement en se renversant sur le siège.

Si Laureen Kennedy sut l'heure tardive à laquelle Léa était rentrée, elle n'y fit pas allusion le lendemain, au grand soulagement de François qui craignait qu'elle ne consignât son amie.

Pendant un mois, ils se virent presque chaque jour. L'austérité de la logeuse avait disparu devant le beurre, les saucisses, le chocolat et l'alcool apportés par «le merveilleux commandant français». Elle n'était que sourires malgré la froideur de Léa qui la détestait, trouvant ses yeux cruels, ses manières fausses et ses mines complices obscènes.
– Je suis sûre qu'elle écoute derrière la porte.

Ils se promenèrent dans les rues encombrées de décombres, barrages, barricades, contrôle à chaque carrefour, faussements indifférents aux regards hostiles de la population, aux demandes des enfants vêtus de haillons. Dans cette ville dévastée où soixante-dix mille cadavres étaient encore ensevelis sous les immeubles détruits, on sentait la haine des survivants.

Ils passèrent la nuit du 31 décembre 1945 enfermés dans la chambre où brûlait un bon feu.

François Tavernier avait insisté auprès de Laureen Kennedy pour qu'elle demandât à madame de Peyerimhoff de rappeler Léa en France. La nouvelle arriva le 5 janvier. Le départ était prévu pour le 10. Laureen accorda à la protégée de son ami une permission afin de se préparer. Tout à la joie de quitter Nuremberg, Léa ne remarqua pas l'air soucieux de son amant. Celui-ci avait reçu des nouvelles de Sarah Mulstein et elles ne lui plaisaient pas. La jeune femme, en termes sibyllins, annonçait qu'elle faisait partie d'un réseau juif qui s'était donné comme devoir la traque des criminels de guerre nazis en fuite. «Je compte sur toi pour participer à cette vengeance. Appelle-moi dès que tu seras de retour à Paris.» La vengeance ne gênait pas Tavernier mais imaginer Sarah, à peine sortie de l'enfer, se précipiter sur les traces des nazis en fuite, l'inquiétait. Il pressentait que loin d'apaiser l'ancienne déportée, cela allait la plonger dans un engrenage d'où elle ressortirait blessée davantage. Il lui écrivit dans ce sens en essayant de trouver des mots persuasifs. Mais l'engagement de Sarah auprès de juifs palestiniens était déjà total et lui donnait la force de vivre. Il se souvenait de la détermination de ces volontaires palestiniens, soldats de l'armée britannique qu'il avait rencontrés dans le nord de l'Italie au cours d'une mission. Tous s'étaient enrôlés pour venger leurs frères et attendaient avec impatience le moment d'aller en Allemagne avec les armées d'occupation ; là, il verrait, ce peuple maudit, de quoi étaient capables les fils d'Israël : ils tueraient, ils violeraient, ils incendieraient, ils anéantiraient villes et villages pour que les survivants se souviennent que le peuple juif n'était pas peuple à oublier ses martyrs et que le temps de la vengeance impitoyable était venu. La veille de leur départ pour l'Allemagne au cours d'une prise d'armes, face aux drapeaux marqués de l'étoile de David, on avait lu aux régiments palestiniens *Les commandements du soldat hébreu en terre d'Allemagne :*

Souviens-toi de tes six millions de frères massacrés ;
Hais pour toujours les bourreaux de ton peuple ;
Souviens-toi que tu es chargé d'une mission par un peuple combattant ;
Souviens-toi que la Brigade juive combattante est en Allemagne une force d'occupation juive ;
Souviens-toi que notre apparition en tant que Brigade, avec notre emblème et notre drapeau, face au peuple allemand, est, en soi, une vengeance ;
Souviens-toi que la vengeance du sang est la vengeance de la communauté tout entière, et que tout acte irresponsable va à l'encontre de l'action de notre communauté ;
Conduis-toi en Juif fier de son peuple et de son drapeau ;
Ne salis pas ton honneur avec eux et ne te mêle pas à eux ;
Ne les écoute pas et ne va pas dans leurs maisons ;
Honnis soient-ils, eux et leurs femmes et leurs enfants, et leurs biens et tout ce qui est à eux ; honnis pour toujours ;
Rappelle-toi que ta mission est le sauvetage des Juifs, l'immigration en Israël, la libération de la patrie ;
Ton devoir est : dévotion, fidélité et amour envers les rescapés de la mort, les rescapés des camps.

Ils écoutaient, au garde-à-vous, bouillonnant d'impatience. Au diable les belles paroles, ils seraient les anges exterminateurs de ce peuple de tortionnaires.

Mais la Brigade juive ne devait jamais mettre les pieds en Allemagne : au dernier moment le commandement britanique renonça à ce projet. Elle fut cantonnée près de Tarvisio. Là, quelques membres de la Brigade se vengèrent sur les Autrichiens réfugiés dans la petite ville ou d'anciens SS se cachant dans les montagnes. Cela, l'armée britannique ne pouvait le tolérer. Le commandement fit rechercher les coupables ; sans succès.

Au cours de sa mission, Tavernier avait rencontré Israël Karmir, un des principaux chefs de la Hagana, une organisation secrète palestinienne, officier responsable de la Brigade juive. Ce n'était pas la première fois que les deux hommes se retrouvaient. Ils avaient l'un pour l'autre de l'estime et même de l'amitié. Bien évidemment, ils ne se dirent rien de leurs activités mais Tavernier devina assez vite d'où provenaient dans les semaines qui suivirent ces disparitions de hauts dignitaires nazis, d'officiers SS et chefs de la Gestapo dont on retrouvait quelquefois les cadavres. Il approuvait. Mais pour Sarah, c'était autre chose : il fallait absolument trouver le moyen de l'éloigner des vengeurs.

Le jour du départ tant attendu par Léa arriva. La veille, Laureen Kennedy et ses compagnes organisèrent une soirée où elles invitèrent François Tavernier et George McClintock. La soirée fut très animée. Tous se réjouissaient de la voir quitter la ville et le climat de tension qui y régnait. Sans se le dire, ils estimaient que la place de cette jolie fille n'était pas là. François la pressait de rentrer à Montillac s'occuper du domaine et de Charles. Avec réticence, elle promit d'y réfléchir.

Les deux amants se séparèrent sans trop de peine, ils savaient se revoir très vite ; Tavernier était rappelé à Paris auprès du général de Gaulle la semaine suivante.

6

Une surprise attendait Léa à son retour de Nuremberg: Sarah lui donnait rendez-vous dans un appartement de la place des Vosges. Sans prendre le temps de défaire ses bagages ni de quitter son uniforme, elle se précipita à l'adresse indiquée. La porte lui fut ouverte par un jeune homme blond au visage de fille.

– Vous êtes Léa Delmas? Venez, madame Mulstein vous attend.

Le jeune homme la conduisit dans un vaste salon aux dorures éteintes et au mobilier hétéroclite, enfumé et surchauffé, où discutaient passionnément cinq ou six personnes dont deux femmes. L'une d'elles, grande et mince, vêtue avec élégance, avait le crâne rasé. Bien qu'elle fût de dos, Léa reconnut Sarah Mulstein. Quand elle se retourna, elle fut frappée par son regard dur et froid.

– Laissez-nous, dit-elle à ses compagnons.

Tous se levèrent sans rien dire et quittèrent le salon en considérant fraîchement la nouvelle venue.

Intimidée, Léa regardait cette femme étrange qu'elle avait connue gaie et insouciante et qui l'observait, silencieuse. La joie qu'elle se faisait de leurs retrouvailles s'évanouit. Frappée par son apparence et son silence, elle ne se rendait pas compte qu'elle dévisageait son amie et que cette attitude pouvait être blessante.

– Je vois que tu n'as pas perdu cette habitude de fixer les gens comme s'ils étaient des objets.

Léa se sentit rougir et en conçut de l'agacement. Où était la joie de retrouver celle qu'elle avait sauvée des griffes de Massuy et de la mort à Bergen-Belsen ? Désorientée, elle baissa la tête.

– Allons, ne prends pas cet air-là, viens m'embrasser.

L'intonation tendre de la voix eut raison de la gêne de Léa. Elle se jeta dans les bras tendus avec une hâte enfantine et baisa les joues marquées de légères traces blanches qui n'ôtaient rien à la beauté froide de Sarah, mais la rendaient plus singulière encore. Singularité accentuée par le crâne lisse et par les yeux verts qui paraissaient plus grands.

– Que tu es belle, petite fille, plus belle encore...

La voix rauque, légèrement brisée de Sarah remua Léa et ce fut avec sincérité qu'elle s'écria :

– C'est toi qui es belle malgré...

Elle s'arrêta, rougissant à nouveau. Sarah sourit.

– Non, je ne suis pas belle, pourquoi t'arrêtes-tu ?

– Tes cheveux ! tes beaux cheveux !

– Quoi, mes cheveux ? À quoi ça sert des cheveux ? Tout juste à fabriquer des tissus...

– Oh !

– Cela te choque, c'est pourtant ce qu'ils faisaient de nos cheveux. Il faudra t'y habituer, à cette marque d'infamie, car c'est une marque d'infamie que de tondre les femmes. Je croyais que tu le savais.

– Justement.

– Vois-tu, je veux qu'en me regardant tous pensent : c'est une putain...

– Tais-toi !

– Oui, une putain, une putain à Boches, comme les filles tondues de la Libération...

– Tais-toi ! Pourquoi me dis-tu ça ?

– Pour que tu le saches et que tu n'oublies pas. Là-bas,

ils m'ont mise dans un bordel à soldats et par dizaines, chaque jour, ils ont abusé de mon corps. Toi aussi, belle comme tu es, ils t'auraient mise dans un bordel. Va, ce n'est pas si terrible!... Cela, vois-tu, j'aurais peut-être pu le leur pardonner, mais il y a eu le reste, tout le reste et pour cela il n'y a pas de pardon, il n'y aura jamais de pardon.

Sarah se détourna et alla vers la fenêtre. Elle appuya son front contre la vitre et resta longtemps silencieuse. Léa s'approcha et posa sa tête contre son épaule.

– C'est fini, tu es revenue, vivante.

Avec brusquerie, Sarah la repoussa avec un rire mauvais.

– Vivante? Vivante, dis-tu?... Tu as de ces mots! comment peux-tu dire de telles bêtises!... Vivante!... Regarde-moi bien... JE SUIS MORTE!... Morte à jamais!... Cadavre parmi les cadavres!... Pourquoi n'es-tu pas passée un peu plus loin à Bergen-Belsen!... Il fallait me laisser pourrir au milieu des charognes!... Ma place était là, parmi mes compagnes mortes de faim, d'épuisement, de tortures que tu n'imagines pas, que personne ne peut imaginer, que même nous, les survivants, n'arrivons pas à croire. Chaque jour depuis notre retour, nous nous disons: «Nous avons rêvé!... ce que nous avons subi n'était qu'un rêve issu de nos esprits dérangés!... aucun homme au monde n'est capable de faire ce qu'ils ont fait à d'autres hommes!...» Eh bien oui, ils en étaient capables et de plus que cela encore. Et tu voudrais que je pardonne, que j'oublie?... Tout le monde nous dit d'oublier, certains même d'entre nous s'y emploient par honte, par un sentiment pervers de culpabilité. Mais moi je dis: il ne faut pas oublier, jamais!... Nous, qui restons, devons être les témoins de l'horreur, nous devons vengeance à tous ceux qui sont restés, que l'on a détruits avec une délectation, avec un raffinement qu'ils ont porté au plus haut degré – même si nous devons nous perdre, devenir aussi abjects qu'eux !... Dans le Livre il est dit : « Œil pour œil, dent pour dent. » Ce sont mille yeux, mille dents qu'il faudrait arracher à chacun d'eux pour que l'âme des morts repose en paix !... Comme tu es devenue pâle... je te fais peur ?... C'est bien ! Nous allons leur faire peur, les traquer à travers le monde, partout où ils seront, même si cela devait durer mille ans ! Ils ne le savent pas encore, mais les vengeurs se lèvent un à un, ils sont en route, ils seront inexorables. La race impure les détruira tous, eux et ceux à venir. Nous sommes en guerre, Léa, en guerre pour mille ans jusqu'à ce que la bête immonde soit rayée de la surface de la terre.

Les cicatrices blafardes de ses joues étaient devenues rouges dans son visage blême et tendu, son crâne luisait de sueur, sa bouche se tordait de haine, ses yeux exorbités étaient vitreux, ses mains si belles, aux longs doigts, se crispaient spasmodiquement comme si elles cherchaient une victime à étrangler.

Le cœur tordu de chagrin, Léa regardait Sarah. Aucune parole ne pouvait venir à bout de cette peine. Elle pensa à son oncle Adrien dont elle avait appris le suicide à son retour et imagina le désarroi du dominicain face aux tortures, à la trahison. Qu'en eût-il été devant les horreurs des camps ? Qu'eût-il pu dire à cette femme ivre de haine ? Les mots de compassion seraient restés coincés dans sa gorge, ses prières transformées en imprécations, ses mains jointes, brandies, poing levé, vers ce Dieu qu'il avait rejeté et nié en se suicidant. Si cet homme courageux, ce combattant de l'ombre, ce prêtre, n'avait pu trouver la volonté de vivre dans un monde qu'il ne comprenait plus, où une jeune femme sortant de l'enfer pouvait-elle puiser la force de renaître ? Sarah avait trouvé, croyait-elle, la réponse : dans la vengeance. Léa sentait ce qu'il y avait de négatif dans ce choix mais le comprenait. L'espace d'une seconde, elle pressentit qu'elle devrait tout faire pour éloigner Sarah de son terrible projet et sut qu'elle n'en ferait rien.

– Cesse de me regarder avec pitié. Je ne veux pas de ta pitié ni de celle de quiconque. C'est autre chose que j'attends de toi.

– Demande-moi ce que tu voudras, tu sais bien que je ferai pour toi tout ce qui est en mon pouvoir.

– On va voir.

Sarah resta un long moment silencieuse, marchant de long en large, s'arrêtant pour regarder Léa, le front plissé par une intense réflexion, les lèvres serrées comme quelqu'un qui a un secret et hésite à le confier.

– Ce que je vais te dire, jure-moi de n'en jamais parler. Jure.

– Je te le jure.

– C'est bien, alors écoute.

Continuant à marcher de long en large, Sarah parla :

– Au sortir du bordel, je fus envoyée au camp de Ravensbrück. J'étais enceinte mais je ne le savais pas. J'eus le malheur de lever la main sur une femme médecin du camp. Je fus battue puis soignée afin d'être en état de mieux supporter les tortures qu'elle me réservait en représailles. Quand je fus rétablie, elle me révéla que j'attendais un enfant et qu'elle allait m'avorter. J'avais accueilli sa révélation avec horreur et sur le moment je fus soulagée par sa décision. Elle s'en aperçut et cela la fit changer d'avis.

« – C'est de la graine d'allemand que tu as dans le ventre. J'ai envie de voir à quoi ressemble le fruit d'une guenon juive avec un homme de race pure. Ce sera un bon sujet pour mes expériences.

« À ma grande honte, je la suppliai de m'avorter. Elle eut le front de me répondre d'un air indigné :

« – Comment oses-tu me demander de commettre un tel crime, à moi qui suis médecin et me dois de respecter la vie, fût-ce celle d'un fœtus juif ?

«Pour être sûre de me voir conduire ma grossesse à terme, elle me dispensa de durs travaux et me fit affecter aux cuisines du camp. Là, j'eus droit à une nourriture un peu plus substantielle que celle distribuée aux autres détenues. Ce régime de faveur me valut la haine des prisonnières de mon block malgré les aliments que je subtilisais pour elles. Quand elles découvrirent que j'attendais un enfant, ce fut bien pire encore, elles m'accablèrent d'insultes plus ignobles les unes que les autres. Seule une très jeune fille fit preuve de compassion. Je la pris en amitié et m'arrangeais pour lui donner de quoi apaiser sa faim. Elle était douce, ravissante et fragile. Polonaise, Ivenska avait vu ses parents et son petit frère massacrés sous ses yeux. Le choc avait dérangé son esprit; elle chantonnait et souriait sans cesse, ce qui agaçait nos compagnes. La nuit, sur sa paillasse, elle gardait longtemps les yeux grands ouverts ruisselants de larmes sur son visage souriant. Un jour le docteur Herta Oberheuser la fit chercher pour la conduire au *Revier*[1]. Je tentai de m'y opposer mais la *Schwester*[2] Erika me repoussa à coups de pied. Ivenska partit en souriant. Quand elle revint, le lendemain, elle souriait toujours, les traits tirés, le teint blafard, les yeux fous, roulant dans tous les sens, les mains crispées sur son ventre.

«Toute la nuit, brûlante de fièvre, elle se tordit de douleur, grimaçante et souriante. C'était terrible ce sourire sur cette face ravagée par la souffrance. Elle grelottait malgré les couvertures prêtées par les prisonnières. Sous la paillasse se formait une petite mare de sang. Dans les cuisines, j'avais entendu parler des expériences pratiquées sur les détenues dans le service du docteur Oberheuser. Là, sous les ordres du docteur Schumann, venu d'Auschwitz, une centaine ou plus de jeunes

1. Infirmerie du camp.
2. Infirmière appelée sœur.

Tziganes furent opérées par toute une équipe de médecins et d'infirmières SS. Quand on passait près du *Revier*, on entendait des cris et des pleurs. Plusieurs petites filles eurent les ovaires irradiés par des rayons X, certaines subirent l'ablation des organes génitaux. Beaucoup avaient des plaies ouvertes au ventre qui ne cessaient de suppurer. Presque toutes moururent dans d'atroces souffrances. C'est ce qui arriva à Ivenska. Au matin je la retrouvai morte, un sourire sur son beau visage enfin apaisé.

« L'enfant bougeait dans mon ventre. Peu à peu je m'étais mise à aimer ce petit être qui grandissait en moi. Quand je fus proche du terme de ma grossesse, le docteur Rosa Schaeffer me fit hospitaliser à la maternité du *Revier* où elle provoqua l'accouchement. »

Sarah se tut, le regard fixe. Les mains tremblantes, elle prit une cigarette dans un paquet froissé qu'elle retira d'une poche de sa robe, l'alluma à la flamme du briquet tendu par Léa et tira nerveusement deux ou trois bouffées. Le tremblement de ses mains cessa.

– Ce fut un garçon.

Les épaules soudain affaissées, Sarah étreignit sa cigarette dans un cendrier débordant de mégots.

– Je l'appelai Yvan... il était blond et... très beau.

« – Comment une guenon comme toi a-t-elle pu donner naissance à un bel Aryen ? me dit le docteur Schaeffer. Dommage que je doive m'en servir pour tester un nouveau vaccin contre le typhus.

« Je la suppliai de laisser l'enfant et de tester son vaccin sur moi.

« – Il n'en est pas question. Toi, tu es retenue pour une autre expérience. Mais si tu ne veux pas me donner ton fils, tue-le. »

Sarah alluma une autre cigarette, les traces de ses joues devenues rouges illuminaient son visage pâle.

– Je restai éveillée toute la nuit, serrant contre moi

mon bébé. Au petit matin, épuisée, je m'endormis. À mon réveil l'enfant avait disparu. Devant moi Rosa Schaeffer me regardait en souriant.

« – As-tu passé une bonne nuit ? Sans doute puisque te voilà debout.

« – Où est mon fils ?

« – Ton fils ? Ah oui, ton fils. Ne t'inquiète pas, il va bien.

« – Rendez-le moi.

« – On te le rendra mais à une condition.

« – Laquelle ?

« – Cette nuit, une Tzigane a mis au monde une petite fille. Elle est difforme mais se porte bien. Nous ne pouvons la laisser vivre, elle doit mourir. C'est toi qui vas la tuer.

« – Moi !

« – Oui, en échange de la vie de ton fils.

« Je la regardai incrédule : je devais tuer un enfant pour sauver le mien. J'éclatai de rire.

« – Cela te fait rire, tant mieux.

« Elle sortit me laissant bouleversée, mais riant comme une folle. Peu après, *Schwester* Ingrid entra, portant un paquet d'où sortaient les cris d'un nouveau-né, suivie par le docteur Schaeffer tenant mon petit garçon par les pieds... Je poussai un hurlement et me précipitai vers lui.

« – Ne bouge pas ou je lui fracasse la tête contre le mur.

« Je m'arrêtai net.

« – Tue la petite fille et je te le rends.

« *Schwester* Ingrid me tendit le bébé. Je ne remarquai aucune difformité apparente. Quand il fut dans mes bras, une tendre lassitude m'envahit. Ses abondants cheveux noirs avaient la douceur de la soie. Machinalement je posai un baiser sur la petite tête. Les deux femmes me regardaient, attentives.

« – Tue-la, me dit presque tendrement Rosa Schaeffer.

74

« Je secouai la tête en lui tendant l'enfant.

« – Tue-la ou je tue ton fils.»

Sarah haletait, les mains crispées sur sa poitrine. Tout bas, tremblante, Léa lui dit :

– Arrête, ne dis plus rien, tu te fais mal.

– Ce n'est pas le mal que je me fais que tu redoutes, mais celui que je peux te faire, dit Sarah, d'une voix sifflante.

Debout l'une en face de l'autre, les deux amies s'observaient. Sarah se détourna et continua.

– Mon fils, toujours tenu à bout de bras par le docteur Schaeffer, le sang à la tête, s'étouffait.

« – Tue-la.

« – Je ne peux pas.

« Elle balançait mon bébé dont les cris devenaient de plus en plus faibles, le visage de plus en plus rouge. Alors je pris le cou de la petite fille entre mes doigts et je serrai…»

Glacée, paralysée, Léa avait du mal à retenir ses nausées.

– À ce moment-là, une femme à moitié nue, ensanglantée, surgit avec des hurlements tels qu'ils suspendirent mon geste. Elle m'arracha l'enfant. Alors, avec horreur, je regardai ma main… la Tzigane pressant son nouveau-né sur elle nous regardait avec fureur en reculant vers la porte ; elle ne l'atteignit jamais. Une rafale de mitraillette la coupa presque en deux. Quant au bébé, je m'approchai du petit corps, je me fis la réflexion : «elle est toute chaude…»

« Je posai doucement le cadavre sur celui de sa mère. Pliée en deux, je me mis à vomir. Rosa Schaeffer me regardait, ses yeux étincelaient de joie mauvaise, un rictus tordait sa bouche. Je tombai à genoux… je me traînai jusqu'à elle tendant mes mains vers mon fils.

« – Donne-le moi !

« Elle rit.

« – Ne t'inquiète pas, je vais te le donner.

« Je sentis mon corps frémir de joie, d'une joie démente : je me relevai... elle fit tournoyer le bébé... de plus en plus vite... je criai, tentai de l'attraper... elle me repoussa du pied et... fracassa la petite tête contre le mur. »

Accablée, recroquevillée sur elle-même, Léa glissa sur le sol. De la bave coulait le long du menton de Sarah, son crâne rasé était mouillé de sueur, ses yeux secs fixaient un coin de la pièce. Elle s'y dirigea d'une démarche d'automate, se baissa, fit le geste de ramasser quelque chose, mit ses bras en berceau et alla vers un canapé, berçant le vide en chantonnant une berceuse allemande. Elle s'assit avec précaution et, toujours berçant, dit d'une voix douce :

– Dors, mon petit, dors. Comme tu es beau... tu dois avoir faim... tiens mon chéri... bois.

Ouvrant son corsage, Sarah sortit son sein et le tendit vers une bouche fantôme.

C'en était trop pour Léa. Elle se releva et à deux reprises gifla violemment Sarah. Calmement, la jeune femme reboutonna sa robe.

– Merci, fit-elle en se redressant.

Les marques des doigts s'imprimaient d'un rouge vif sur la face blanche. À voix presque basse Sarah reprit :

– Pardonne-moi, il faut que je continue jusqu'au bout, tu dois savoir... Ce que tu m'as vu faire, c'est ce que j'ai fait là-bas. J'ai ramassé le corps de mon fils et je l'ai tenu contre moi essayant de le réchauffer, de le nourrir... je glissai le mamelon entre les petites lèvres, tièdes encore...

– Tais-toi, je t'en supplie, tais-toi !

– ... Je lui fredonnai la berceuse que mon père me jouait avant de m'endormir. J'avais oublié le cadavre de la petite fille, celui de la Tzigane et la présence des deux femmes. Je remarquai à peine qu'elles riaient ; j'étais heureuse, je tenais mon enfant dans mes bras. Craignant qu'il ne prît froid, je l'emmaillotai dans le drap du lit. Puis, pieds nus, en chemise tachée de sang, je quittai le *Revier*... il avait neigé... Je m'enfonçai dans la masse blanche, légère. Je ne sentais pas le froid, je marchais comme dans un rêve, le cœur débordant du bonheur de serrer mon petit garçon contre moi, de rentrer avec lui à la maison... J'arrivai à mon block. Une dizaine de détenues se tenaient devant la porte, grelottant dans leur défroque rayée. Elles s'écartèrent devant moi. L'une d'elles me prit par l'épaule, me conduisit près du poêle et me fit asseoir sur un tabouret. Une autre posa une couverture sur mes épaules, une autre encore m'enfila des bas de laines multicolores. Je me fis la réflexion qu'elle avait dû les tricoter avec une infinie patience en récoltant de droite et de gauche de petits bouts de laine. Je les remerciai avec reconnaissance ; depuis que j'étais dans ce camp, elles ne m'avaient pas habituée à tant de prévenances. On me tendit une boisson chaude. Je la bus avec délice.

« – Montre-nous ton bébé.

« Avec précaution, j'écartai le drap.

« – Surtout ne le réveillez pas.

« Des têtes rasées ou portant fichu se penchèrent. Mais pourquoi se rejetaient-elles en arrière, pourquoi criaient-elles, pleuraient-elles ? D'autres se penchèrent, puis d'autres. Toutes avaient la même attitude.

« – Chut, ne faites pas tant de bruit, vous allez le réveiller.

« Elles se turent. Seuls quelques sanglots troublaient le silence du block... Je ne comprenais pas pourquoi elles pleuraient au lieu de se réjouir avec moi... Pendant cinq jours, ces femmes que j'avais connues dures, égoïstes, capables de tout pour un morceau de pain, me nourrirent, me lavèrent, me cajolèrent, me laissèrent à ma folie. Ce fut sans doute grâce à leurs soins que je ne sombrai pas complètement et qu'enfin je compris que je ne berçais qu'un cadavre. Elles m'aidèrent à l'envelopper dans un linceul et en procession, fredonnant la berceuse de mon père, m'accompagnèrent jusqu'au four crématoire. Là, après un dernier baiser, je déposai le corps de mon enfant sur les corps attendant d'être brûlés.

7

– Arrête de boire comme ça, tu vas te rendre malade, dit Laure en arrachant le verre de whisky que Léa venait de remplir.

– Laisse-moi.

– Cela fait deux jours que tu n'arrêtes pas de boire, que tu n'as ni mangé ni dormi. Que s'est-il passé avec Sarah, que t'a-t-elle dit pour te mettre dans un état pareil ?

Léa ne répondit pas, elle grelottait de la tête aux pieds, allongée, tout habillée, sur le lit de sa sœur.

– Tu es malade, je vais appeler le médecin.

– Ce n'est pas un médecin qui pourra me guérir, dit-elle avec un petit ricanement. Donne-moi à boire.

– Non !

On sonna à la porte, Laure se hâta d'aller ouvrir.

– Franck, entre vite ! tu vas m'aider.

– Qu'est-ce qui t'arrive ? Tu as une de ces mines !

– Cela n'a rien d'étonnant, cela fait deux jours que je ne dors pas.

– Tu as un nouvel amoureux ?

– Ne dis pas de bêtises, je suis avec Léa.

– Léa ? Chic alors ! Elle est revenue d'Allemagne ? Quand ?

– Il y a deux jours. Elle venait à peine d'arriver qu'une de ses amies, une ancienne déportée, Sarah

Mulstein... tu sais, celle dont je t'ai déjà parlé, lui a demandé de passer la voir. Léa n'a même pas pris le temps de se changer, elle est partie sur-le-champ. Elle est revenue tard dans la soirée, complètement ivre. Elle a vomi partout et s'est remise à boire. Elle me fait peur, elle parle d'enfant mort... d'expériences... de berceuse... je ne comprends rien. J'étais si heureuse de la revoir !

– As-tu appelé un médecin ?

– Elle ne veut pas.

– Attends, je vais lui parler.

Franck entra dans la pièce où régnait un désordre et une odeur épouvantables. Quand elle le vit, Léa se recroquevilla sur le lit défait.

– Léa, c'est moi, Franck.

– Franck ?...

– Oui, le copain de Laure.

– Franck !

Elle essaya de se lever mais retomba sur le lit en se cognant violemment la tête. Sous la douleur, elle se mit à pleurer comme une enfant.

– Je m'occupe d'elle. Téléphone à la maison à mon frère Jean-Claude, dis-lui de venir tout de suite avec sa trousse.

– Tu crois qu'il saura la soigner ?

– Il est en dernière année de médecine, dit Franck en traînant Léa vers la salle de bains.

Quand le futur médecin arriva, Léa reposait sur un fauteuil, les cheveux mouillés, enveloppée d'un peignoir en tissu éponge, tandis que Franck et Laure changeaient les draps du lit.

Après l'avoir examinée, Jean-Claude dit à Laure :

– Donnez-lui du café et de l'aspirine en attendant. Elle n'a pas seulement pris une bonne cuite, elle a eu un choc. Je vais appeler mon patron qui saura mieux que moi ce qu'il faut faire.

Contre toute attente, Laure se révéla une excellente garde-malade.

Au bout du cinquième jour, sa robuste constitution reprit le dessus, mais elle restait repliée sur elle-même, silencieuse, refusant de dire, au médecin comme à Laure, ce qui s'était passé. Au bout d'une semaine, elle songea à prendre contact avec madame de Peyerimhoff pour mettre au point les modalités de sa démission.

– Nous allons vous regretter, dit celle-ci, vous étiez un bon élément... Vous n'avez pas bonne mine... Seriez-vous souffrante ?

– Non, madame, un peu de fatigue seulement.

– Cela passera, à votre âge, on n'est pas fatigué. Connaissant votre situation familiale, je comprends les raisons de votre départ et les responsabilités auxquelles vous devez faire face.

Léa acquiesça, soulagée qu'on ne lui posât pas d'autres questions sur sa décision. Sans regret, elle franchit le seuil du siège de la Croix-Rouge. Une page de sa vie était tournée.

Installée dans le studio de sa sœur, rue Grégoire-de-Tours, Léa essayait de faire le point. L'argent, remis par la Croix-Rouge, suffirait tout juste à l'habiller et à rembourser ses tantes des petites sommes prêtées. Sans travail, sans revenu et sans logement, elle ne pouvait rester à Paris. Elle ne voulait pas, comme Laure, vivre de petits trafics et d'expédients. François Tavernier lui manquait, il aurait su ce qu'elle devait faire. Elle s'étonnait de ne pas avoir de nouvelles de lui. Sans doute avait-il été retenu à Nuremberg. Peut-être Sarah en avait-elle ? Mais c'était au-dessus des forces de Léa de la revoir, pas maintenant, trop d'images horribles se pressaient dans sa tête. Si forte était son appréhension de l'entendre qu'elle avait même refusé de prendre le téléphone quand celle-ci, la sachant malade, l'avait appelée à plusieurs reprises. Par ailleurs, Estelle la pressait de venir à Montillac où on avait besoin d'elle. Léa quitta Paris avec soulagement sans avoir revu Sarah.

L'hiver avait été très froid, le printemps était pluvieux. L'argent manquait pour chauffer convenablement la grande maison et de plus, il n'y avait pas de charbon. Françoise, Ruth et les enfants se tenaient le plus souvent dans la cuisine. Assises devant le feu de la cheminée, elles écoutaient la radio ou s'occupaient des travaux ménagers en surveillant Charles et Pierre, qui mettaient un peu d'animation par leurs cris et leurs rires. Charles partait le matin pour l'école de Verdelais et ne rentrait que le soir. C'était un garçon sérieux pour son âge qui partageait son temps entre la lecture et le dessin. Le petit Pierre allait sur ses deux ans, c'était un enfant turbulent auquel sa mère passait tous ses caprices au grand courroux d'Estelle qui réprouvait cette absence de contraintes. Mais Françoise était incapable de refuser quoi que ce fût à son fils.

Elle avait cru que son retour dans sa maison natale, les occupations multiples concernant la propriété, lui permettraient d'oublier ses souffrances. Il n'en était rien. La jeune femme s'enfonçait chaque jour dans une solitude, dans une tristesse que rien ne distrayait. Sans cesse elle pensait à l'homme qu'elle avait aimé, à sa mort, à l'humiliation de la tonte sur le parvis de cette église parisienne, aux insultes dont on l'avait agonie, à l'attitude méprisante des commerçants de Langon dont certains l'avaient connue enfant, aux réflexions des ouvriers travaillant sur l'exploitation et au refus de la recevoir de ses amies et de ses cousins bordelais. Depuis son retour, pas un n'avait essayé de la revoir, de la comprendre, ni même de lui manifester un peu de compassion. La sollicitude affectueuse de ses tantes et de Ruth ne lui suffisait pas.

Seul, Alain Lebrun, le nouveau régisseur, semblait ne pas tenir compte de son passé. Françoise lui en était reconnaissante et prenait plaisir à travailler avec lui.

Le retour de Léa fut une joie pour tous, vite assombrie par son air renfrogné, sa tristesse et son mutisme. Les travaux de la maison étaient maintenant terminés, les meubles remis en place, les rideaux et les tableaux accrochés. Au détour des couloirs, Léa s'attendait presque à voir apparaître son père ou sa mère. Elle passa la première semaine enfermée dans son domaine, le bureau de son père, qui avait retrouvé ce confort sécurisant et ce calme qui apaisaient autrefois ses craintes et ses colères de petite fille. Blottie sur le vieux divan, enveloppée de couvertures, elle dormait la plupart du temps ou restait des heures à regarder fixement les flammes de la cheminée. Elle touchait à peine aux repas que lui apportait Ruth.

Estelle, avec sagesse, laissa passer cette semaine avant d'intervenir, ce qu'elle n'eut pas à faire car Charles s'en chargea. S'étant faufilé dans la chambre, il demanda en pleurant pourquoi Léa ne l'aimait plus.

– Mais je t'aime, mon chéri, dit-elle en l'embrassant.

– Non, ce n'est pas vrai, jamais plus tu ne racontes d'histoires, tu ne joues avec moi… tu ne viens même pas manger avec nous, tu ne parles pas. Je vois bien que tu ne m'aimes plus.

L'enfant sanglotait si fort que Léa craignit qu'il ne s'étouffât.

– Pardonne-moi, mon bébé, pardonne-moi, je t'aime… je t'aime plus que tout ici. Il ne faut pas m'en vouloir, j'étais malheureuse et triste… c'est fini maintenant.

– Pourquoi tu es triste puisque je t'aime, fit le petit garçon en se pendant à son cou, la couvrant de baisers maladroits et mouillés.

– Arrête, tu me chatouilles!

Il la lâcha, battant des mains.

– Tu ris, Léa, tu ris!...

Charles sautait de joie en tournant autour d'elle qui riait de plus belle devant les contorsions de l'enfant.

– Que se passe-t-il ici ? Vous en faites un bruit, dit Françoise en entrant, suivie de Lisa, curieuse comme une souris, et d'Estelle.

Devant les visages interrogateurs de ses parentes, l'hilarité de Léa cessa.

– Merci de votre patience à toutes. Sans Charles, je ne sais pas si j'aurais pu me sortir de ces angoisses.

– Tu aurais pu essayer de nous en parler.

– Françoise, tu es la dernière à qui je pouvais en parler, répliqua Léa d'une voix sèche qu'elle se reprocha aussitôt.

La jeune femme, aux cheveux courts et aux yeux tristes, sursauta et devint très pâle. Quoi, sa sœur lui tenait toujours rigueur de son amour pour un Allemand!... Elle avait tant espéré de son retour, avait cru qu'après avoir vu tant d'horreurs, elle comprendrait mieux que la vie n'obéissait pas forcément à ce qu'on attendait d'elle. Elle comptait sur une amie, une confidente et voyait se dresser un juge, une ennemie. Elle restait là, tremblante, sans voix, humiliée. Léa, honteuse, ne savait que dire ; son silence renforçait le malentendu. Lisa et Estelle assistaient impuissantes au drame que vivaient les deux sœurs. Ce fut Charles, une nouvelle fois, qui sauva la situation.

– Je vais aller dire à mémé Ruth que Léa est guérie et qu'elle nous fasse un bon gâteau pour fêter ça.

Cela fit rire Lisa et arracha un pâle sourire à Estelle. Léa s'approcha de sa sœur et l'embrassa.

– Pardonne-moi, je vois que je t'ai fait de la peine, je te jure que ce n'était pas intentionnellement. Comme les milliers de gens qu'ils ont massacrés, tu es une de leurs victimes...

– Otto n'était pas comme eux!

– Je le sais, mais il était coupable comme les autres…

– Non, il était bon, incapable de faire le mal !

– C'était un Allemand !…

– Arrêtez, mes enfants, s'écria Estelle en s'interposant. Vous devez toutes les deux vous efforcer d'oublier votre passé…

– Oublier !… firent-elles ensemble.

– Oui, oublier. On ne peut pas vivre en ressassant ces malheurs. Françoise, tu te dois à ton fils et toi, Léa, tu es responsable de Charles. Pour ces enfants innocents, vous devez tout faire pour oublier. C'est non seulement votre devoir, mais le seul parti raisonnable.

Pendant que sa tante parlait, Léa revoyait Sarah berçant un bébé fantôme. Elle ferma les yeux et serra les poings à s'en faire mal.

– Tante Estelle a raison, cela ne sert à rien de s'abîmer dans nos tristes souvenirs. Faisons un effort. Je t'aiderai, Françoise, comme tu m'aideras.

Dans les larmes et les rires nerveux, les deux sœurs s'embrassèrent.

Le beau temps revint à Montillac, dans les cœurs comme dans le ciel. D'un commun accord, il fut décidé qu'Estelle et Lisa de Montpleynet viendraient s'installer dans la grande maison, où elles auraient à l'étage un appartement commode, et que d'ores et déjà elles mettaient en vente leur demeure de Langon. Moins d'une semaine après leur décision, un acheteur se présenta ; un jeune médecin désirant s'installer non loin de ses parents retraités à Villandraut. Cette vente apporta un peu de bien-être à tous, permit d'acquérir du matériel pour améliorer le travail de la vigne, une camionnette neuve et une voiture d'occasion. Au début de l'été, les demoiselles de Montpleynet étaient installées, avec un peu de mélancolie. Lisa disait préférer la « ville ». Ce terme appliqué à Langon faisait rire Léa.

– Ne t'inquiète pas, ma petite tante, je t'emmènerai faire les boutiques de Bordeaux.

Cette perspective rassura tout à fait la coquette Lisa. Estelle n'eût jamais pris cette décision, de peur d'embarrasser ses nièces, si elle ne s'était sue gravement malade. Elle redoutait plus que tout de laisser sa chère et candide Lisa livrée à elle-même après sa mort. Sans rien dire, elle acheta une concession au cimetière de Verdelais, non loin de la tombe de Toulouse-Lautrec et de celle d'Isabelle et Pierre Delmas. Cette femme secrète et discrète préparait son dernier voyage avec le souci d'épargner à ceux qu'elle aimait les tristes tracas, qu'occasionne tout décès. C'était là son ultime élégance.

Chaque jour, Léa guettait le passage du facteur, mais le temps passait, n'apportant aucune nouvelle de François. Enfin, un matin, on lui remit une enveloppe chiffonnée, couverte de timbres et de tampons. Cette lettre, postée d'Argentine, avait mis trois mois à parvenir à sa destinataire.

Léa descendit en courant vers la terrasse, serrant la lettre contre son cœur. Là, assise sur l'inconfortable petit banc de fer où aimait le soir se reposer son père, elle déchira fébrilement l'enveloppe.

Buenos Aires, le 6 mars 1946

Mon bel ange,
Il sera donc toujours dit que nous n'arriverons pas à nous rejoindre et à vivre tranquillement notre amour. Après ton départ de Nuremberg, j'espérais te retrouver très vite à Paris. La veille de mon retour, le gouvernement français m'a envoyé à Moscou d'où je t'ai écrit – mais je suis bien sûr qu'aucune de mes lettres ne t'est parvenue, tant nos camarades soviétiques voient des espions partout, et je répugnais à utiliser la valise diplomatique pour mon

courrier amoureux. Pourquoi? penses-tu, car c'est cela que tu penses, n'est-ce-pas? J'ai toujours eu scrupule à mélanger ma vie professionnelle et ma vie privée. De passage pour vingt-quatre heures à Paris, à mon retour d'URSS, je me suis précipité chez Laure, rue Grégoire-de-Tours. Tu venais de partir pour Montillac, malade, m'a-t-elle dit, et totalement déprimée. Fou d'inquiétude, j'ai essayé de t'appeler, impossible d'avoir une ligne. J'ai dû repartir pour Berlin le lendemain à l'aube sans avoir pu te joindre. Plus tard, j'ai eu l'explication de ton état quand j'ai revu Sarah et qu'elle m'a raconté ce que tu sais. J'ai été dur avec elle, lui reprochant d'avoir voulu te faire supporter une partie de son malheur. Cela dit, ce que cette femme, que j'aime tendrement, a vécu et supporté est si terrible que je ne peux lui en vouloir. J'ai compris que c'étaient ses révélations qui t'avaient rendue malade et incitée à la fuir, puisque tu as refusé de la prendre au téléphone à plusieurs reprises. Je t'ai comprise, toi qui es mue par une puissance vitale qui te fait regarder les choses en face et fuir celles qui peuvent te nuire. Mais en ce qui concerne Sarah, tu devras faire un effort. Comme moi, elle comprend ton attitude première, mais ni elle, ni moi, ne pourrions comprendre que tu t'y obstines. Réfléchis calmement, je sais que tu seras de cet avis. Après Berlin, il y a eu Rome, Londres, Le Caire où j'ai eu le plaisir d'accompagner Leclerc à bord du Sénégalais et maintenant Buenos Aires d'où j'espère repartir la semaine prochaine. Je suis heureux de te savoir à Montillac. Les travaux doivent être terminés, sont-ils à ton goût? N'hésite pas à consulter l'architecte.

Tu me manques, petite fille. J'aimerais me poser quelque part avec toi, t'aimer, te regarder vivre. Tu sais si bien vivre, Léa, ne l'oublie jamais. Garde-toi des méchants et des ennuyeux.

Ton amant, François.

Lentement ses mains qui tenaient la lettre se posèrent sur ses genoux. Son cœur cognait très fort dans sa poitrine. Ses mots résonnaient dans sa tête. Que n'était-il là pour les lui dire ? Elle se sentait lasse tout à coup. Où était-il maintenant ? Que signifiaient tous ces voyages ? Quand reviendrait-il ?

8

Deux ou trois des amis de Laure pensaient que le désenchantement de la jeune fille n'était qu'une façade, d'autres étaient convaincus du contraire, la plupart ne se posaient pas de questions, trop occupés de marché noir, de trafics et de fêtes.

Il ne restait plus grand-chose de la candide provinciale, admiratrice du maréchal Pétain et se croyant amoureuse de Maurice Fiaux, le jeune milicien responsable de la mort de Camille. Sa rencontre avec les zazous de Saint-Germain-des-Prés et une bande de jeunes trafiquants du marché noir avait rapidement fait d'elle une femme capable de se débrouiller seule. Elle n'avait pas son pareil pour trouver les échanges intéressants: beurre contre tabac, livres contre chaussures, disques de jazz américain contre savon ou la revente de ces produits rares à ceux qui avaient de l'argent. L'argent... cela était devenu le but principal de sa vie ; avec de l'argent on se procurait nourriture, vêtements, plaisirs, amis... on n'avait plus peur, on était libre. Au début, les remontrances d'Estelle la touchaient, elle se disait que son père et sa mère auraient été cruellement peinés. Mais la vieille demoiselle, tout comme ses sœurs, avait accepté ses «ravitaillements» providentiels sans trop de façons... Maintenant, non seulement le moindre reproche sur ses activités illégales l'agaçait, mais lui faisait hausser les épaules : ce n'était pas à ceux qui avaient perdu la guerre, s'étaient tus pendant quatre ans, avaient collaboré avec l'ennemi, dénoncé leurs voisins juifs ou résistants, qui avaient acclamé Pétain puis le général de Gaulle, tondu des femmes, précipité dans des puits de vrais comme de prétendus traîtres et qui maintenant se jetaient dans les bras des Américains, non, ce n'était pas à eux, ces Français lâches, hypocrites, vaniteux et stupides, de lui donner des leçons. Les jeunes de vingt ans ne voulaient pas se reconnaître dans ces étrangers ; ils les rejetaient en bloc, ces adultes qui leur renvoyaient une image dont ils avaient honte ; des héros, il y en avait eu, ils étaient morts ou dans un si triste état qu'il valait mieux détourner les yeux, les ignorer. Laure avait de l'admiration pour Léa mais la jugeait idiote d'avoir risqué sa vie pour un pays qui n'en valait pas la peine. Plus que jamais, il fallait vivre vite, vivre pour soi. La libération des camps et son cortège de fantômes, les photos de monceaux de cadavres décharnés, d'enfants brûlés, de femmes torturées, complaisamment répandues dans la presse, ces témoignages de survivants étaient insupportables. Quel choc pour les Parisiens, dont Laure et ses amis venus accueillir les premiers déportés à l'hôtel Lutétia. La rencontre avec ces êtres venus d'ailleurs, squelettes sans poids vêtus de défroques rayées, posant sur tout des regards ternes, vides, tentant de grimacer un sourire de leur bouche édentée, déplaçant leur frêle carcasse avec précaution... En les voyant, on se disait qu'ils allaient se briser là, devant ces jeunes filles souriantes aux bras chargés de fleurs, ces mères incrédules face à ces vieillards qui les appelaient : « Maman ! », ces hommes d'âge mûr, combattants d'une autre guerre laissant couler leurs larmes sur leur visage ridé... C'était une chose que de lire les horreurs subies par ces malheureux – les journalistes exagèrent toujours... – et une autre que de voir ces revenants d'un autre monde où, avec une logique implacable, des hommes comme eux, et c'était bien là que résidait toute l'horreur, s'étaient appliqués à détruire non seulement les corps et les âmes mais l'idée même d'« humanité ».

La bombe atomique d'Hiroshima n'avait pas uniquement anéanti des dizaines de milliers de Japonais par un clair matin du mois d'août 1945, mais tué tout espoir d'un avenir possible. Le monde était devenu fou, l'homme avait enfin inventé l'arme capable non seulement de le détruire, mais d'annihiler toute existence sur la planète. Alors, à quoi bon la morale des grands sentiments, tout était faux, tout n'était que mensonge ! Pour survivre, il fallait non pas être comme eux, il fallait être pire qu'eux. Pire qu'eux ? Ce serait difficile...

Laure et ses amis passaient des soirées entières au « Flore », au « Montana », au « Bar Vert », au « Tabou » ou assis sur le bord du trottoir à discuter de leurs difficultés d'être en fumant des Lucky Strike ou des Camel. Leur grande affaire : comment se procurer une voiture, américaine bien sûr, décapotable si possible.

Une fille de la bande, Claudine, une de ces femmes que les G. I. appelaient *sign language girls*[1], avait pour amant un sergent noir qui sortait pour elle du centre d'approvisionnement de Versailles de nombreux jerricans d'essence qu'elle revendait avec un gros profit. Par gestes, elle lui avait fait comprendre qu'elle voulait une voiture. « *No problem* », avait-il répondu. Depuis, Claudine et les autres rêvaient de cette voiture, Chevrolet ou Cadillac, aux couleurs rutilantes, aux chromes étincelants... Ils se voyaient déjà remontant les Champs-Elysées, tournant autour de l'Arc de Triomphe, s'arrêtant devant la terrasse du « Fouquet's » ou stationnant devant les « Deux Magots » sous les regards envieux de ces

1. Ne parlant pas un mot d'anglais ; filles séduites par un simple geste.

Français trop ballots pour rouler ces lourdauds d'Amerloques !

Mieux vêtue, mieux nourrie, grâce au marché noir, que la plupart des filles de son âge, Laure, outrageusement maquillée, allant d'aventure en aventure, cherchant dans de brèves et décevantes étreintes un plaisir qui lui échappait, désabusée déjà, se jugeait sans indulgence mais sans une excessive sévérité ; vivant au jour le jour, incapable de se projeter dans l'avenir, impitoyable en affaires, tour à tour désespérée et drôle, boute-en train et pauvre petite chose entourée de copains, elle n'avait que Franck pour ami et confident. Dès que ces deux-là s'étaient rencontrés, ils s'étaient aimés... aimés comme frère et sœur. Aucun trouble sexuel entre eux, rien qu'une franche camaraderie faite de fous rires, de complicités, de blagues. Aucun secret entre eux, ils connaissaient tout l'un de l'autre et savaient que quoi qu'il arrive, ils seraient solidaires. Cette amitié était, sans qu'ils le sachent vraiment, leur raison d'exister.

Ils étaient ensemble et venaient de se réveiller vers deux heures de l'après-midi quand on sonna à plusieurs reprises à la porte du studio de la rue Grégoire-de-Tours.

– Voilà, voilà, on arrive ! cria Franck en enfilant son pantalon.

Une femme portant un turban d'un vert vif qui faisait ressortir celui de ses yeux et un jeune homme blond, tous les deux grands et beaux, se tenaient sur le seuil. En le voyant, la femme eut un sourire ironique qui le fit rougir.

– Je suis bien chez mademoiselle Laure Delmas ?

– Oui, madame.

– Qui est-ce, Franck ?

Ébouriffée, Laure apparut dans un déshabillé de soie chiffonné, trop chargé de dentelles. Bien que n'ayant jamais vu Sarah Mulstein, elle a reconnut immédiatement et se sentit mal à l'aise.

– Je suis une amie de Léa, j'ai appris qu'elle était malade, j'ai appelé, jamais je n'ai pu l'avoir au téléphone. Puis-je entrer ?

– Bien sûr. Ne regardez pas le désordre, nous nous sommes couchés tard. Vous êtes Sarah ?

– Oui. Voici mon cousin, Daniel Zederman.

– Bonjour monsieur, je vous présente Franck Baudeleau, un ami.

– Bonjour. Léa est-elle toujours à Paris ?

– Non, elle est retournée dans le Bordelais.

– Je lui ai écrit chez vous à deux reprises. Avez-vous fait suivre mes lettres ?

– Naturellement.

– Je n'ai eu aucune réponse. J'ai été absente plus d'un mois, peut-être a-t-elle essayé de me joindre ?

– Je ne crois pas, fit Laure d'un ton involontairement sec.

– Pourquoi dites-vous cela ?

Laure se renfrogna, ce fut Franck qui répondit à sa place.

– Nous ne savons pas ce qui s'est passé entre Léa et vous, mais après votre rencontre, Léa est tombée malade. Dans ses accès de fièvre, tour à tour elle vous suppliait de vous taire puis essayait de vous consoler en pleurant. Ce qu'elle disait était si incohérent, si épouvantable que Laure et moi avons cru qu'elle devenait folle. Quand elle a été mieux et que vous avez appelé, Léa s'est mise à pleurer et à trembler, refusant de vous parler. À peine guérie, elle a pris le premier train pour Bordeaux.

Franck se tut ; un silence gêné s'installa. Daniel regardait sa cousine, surpris de remarquer une émotion qui lui paraissait excessive chez cette femme si terriblement maîtresse d'elle-même. Sarah se reprit très vite.

– Comment va-t-elle maintenant ?

– Très bien, il y a beaucoup à faire à Montillac et ça ne lui donne pas le temps de trop penser, dit Laure.

– J'en suis heureuse. Si vous lui écrivez dites-lui qu'elle me manque. Au revoir.

La porte refermée, Laure et Franck restèrent un moment sans échanger une parole. La sonnerie du téléphone les arracha à leur mutisme. La jeune fille décrocha.

– Allô, je suis bien chez Laure Delmas ?

– Oui, c'est moi. Qui est à l'appareil ?

– Bonjour, ma petite Laure, c'est François Tavernier. Comment allez-vous ?

– François !... Je suis bien contente de vous entendre. Où êtes-vous ?

– Pas très loin, à l'hôtel du Pont-Royal. Léa est-elle à Paris ?

– Non, elle est à Montillac. Une de vos amies sort d'ici...

–...

–... Sarah Mulstein.

–... Que voulait-elle ?

– Voir Léa. Je lui ai dit que ma sœur ne voulait pas la revoir. J'ai bien fait, n'est-ce-pas ?... elle me fait peur cette femme... allô, allô... vous êtes toujours là ?... Vous m'entendez ?... allô...

– Oui, je vous entends. Je vais essayer de joindre Léa. Je passerai vous voir un jour prochain. À bientôt, petite fille.

– Mais je... allô !... il a raccroché.

Laure reposa le combiné d'un geste agacé.

– Il m'énerve, il continue à me traiter comme une gamine !

– C'est vrai que tu es si vieille ! dit Franck en la prenant par la taille et en la faisant tournoyer jusqu'à ce que sa mauvaise humeur fût dissipée.

Essoufflée, elle se laissa tomber sur le lit en riant.

– Quelle heure est-il ?

– Quatre heures.

– Allez, sauve-toi, j'ai juste le temps de me préparer.

– Pour aller où ?

– Voir François Tavernier, lui demander de m'accompagner à Montillac et de me trouver une excuse pour ne pas y passer l'été. Je préfère partir avec toi dans ce petit village du Midi où tes parents ont une maison. Comment s'appelle-t-il, déjà ?

– Saint-Tropez. Tu sais, ce n'est pas très folichon. À part la pêche et la baignade, je ne vois pas très bien ce qu'on peut y faire.

– Ne t'inquiète pas, on trouvera bien. En attendant, il nous faut absolument une voiture. C'est idiot, on a de l'essence à ne savoir qu'en faire mais rien dans quoi la mettre. Tu crois que Claudine, ça va marcher avec son Américain ?

– Je pense... Pourquoi tu n'en parlerais pas à ce Tavernier, tu m'avais bien dit qu'il était un peu louche pendant la guerre ?

– Oui, mais c'était pour donner le change. Tu oublies qu'il était à la Libération auprès du général de Gaulle.

– Tu sais, par les temps qui courent on a vu des choses plus bizarres...

– C'est vrai, malgré tout, je ne risque rien à le lui demander maintenant, laisse-moi. On se retrouvera au « Flore » comme d'habitude ?... Vers huit heures ?

– D'accord, j'y serai. Sois sage.

Franck évita de justesse la chaussure lancée par son amie.

– Oh, pardon monsieur !

Laure, dans le hall de l'hôtel Pont-Royal, venait de bousculer un homme vêtu avec recherche ayant à son bras une jeune femme non moins élégante.

– Ce n'est rien, mademoiselle.

– François !... vous ne me reconnaissez pas ?... Laure... la sœur de Léa !...

– Laure! la petite Laure!... Ma chère, je ne vous aurais pas reconnue. Vous voici devenue une vraie Parisienne! Quel chic, n'est-ce-pas? dit-il en se tournant vers sa compagne.

– Tout à fait, fit celle-ci avec un sourire moqueur.

– Laure, je ne vous présente pas madame Mulstein. Vous vous connaissez, je crois?

– Oui, murmura-t-elle en rougissant sous son épais maquillage.

– Vous avez rendez-vous avec quelqu'un? demanda Tavernier.

– Non, c'est vous que je venais voir... mais cela peut attendre...

– Sarah, voulez-vous m'excuser quelques instants?

D'un signe de tête elle donna son assentiment.

François prit Laure par le coude et l'entraîna vers un canapé.

– Asseyons-nous, je n'ai pas beaucoup de temps. Dites-moi ce qui vous amène?

– Oh rien! pas grand-chose.

– Mais quoi encore? S'agit-il de Léa?

– En quelque sorte... voilà... j'avais pensé que nous pourrions aller ensemble à Montillac. Ainsi mes tantes n'oseraient rien dire en me voyant repartir avec vous.

– Vous n'avez donc pas envie d'y demeurer?

– Oh, surtout pas!

Cela fut dit avec une telle conviction qu'il ne put s'empêcher de sourire.

– C'est pourtant un bel endroit, la maison de votre enfance...

– C'est un trou!... C'était très bien quand j'étais enfant!... À l'idée de m'enterrer là-bas, je me sens mourir.

– Léa y est bien.

– Léa, ce n'est pas moi. Qui vous dit d'ailleurs qu'elle y soit si bien?... Moi, je suis sûre du contraire. Léa n'est bien nulle part. Il y a trop de mauvais souvenirs à Montillac. Elle fait les gestes de la vie quotidienne, mais je sens bien qu'elle fait semblant.

– Vous êtes sûre de ce que vous dites ?

– Presque. Pourquoi n'allez-vous pas la chercher ? Vous êtes le seul à pouvoir lui faire oublier...

– Oublier !... C'est un mot qu'on emploie beaucoup depuis un an ! Oublier ! Vous ne croyez pas que moi aussi je voudrais oublier et Sarah, celle qui vous fait peur, vous ne pensez pas qu'elle aimerait oublier ? Mettez dans votre cervelle d'oiseau qu'il est des choses que l'on ne peut oublier, que l'on ne doit pas au prix de sa vie, de l'amour même...

Laure connaissait mal François Tavernier et ne l'avait jamais vu en colère. Très pâle, il l'avait prise par le bras pour mieux lui faire entendre ce qu'il disait et la serrait si fort qu'elle ne put retenir un gémissement.

– Excusez-moi, je vous fais mal. Je suis un vieil imbécile. Pardonnez-moi, c'est normal qu'une gamine cherche l'oubli des horreurs commises par les adultes. Nous sommes mal placés pour vous donner des leçons.

– C'est exactement ce que nous pensons, mes copains et moi. Nous n'avons de leçons à recevoir de personne, dit-elle en se frottant le bras. Hitler est mort, n'est-ce-pas ?

– Lui, peut-être, le nazisme, non.

Les clients de l'hôtel, qui passaient devant cette jolie fille mise à la dernière mode et cet homme si bien habillé malgré les restrictions, ne pouvaient en aucun cas imaginer la teneur de leur conversation. Ils pensaient à une querelle d'amoureux.

– Et alors, ce n'est pas une raison pour m'empêcher de vivre.

Quelle enfant ! son air boudeur la faisait ressembler à Léa, mais une Léa égoïste et futile.

– Votre guerre, continua Laure, nous a appris que la

vie était courte et fragile. Je ne veux pas d'une vie aussi ennuyeuse que celle de mes sœurs.

– Vous croyez que Léa s'ennuie ? dit-il, soudain inquiet.

– Ça ne vous paraît pas normal qu'une fille de son âge s'ennuie dans ce coin avec pour seule compagnie mes tantes qui sont bien gentilles mais pas très rigolotes, Françoise qui pleure tout le temps et deux mômes braillards et insupportables ? Je voudrais bien vous y voir ! Heureusement que Jean Lefèvre est revenu et qu'il vient à Montillac presque tous les jours.

Pas dupe de la perfidie, François Tavernier sourit.

– C'est heureux pour elle. Je vois mal Léa se passer de la compagnie des hommes...

– C'est tout l'effet que ça vous fait, dit Laure d'un ton dépité de petite fille. Et en plus, ça vous fait rire !...

– C'est vous qui me faites rire.

– Oh !...

– Je règle quelques affaires à Paris et jeudi ou vendredi prochain, j'irai à Montillac.

– Vous m'emmenez ?

– Promis. Je vous fais signe dès que je suis prêt.

– Merci, je compte sur vous.

9

Estelle de Montpleynet voyait avec tristesse Françoise s'enfoncer dans une mélancolie de plus en plus profonde. La jeune femme restait de longs moments prostrée, le regard vide, sans forces et sans pensées. Quand elle ne considérait pas le monde autour d'elle avec indifférence, elle semblait ne le percevoir qu'avec une totale aversion et n'avait de goût à rien; son enfant même n'arrivait pas à l'égayer. Seule la présence calme du nouveau régisseur parvenait à la sortir de son isolement. Peu à peu, entre les deux jeunes gens, une sorte d'amitié s'établit qui devint très vite de l'amour chez Lebrun, sentiment qu'il n'osait pas exprimer tant il sentait Françoise éloignée de tout penchant similaire.

Alain Lebrun connaissait son histoire. Sans doute son long séjour en Allemagne, dans une maison tenue par des femmes, lui permettait-il de comprendre les liens qui pouvaient se tisser entre ennemis. À maintes reprises, il avait pris sa défense dans les cafés, les assemblées où il se trouvait aller; il avait même fait le coup de poing avec un viticulteur de Cadillac qui se répandait en insultes contre «ces putains qu'on aurait dû fusiller après les voir tondues». Comme Estelle, il s'inquiétait de son humeur sombre et s'ingéniait à la distraire, n'y réussissant que trop rarement.

Pourtant, un jour, il avait bien cru y parvenir : il l'avait emmenée à la foire de Duras pour l'achat d'oies et de canards dont il voulait faire un petit élevage. À l'issue de la foire, ils avaient déjeuné dans un bon restaurant de la ville. Là, pour la première fois depuis qu'il la connaissait, elle s'était montrée souriante et détendue. Au retour, ils s'étaient arrêtés pour admirer le panorama et faire quelques pas sur la route. Ils étaient entrés dans un bois au sol tapissé de mousse, s'étaient assis savourant l'ombre après la chaleur. Ils étaient restés silencieux, d'un silence sans tension, amical. De sa main, Alain lui avait touché doucement l'épaule. Enhardi par son manque de réaction, il l'avait attirée à lui et avait posé sur sa tête aux cheveux courts un léger baiser. À ce contact, elle avait sursauté et s'était relevée d'un bond, pâle, le regard perdu.

– Rentrons, avait-elle dit d'une voix sèche.

Ils avaient fait la route en silence, lui blessé, elle les lèvres serrées, raidie dans sa souffrance.

Arrivés à Montillac, ils s'étaient quittés sans un mot. Pendant plusieurs jours ils ne s'étaient adressé la parole que par nécessité professionnelle.

Estelle, qui avait deviné les sentiments du régisseur et avait remarqué que Françoise semblait prendre plaisir à sa compagnie, s'était laissée aller à rêver d'une union possible. Ce brusque changement d'attitude la désorientait.

Un soir, après son travail, Alain Lebrun frappa à la porte de Léa et demanda à lui parler. Étonnée du ton sérieux de la demande, elle le fit asseoir sur le fauteuil en face du bureau de son père.

– Qu'avez-vous, Lebrun ? Vous en faites une tête.

– Mademoiselle Léa, je viens vous donner ma démission.

– Votre démission !… Pourquoi, le travail ne vous plaît pas ?

– Ce n'est pas ça, mademoiselle… En fait cela ne dépend pas de moi.

– Je ne comprends pas, expliquez-vous. En avez-vous parlé à Françoise ?

– Justement…

– Quoi ? Justement.

– Françoise… enfin je veux dire madame Françoise… C'est à cause d'elle… Je voulais vous demander votre avis.

Alain se tut et resta silencieux.

– Eh bien parlez, quel avis voulez-vous que je vous donne ?

– C'est difficile à dire… Pensez-vous… que… madame Françoise…

– Quoi, madame Françoise ?

– … accepterait de m'épouser ?

Léa le regarda d'un air stupéfait puis éclata de rire.

Alain Lebrun blêmit et se leva.

– Mademoiselle, je ne suis pas homme à me laisser humilier ni railler.

– Mais Lebrun, vous vous méprenez, je ne me moque pas de vous, je ris parce que c'est à moi et non à Françoise que vous venez faire votre déclaration. Comment puis-je vous répondre à sa place ? Ma sœur ne me fait pas ses confidences.

– Sans doute, mais à votre avis, ai-je une chance qu'elle m'écoute seulement ?

Qu'il était attendrissant, debout, gauche, ne sachant pas quoi faire de son corps. Léa le fit se rasseoir en souriant.

– Je serais très heureuse, Alain, que vous deveniez mon beau-frère et je pense que pour Françoise ce serait merveilleux d'avoir un mari comme vous. Vous savez l'essentiel de sa vie et cela n'est pas un obstacle pour vous ; mais c'en est peut-être un pour elle. Lui en avez-vous parlé ?

– Non, je comptais le faire mais depuis la foire de Duras, elle m'évite. Accepteriez-vous ?…

– Surtout pas, je connais Françoise, elle prendrait très mal une intervention de ma part. Tout ce que je peux faire c'est provoquer une rencontre en tête à tête.

– Vous feriez cela ?

– Ce n'est rien, dit Léa en haussant les épaules, je ferai tout ce que je peux pour redonner à Françoise le goût de vivre.

– Merci, mademoiselle, de mon côté je ferai tout pour les rendre heureux, elle et son petit.

– Vous me remerciez après. Laissez-moi réfléchir. Dès que j'ai une idée, je vous en parle.

– Faites vite, ajouta-t-il en prenant congé.

Après son départ, Léa s'appuya, songeuse, contre la fenêtre ouverte, laissant errer son regard sur la prairie qui descendait doucement vers les vieux peupliers surplombant la route de Saint-Macaire. Une brise tiède courbait la cime des arbres et faisait onduler l'herbe haute. Tout était si calme, tellement à sa place, immuable en quelque sorte. Léa savait tout cela trompeur, illusoire : cette brise pouvait devenir tempête, ce calme, fracas. Elle savait aussi qu'elle devait préserver ces apparences. Quelque chose comme un instinct de survie lui disait de tout faire pour favoriser les desseins de Lebrun, non seulement pour le bonheur de sa sœur mais pour le sien, pour sa tranquillité, pour sa liberté. Tous, à Montillac, avaient tendance à s'en remettre à elle, tant pour la gestion de la propriété que pour le choix du tissu d'une robe, de la vigne à arracher, des arbres à replanter comme du menu du dîner. Elle avait vaguement envie de déposer sa charge entre d'autres mains ; Alain Lebrun lui semblait tout indiqué. Bien sûr, la famille bordelaise ne verrait pas d'un très bon œil ce modeste parti, mais au point où en étaient leurs relations, cela n'avait aucune importance. Léa croyait entendre ses cousines ricanantes dire que dans la situation de Françoise, un mariage était inespéré et que de toute façon aucun homme de leur monde n'aurait voulu d'une femme avec un tel passé et, de plus, encombrée d'un bâtard. Le plus difficile était de convaincre sa sœur. Elle savait le souvenir d'Otto toujours présent à son cœur, mais il y avait le petit Pierre qui, en grandissant, aurait besoin d'un père. Une nouvelle fois, elle fut agacée par l'absence de François Tavernier. Lui saurait ce qu'il convenait de faire.

Jean Lefèvre avait repris ses habitudes d'avant la guerre ; chaque fin de journée, il venait à Montillac. Tous le voyaient arriver avec plaisir. Souvent il restait à dîner et passait la soirée avec ses amis. Quelquefois il venait avec sa mère, que les demoiselles de Montpleynet s'efforçaient à distraire. À chacune de ses visites, la pauvre femme ne manquait jamais de s'arrêter quelques instants devant l'endroit où avait reposé Raoul.

Sans vraiment s'en rendre compte, Léa avait repris avec son ami ses mines de coquette, oubliant qu'elle n'était plus une gamine ni lui un homme sans expérience. Jamais ils n'avaient reparlé de cette nuit à Morizès où les deux frères l'avaient aimée. Dans le souvenir de chacun elle était cependant présente ; une fête des sens à la fois tendre et folle, sans conséquences pour Léa ; pour Jean celui d'un profond trouble accompagné d'un sentiment de culpabilité et de remords. Il avait un peu perdu cette gaieté et cette désinvolture qui faisaient son charme et séduisaient autrefois Léa. Ses nouvelles responsabilités, le chagrin de sa mère, les souffrances endurées, la perte de son frère, lui donnaient un sérieux qui n'était pas dans sa nature. Plus que jamais il aimait Léa et rêvait d'en faire sa femme. Il connaissait sa liaison avec François Tavernier et cela l'empêchait de se déclarer ; il redoutait un refus et de l'entendre dire qu'elle en aimait un autre. Elle lui avait fait part des sentiments d'Alain Lebrun pour Françoise et demandé d'organiser une sortie au Pyla, où les Lefèvre avaient une villa en bord de mer. On était en juin : quoi de plus naturel que d'avoir envie d'aller se baigner dans l'Océan ? Comme il était impossible à Léa de trouver une raison pour ne pas emmener les deux petits garçons, ils partirent tous les six un samedi à l'aube dans la nouvelle voiture de Jean, une Citroën traction avant de 15 chevaux. En voyant la grosse voiture noire s'arrêter devant la maison, Léa avait eu un mouvement de recul, s'attendant presque à en voir surgir Maurice Fiaux et ses miliciens.

On avait chargé le coffre de l'automobile de paniers remplis de victuailles par les soins de Ruth et d'Estelle ; les femmes étaient montées à l'arrière avec les enfants, les hommes devant. À Villandraut, c'était jour de foire. Malgré l'heure matinale, la ville était encombrée de charrettes, de camionnettes, de troupeaux de moutons et de chèvres ; des cageots s'échappaient les piaillements de la volaille et des tombereaux, les grognements des porcs. Dans la douce lumière du matin, chacun allait sans hâte vers ses affaires. Passé la ville, la route filait droit à travers la forêt des Landes. Léa eut un serrement de cœur en pensant aux jours passés dans ces bois, cachée, avec Camille et Charles. Bien que tout petit à l'époque, Charles se souvenait-il ? Il ne disait rien, regardant, sérieux et attentif, les arbres qui défilaient de chaque côté de la route.

– C'était par là, la palombière du père Léon ? demanda-t-il soudain.

Léa sursauta et Jean Lefèvre fit une embardée. Transmission de pensées ?... Tous les trois songeaient à la même chose.

– Tu te souviens de la palombière du père Léon ? demanda Léa.

– Pas très bien, il y avait toi et maman. C'était par ici n'est-ce pas ?

– Oui, mon chéri, ce n'est pas très loin, je crois.

Charles détourna la tête et, blotti contre la portière, parut s'absorber dans la contemplation du paysage. Sur les genoux de sa mère, Pierre s'était endormi. Ils roulèrent un long moment en silence.

Enfin, la route, si droite, qui semblait ne mener nulle part, s'incurva après le hameau de Lamothe; Léa poussa un soupir de soulagement; du plus loin qu'elle se souvînt, la traversée des Landes avait toujours été pour elle, contrairement à ses parents et à ses sœurs, un parcours oppressant. Devant ces forêts de pins tous semblables, elle éprouvait un sentiment d'angoisse qu'elle ne s'expliquait pas.

À la sortie d'Arcachon, il s'arrêtèrent chez madame Roussel qui avait les clefs de la villa.

– Monsieur Jean, c'est un bonheur de vous revoir après toutes ces années! Et le pauvre monsieur Raoul! Quel grand malheur! Et madame Lefèvre, la chère dame, quelle tristesse!

Jean parvint avec peine à échapper au bavardage affectueux de la gardienne.

La maison, occupée pendant la guerre par les Allemands, n'avait pas trop souffert, elle s'était éteinte. C'est le mot qui vint à l'esprit de Léa qui, sans même s'en rendre compte, le prononça à voix haute. Son ami la regarda avec étonnement.

– C'est exactement l'impression que j'ai... Tu te souviens la dernière fois que nous sommes venus, c'était juste avant les fiançailles de Camille et de Laurent.

– Il me semble qu'il y a une éternité!

– Attention! ne nous laissons pas aller à la mélancolie: il fait beau et tu es si belle!

– N'est-ce pas, fit-elle en tournant sur elle-même.

– Léa, Léa, viens vite, allons voir la mer, s'écria Charles en la bousculant.

– Pierre, voir la mer aussi.

Jean l'attrapa et le jucha sur ses épaules. Le petit garçon poussait des cris de joie. Léa, tenant Charles par la main, était partie en courant.

– Françoise, Alain, vous venez ?

– Je vous rejoins plus tard. Prenez bien soin de Pierre.

– Je reste aussi, dit Alain Lebrun.

– Comme vous voudrez. Tiens-toi bien cavalier, je suis Lumière de Feu, le cheval le plus rapide du monde... Tagada, tagada, tagada...

Tenant solidement les jambes de l'enfant qui criait de joie, Jean partit au galop.

– Il va le faire tomber, s'écria Françoise mi-inquiète, mi-rieuse.

– Ne vous inquiétez pas, c'est un bon cheval, dit Lebrun.

De la maison, bâtie sur une hauteur, ils apercevaient la plage au-delà des dunes, déserte, encore encombrée des débris de la guerre sur lesquels semblaient veiller les blockhaus du mur de l'Atlantique.

– Et s'il y avait encore des mines, murmura la jeune femme en s'élançant pour rejoindre son fils.

Alain la retint.

– Ne craignez rien, les démineurs ont fait leur travail et l'accès de la plage a été autorisé.

– Ils ont pu en oublier... Ne souriez pas, il y a bien des obus de la guerre de 14 qui continuent à exploser.

– C'est vrai, mais là le déminage a été fait centimètre par centimètre. D'ailleurs des prisonniers allemands l'ont payé de leur vie.

– Je sais, fit-elle d'un ton mélancolique.

Aussitôt, il se reprocha d'avoir évoqué les prisonniers allemands, cela ne pouvait que lui être désagréable. Mais Françoise s'en était allée vers la voiture et retirait les provisions du coffre.

– Venez m'aider... Je ne sais pas ce que Ruth a mis dans ce panier, il pèse une tonne.

En silence, ils portèrent les victuailles sur une table de jardin rouillée.

Comme à chaque fois qu'elle revoyait la mer, Léa retrouvait ses impressions d'enfant : c'était le même émerveillement, le même désir d'aller au-delà de l'horizon voir si la mer continuait ou si elle tombait dans le vide. Longtemps, elle avait cru qu'au bout, il y avait d'immenses chutes plus grandes encore que celles du Niagara qu'elle avait vues à l'âge de six ou sept ans dans un documentaire dans le cinéma de Langon et qui l'avaient beaucoup impressionnée. Tout en courant, elle passa sa légère robe de rayonne par-dessus sa tête, fit sauter ses espadrilles, laissant le tout glisser sur le sable.

Jean se retrouva six ans en arrière, sur la même plage, regardant la même jeune fille, vêtue du même maillot de bains bleu marine... La même ?... non sans doute... plus mince, plus femme, plus belle encore ! Il eut un pincement au cœur. Il y a six ans, lui et son frère Raoul la regardaient ensemble, émus et épris... Comme il y a six ans, elle paraissait inaccessible.

– Veux descendre !

Tout à sa contemplation, il avait oublié Pierre gesticulant sur ses épaules. Il le souleva et le posa à terre avec douceur. Le petit détala vers Charles en poussant des cris. Les deux enfants se heurtèrent et roulèrent sur le sable avec des piaillements de plaisir. Aidés par Jean, ils se déshabillèrent. À son tour, il retira ses vêtements puis, prenant les enfants par la main, les entraîna vers la mer en appelant Léa qui s'éloignait vers le large d'un crawl rapide.

Assise au pied d'un pin, le dos appuyé contre la rugueuse écorce, Françoise regardait l'horizon, l'air détendu. Pour la première fois depuis longtemps, elle éprouvait une sorte de bien-être à la fois physique et moral et pensait à Otto sans ressentir cette souffrance qui la laissait sans forces, désemparée. Étaient-ce les rires, les cris joyeux de son fils qui lui parvenaient portés par le vent, ou la douceur de l'été commençant, ou bien la présence de cet homme simple et silencieux dont elle avait deviné l'amour?... La vie pouvait donc encore être bonne?... Depuis ce jour où elle avait senti le froid de la tondeuse, Françoise n'avait pas versé une larme; l'annonce de la mort de son amant avait laissé ses yeux secs. «Je pleure en dedans», pensait-elle. Cette douleur aride n'en était que plus insupportable. Et voilà qu'elle sentait couler sur sa joue une chaleur humide qui glissait lentement, inexorablement, comme une eau trop longtemps contenue qui se libérait enfin.

Debout, non loin d'elle, Alain Lebrun contemplait ces pleurs qui semblaient laver le visage de la femme qu'il aimait et lui rendre la fraîcheur de l'enfance. Il retint l'élan qui le poussait vers elle, sachant, avec cette délicatesse naturelle aux amoureux, qu'il fallait la laisser aller seule au bout de son chagrin.

10

À son retour d'Amérique du Sud, François Tavernier revit Sarah Mulstein. Après avoir écouté, bouleversé d'horreur, le récit qu'elle lui fit de ce qu'elle avait subi en déportation, la pitié et la colère l'emportèrent. Il était submergé par un sentiment de honte devant ce que des hommes avaient fait endurer à d'autres hommes. Il avait vu les révoltants massacres de la guerre d'Espagne, les enfants et les femmes mitraillés sur les routes, les tortures infligées aux résistants, les villes bombardées, des mères folles de douleur près du cadavre de leur enfant, des orphelins errant parmi les ruines et cela avait renforcé chez lui le désir de paix, fait sentir la nécessité du rapprochement des peuples mais là, face à cette femme à jamais détruite, il avait senti monter en lui une haine qu'il n'avait jamais éprouvée durant toute la guerre. Lui qui avait tenté de s'opposer au désir de vengeance de Sarah, il était prêt à l'aider dans son combat. Comme elle, il pensa que ne pouvaient pas rester impunis ces crimes inouïs, ces criminels arrogants qui, pour la plupart, avaient fait plus qu'assassiner : ils avaient abîmé, sali, méprisé, déshonoré leurs victimes. Tuer, il l'avait fait, il pouvait comprendre ; humilier, jamais. Lui qui pensait avoir fait le tour de bien des choses, que certains considéraient comme cynique, qui aimait les jouissances de la vie, disait ne plus croire en rien, mais rêvait de temps en temps à un bonheur calme et tranquille avec Léa pour compagne, lui donc, épousa, bien que convaincu de la stupidité pour un homme comme lui de se lancer dans une vengeance qui n'était pas la sienne, la cause de Sarah, avec toute la force qu'il avait mise au service des républicains espagnols, de la résistance française et maintenant de la recherche, officiellement, des personnes déplacées.

Il accepta de rencontrer, chez Sarah, Samuel et Daniel Zederman et deux de leurs amis, juifs également : Amos Dayan de Lublin en Pologne, ancien du groupe Nakam, et Uri Ben Zohar de Palestine, ancien combattant dans la Brigade juive.

— Je vous présente à tous François Tavernier dont je vous ai parlé à maintes reprises. Il accepte de se joindre à nous si, bien entendu, aucun de vous n'y fait objection.

Ben Zohar s'avança, la main tendue.

— Bonjour, je suis ravi de vous revoir ici, dit-il en anglais.

Devant l'air étonné de Tavernier qui serrait la main tendue, il continua :

— J'étais à Tarvisio chez Ismaël Karmir quand vous êtes venu.

— C'est vrai, maintenant je vous reconnais. Vous n'aviez pas de moustaches à l'époque.

— C'est exact, fit Uri en caressant une superbe moustache rousse qui lui donnait l'air d'un officier britannique.

— Comment ? vous vous connaissez !... Le monde est décidément bien petit, dit Sarah en allumant une cigarette.

Amos Dayan s'approcha, tendit la main à Tavernier et dit dans un anglais hésitant :

— Soyez le bienvenu parmi nous.

Samuel et Daniel Zederman s'avancèrent à leur tour.

— Je sais le rôle important que vous avez eu dans la

résistance française et auprès du général de Gaulle et les liens qui vous attachent à ma cousine. Au poste que vous occupez, vous pouvez nous être très utile dans la découverte des criminels nazis. Merci de vous joindre à nous, dit Samuel.

Daniel salua sans rien dire. Sarah leur fit signe de s'asseoir et dit à Tavernier :

– Tous ici savent qui vous êtes et ce que vous avez fait. À part moi, vous ne connaissez aucun d'entre nous. Si vous devez combattre à nos côtés, il est normal que vous sachiez qui sont vos futurs compagnons... En règle générale, nous sommes plutôt discrets sur nos actions, mais s'agissant de vous et compte tenu de ce que vous êtes, je vais vous dire brièvement ce que sont et ce qu'ont fait nos quatre amis jusqu'à aujourd'hui. Je vais commencer par mon cousin Samuel, avocat reconnu avant la guerre. Les mesures anti-juives l'ont forcé à arrêter son métier. Avec des amis sûrs, il a fondé un journal clandestin en hébreu, destiné à informer la communauté de ce qu'était réellement le nazisme. Au bout d'une dizaine de numéros, il a été dénoncé. Quand la Gestapo est venue l'arrêter, il était absent. Après les avoir frappés, les policiers ont emmené son père, sa mère, ses sœurs et son jeune frère Daniel. Tous, à l'exception de Daniel, sont morts en déportation. Samuel a vécu deux ans caché dans une cave par sa maîtresse qui n'était pas juive. Ils ont eu un enfant qui est mort à la naissance. Un jour sa femme n'est pas revenue, tuée sans doute dans un bombardement ; les recherches entreprises pour la retrouver n'ont rien donné. Nous nous sommes revus à Munich. Nous avons retrouvé Daniel à Linz sorti vivant des camps de la mort. Nous avons décidé tous les deux de nous venger des horreurs subies tout en sachant que la vengeance est l'arme des faibles. Nous n'avons pas eu trop de mal à ce que Samuel partage notre point de vue. C'est ici, à Paris, que nous avons rencontré Amos. Amos a fait partie du commando qui en avril dernier a empoisonné le pain destiné aux trente-six mille SS prisonniers dans un camp près de Nuremberg. Deux mille boules de pain sur les quatorze mille prévues furent empoisonnées à l'arsenic ; un millier de SS seulement moururent. La censure militaire alliée fit tout pour étouffer l'affaire. Sur le point d'être interrogé par la police américaine, Amos a réussi à passer la frontière et à trouver refuge en France. Uri Ben Zohar est un juif de Palestine qui, comme vous le savez, était dans la Brigade juive. Avec quelques-uns de ses camarades, il a participé à l'exécution de nazis en Italie et en Allemagne. Mais très vite la Hagana s'est opposée à des projets visant à tuer le maximum d'Allemands tels l'empoisonnement des réservoirs d'eau de grandes villes comme Nuremberg, Hambourg ou Francfort, ou l'incendie de Munich ou Stuttgatt. Ordre a été donné de cesser toutes représailles envers les Allemands et de rentrer en Palestine. À contre-cœur, les vengeurs ont obéi. Uri a été autorisé à se rendre en France après avoir passé quelques jours au secret dans une prison clandestine de la Hagana.

– Pourquoi ne pas être allé en Palestine ? Il y a du travail à faire là-bas, demanda Tavernier.

– J'y ai bien pensé, répondit Uri, mais nous sommes quelques-uns à vouloir faire passer la vengeance avant l'État hypothétique d'Israël, ce qui va à l'encontre des chefs de la communauté juive de Jérusalem. Bien que certains se disent prêts à nous aider, la plupart n'ont qu'un objectif : la création de l'État hébreu. Nous, nous pensons qu'Israël ne peut pas exister si ses millions d'enfants, morts sans sépulture, ne sont pas vengés. Voilà pourquoi nous sommes quelques-uns qui allons traquer les nazis, où qu'ils se trouvent dans le monde, et les tuer.

Pendant un moment, il y eut un silence peuplé des souvenirs douloureux de chacun. Ce fut Sarah qui le rompit.

– François, avez-vous des questions à nous poser ?

– Oui... Il va falloir beaucoup d'argent pour entreprendre ces opérations. En avez-vous ?

– L'argent n'est pas un problème, nous l'avons, répondit Samuel.

– D'où vient-il ?

– D'organisations juives et non juives chargées de recruter des fonds à travers le monde pour notre cause. Au début, certains d'entre nous n'ont pas hésité à commettre des hold-up, maintenant ce n'est plus nécessaire.

– Avez-vous participé à des exécutions ?

– Pas encore, répondit Samuel.

– Moi oui, dit Uri.

– Moi aussi, dit Amos, à plusieurs.

François Tavernier se tourna vers Daniel.

– J'attends ce moment avec impatience.

Il ne questionna pas Sarah ; il connaissait la réponse.

– Vous qui revenez d'Argentine, quelle est la situation là-bas ? demanda-t-elle.

– À Buenos Aires, dans les milieux péronistes, j'ai eu connaissance de l'arrivée d'un certain nombre de familles allemandes qui ont été accueillies par des compatriotes installés en Argentine avant la guerre, la plupart munies de passeports argentins, américains ou de la Croix-Rouge internationale, quelques-uns avec des passeports diplomatiques délivrés par les chevaliers de l'Ordre de Malte, plus rarement de pièces d'identité françaises. Les colonies allemandes d'Amérique du Sud sont puissantes et nombreuses tant au Chili qu'au Brésil et qu'en Argentine, en passant par l'Équateur, l'Uruguay, la Bolivie et le Paraguay. Beaucoup d'hommes politiques de ces pays sont d'origine allemande. Les filières d'évasion n'ont pas eu beaucoup de mal à se mettre en place. Il est bon de savoir que dès le début de la guerre, des relations importantes se sont nouées entre de hauts dignitaires nazis et leurs homologues argentins. Malgré la rupture des relations diplomatiques entre l'Allemagne et l'Argentine en janvier 1944, l'opération *Aktion Feuerland*[1], lancée par Bormann fin 1943, se poursuivit sans connaître de véritables problèmes. C'est ainsi que des milliers d'œuvres d'art, des tonnes d'or et diverses valeurs traversèrent l'Atlantique à bord de sous-marins partant d'Espagne grâce à l'aide du général Paupel à Madrid. L'ambassadeur d'Allemagne von Therman et sa femme, en compagnie du capitaine de vaisseau Dietrich Niebuhr, organisaient des bals ou des parties de poker – les Argentins avaient une chance insolente – où se retrouvaient le gratin de la colonie allemande, le prince et la princesse de Schaumburg-Lippe, le comte de Luxburg, Ludwig Freude, Godofredo Sanstede – un agent de la Gestapo –, von Simon et des Argentins tels l'actuel président Juan Perón, les amiraux Scasso et Teissaire, les généraux Ramirez et Farrel, les colonels Mittelba, Heblin, Gonzalez, Gilbert. Habiles, les Allemands caressaient leurs amis argentins dans le sens du poil: arrosage systématique de la presse, dons importants du prince de Schaumburg-Lippe à différentes personnalités argentines, parties fines copieusement arrosées. La déclaration de la guerre le 27 mars 1945, sous la pression des États-Unis, ne gêna pas vraiment les relations entre les deux camps. Par mesure de prudence, les fonds et les valeurs des nazis furent transférés sur des comptes de ressortissants et de nationaux argentins. Quand le gouvernement de Buenos Aires se présenta pour saisir les biens nazis et japonais, il n'y avait plus rien. En avril 1945, des sous-marins nazis venant d'Espagne sont arrivés en Argentine, porteurs d'un véritable trésor de guerre: huit cent millions de dollars, produit de rapines de toutes sortes. En juillet et en août, deux

1. Terre de Feu.

114

sous-marins firent surface dans le port de Mar del Plata et furent remis aux autorités américaines. En Patagonie, toujours au mois de juillet, deux autres sous-marins accostèrent. Quatre-vingts personnes embarquèrent à bord de canots pneumatiques et furent débarquées sur une plage déserte où les attendaient de grosses voitures et des camions. Furent débarquées également des dizaines de très lourdes caisses, immédiatement chargées à bord des camions qui se dirigèrent vers une *hacienda* appartenant à une société allemande. Peut-être savez-vous que l'*Organisation der ehemaligen SS-Angehörigen*[1] possède plusieurs réseaux permettant à ses membres de s'évader vers l'Égypte, la Syrie ou l'Amérique latine. La filière Allemagne, Autriche, Tyrol du Sud, Gênes via Tanger est la plus utilisée pour gagner les pays hospitaliers d'Amérique du Sud. Rien que dans la région de Gênes, il y a des dizaines de monastères ou de presbytères qui servent de refuge aux candidats à l'immigration sud-américaine sous la houlette d'un haut dignitaire ecclésiastique croate, Krunoslav Draganovic, grand ami de *Poglavnik*[2] Ante Pavelitch. Grâce à ses relations diplomatiques auprès du Vatican, il obtient, sans difficultés, des autorisations d'immigration dans différents pays pour ses protégés. Malgré les polices alliées, le port de Gênes est un lieu de départ sûr pour les criminels nazis.

– Nous savions qu'une telle organisation existait, mais nous n'imaginions pas son importance, dit Sarah. Vous parlez de complicités difficiles à admettre... la Croix-Rouge internationale, le Vatican, l'Ordre de Malte, que sais-je encore...

– Croyez-vous qu'avec le suicide de Hitler, qui pour beaucoup est loin d'être sûr, la chute du IIIe Reich, la mort de millions d'êtres humains aient anéanti tous les

1. Amicale des anciens SS.
2. Führer, chef.

néo-fascistes et néo-nazis de la terre ?... Il n'en est rien. De petits groupes comme le nôtre peuvent faire beaucoup de mal au réseau ODESSA, mais soyons sans illusions, la majorité de ces salauds nous échappera.

– Nous le savons, dit Samuel. Nous ne sommes pas les seuls à nous lancer sur la trace des nazis en fuite. Grâce à nos informateurs américains, des camarades sont sur la piste d'Adolf Eichmann. Des anciens de la Nakam ont découvert l'adresse de sa famille en Autriche, à Bad-Ausse ; ils se relaient pour surveiller la femme et le frère d'Eichmann. Ce petit groupe de vengeurs fera appel à nous si besoin est. Quant à nous, pour le moment, Amos a localisé ces deux femmes du camp de Ravensbrück Mara Schaeffer et Ingrid Sauter qui s'étaient faufilées dans les rangs de la Croix-Rouge et que nous avions vues, Sarah et moi, sur le quai d'une gare en compagnie de petits orphelins. Elles sont actuellement à Lyon, dans un couvent de religieuses. Daniel et Amos partent demain pour cette ville afin d'observer leur mode de vie et les moyens de les arrêter.

– Vous comptez les livrer aux autorités françaises ? demanda Tavernier.

– Non, fit froidement Sarah, nous les exécuterons.

– Quand cela sera fait, continua Samuel, nous embarquerons pour l'Argentine, poursuivre notre traque, où deux d'entre nous se feront passer pour des nazis en fuite. Amos et Daniel qui parlent parfaitement allemand et ont l'air de purs Aryens joueront ce rôle. Quand devez-vous retourner en Argentine ?

– À l'automne. Je suis chargé de mission auprès du gouvernement argentin par le gouvernement français.

– Parfait ; ce voyage peut-il être avancé ?

– Je n'en sais rien, je poserai la question au Quai d'Orsay.

– Il serait bon qu'avant votre départ, vous soyez marié...

– Marié ?!...

– Oui, avec Sarah. Cela facilitera notre tâche...

– Peut-être, mais je n'ai nullement l'intention de me marier.

– Je ne vous plais pas ? dit la jeune femme d'un ton ironique.

– Ce n'est pas cela, Sarah, vous le savez très bien.

– Je sais que vous en aimez une autre. Rassurez-vous, je ne suis pas jalouse.

– Il ne s'agit pas de ça...

– Non, interrompit Samuel, il s'agit d'une simple formalité...

– Une simple formalité, comme vous y allez ! On voit bien que ce n'est pas vous que l'on veut marier !

– François, je connais vos sentiments mieux sans doute que vous ne les connaissez vous-même. Croyez-moi, si l'on pouvait faire autrement, je ne vous demanderais pas de vous prêter à cette mascarade, dit Sarah redevenue sérieuse.

– Mais...

– Je sais ce que vous allez dire, laissez-moi m'en occuper.

– Ne vous mêlez pas de cela, c'est à moi de le faire...

– Je vous accompagnerai.

– Elle ne veut plus vous voir.

– Je sais et c'est plutôt bon signe. Elle ne veut pas me voir parce que ce que je lui ai dit l'a bouleversée. C'est justement là-dessus que je compte pour qu'elle nous aide.

– Vous n'allez pas demander à Léa...

– Pourquoi non ? Ne m'a-t-elle pas déjà aidée, sauvé la vie ? N'a-t-elle pas risqué la sienne avec courage dans la Résistance ?

– Justement, elle doit oublier tout cela !

– Vous la connaissez bien mal, elle ne pourra pas oublier malgré le désir qu'elle en a. C'est une fille droite et simple qui pense que les méchants doivent être punis.

– Je le sais bien, mais pourquoi serait-elle chargée, elle, de les punir ? Croyez-moi, laissez Léa en dehors de tout cela.

– Pourquoi, si nous avons besoin d'elle ?

– Nous pouvons très bien nous en passer. Je trouve inutile de nous encombrer d'une écervelée...

– Ce n'est pas ce que pensait son oncle, le père Adrien qui a utilisé ses compétences à maintes reprises.

– Elle combattait pour chasser l'occupant de son pays...

– Là, elle combattra pour qu'il ne revienne pas.

– Tout cela me semble bien compliqué et risqué, dit Samuel. Si, comme j'ai cru le comprendre, François Tavernier est amoureux de cette Léa, nous allons au-devant d'ennuis. Rien de pire que les histoires senti-mentales dans la clandestinité.

– Votre cousin a raison, c'est beaucoup trop risqué, non seulement pour Léa, mais pour nous tous. Je me suis engagé à vous aider, à participer à votre combat, mais pas au prix de la sécurité et de la vie de Léa.

– Cela suffit pour aujourd'hui, dit Sarah, nous en reparlerons une autre fois.

Le ton de la voix les congédiait. Les cinq hommes se levèrent et sortirent.

Quelques enfants se poursuivaient en piaillant dans la poussière du square de la place des Vosges sous l'œil des mères assises à l'ombre, tricotant ou cousant. Le ciel était blanc de chaleur, personne sous les arcades. François Tavernier quitta ses compagnons et, tenant sa veste pendue à son épaule, se dirigea vers sa voiture station-née rue de Turenne. Ces rencontres et ces conversations lui avaient laissé un sentiment de malaise. Était-il bien rai-sonnable, dans sa position, de s'engager dans cette aven-ture avec des amateurs, dont une femme qui avait perdu tout sens commun ? Non, c'était tout sauf raisonnable ;

mais depuis la guerre d'Espagne, il ne connaissait plus le sens de ce mot.

Héritier d'une riche famille de soyeux lyonnais, il s'était brouillé avec elle à la suite de son engagement auprès des républicains espagnols. Seul un de ses oncles, gérant de sa fortune, avait conservé avec lui des rapports distants, mais nécessaires du fait des affaires existant entre eux. Scrupuleusement honnête, Albert Tavernier avait non seulement conservé, mais fait fructifier la fortune de son neveu sans se compromettre dans la collaboration, ce qui était loin d'être le cas des autres membres de la famille. Sans l'intervention de « la brebis galeuse », certains se seraient retrouvés en prison à la Libération.

Bien que perdu dans ses pensées, il enregistrait machinalement ce qui se passait autour de lui ; à son approche, une vague silhouette masculine se rejeta derrière un des piliers des arcades. Immédiatement, en habitué du combat clandestin, il fut sur ses gardes, ses mains à la recherche d'une arme. Ce geste le fit sourire : on n'était plus en guerre, son fidèle Walther avait rejoint son arsenal privé. Sur ses gardes, il continua son chemin. En ouvrant sa voiture, il jeta un regard circulaire... il avait dû rêver ; à part de rares passants se dirigeant vers la rue de Rivoli, il n'y avait personne.

Il régnait à l'intérieur du véhicule une chaleur caniculaire. Tavernier desserra le nœud de sa cravate et déboutonna le col de sa chemise. Il roula lentement jusqu'à la rue de l'Université, sûr de n'être pas suivi. Les travaux qu'il avait commandés se déroulaient normalement ; tout serait, comme prévu, terminé à l'automne. À ce moment-là, il verrait si Léa voulait l'épouser.

Avec colère, il serra les mâchoires en se rappelant la proposition saugrenue de Sarah ; s'il devait se marier, ce serait avec Léa et avec personne d'autre... Cependant, Sarah n'avait pas tort de penser qu'elle serait plus à même de s'introduire dans la société argentine en étant femme de diplomate ; c'était un poste d'observation idéal pour savoir ce que devenaient les nazis en fuite accueillis dans le pays. Il l'imaginait très bien se liant d'amitié avec cette actrice de vingt-six ans que le nouveau président argentin venait d'épouser, Eva Duarte. Que Juan Domingo Perón était fasciné par Benito Mussolini et un habitué des cercles pronazis n'était un secret pour personne et élu grâce aux *cabezitas negras* [1]... Fort de l'appui d'une partie de la classe ouvrière et de l'armée, le « chef », élu président de la République par cinquante-six pour cent des voix, allait faire de son pays une grande puissance mondiale ; malgré l'opposition des communistes et de l'aristocratie, son pouvoir semblait établi pour longtemps. En tant qu'envoyé du gouvernement français, François Tavernier avait été présenté au couple présidentiel. Il avait eu du mal à retenir un sourire amusé en baisant la main de la femme du président, belle fausse blonde, au visage trop maquillé et vêtue d'une robe de petite fille qui surprenait sur une femme de vingt-six ans. En minaudant, Eva Perón lui avait fait visiter le parc de la résidence présidentielle, s'extasiant sur les fleurs qu'elle disait aimer passionnément. Quant à son époux, le général Perón, il lui avait dit qu'il serait toujours le bienvenu. Le soir du même jour, à un dîner chez la directrice de la revue littéraire *Sur*, Victoria Ocampo, la conversation n'avait tourné qu'autour de la belle Eva et de la façon dont elle avait mis la main sur ce balourd de Juan Perón que certaines dames présentes qualifiaient cependant de *muy macho*. Victoria Ocampo, une grande et belle femme d'une cinquantaine d'années, égérie des milieux littéraires argentins, réputée « mangeuse d'hommes », maîtresse ou amie des plus grands écrivains de son temps, francophile invétérée, s'était prise d'une profonde

---

1. Têtes noires : nom donné aux paysans venus travailler en masse à Buenos Aires.

sympathie pour ce Français qui traînait dans son sillage comme un parfum d'aventures. Au moment de son départ pour Paris, elle lui avait confié le papier, les rubans de machines à écrire, le café, le sucre ainsi que les fonds réunis par Gisèle Freund pour le comité de *Solidaridad con los escritores franceces*, destinés à Adrienne Monnier – laquelle avait accepté de servir d'intermédiaire entre les écrivains français et ce comité. La grande libraire, éditeur de l'*Ulysse* de James Joyce, avait accueilli François Tavernier avec reconnaissance dans sa librairie de la rue de l'Odéon :

– Grâce à nos amis argentins, nous allons pouvoir approvisionner nos écrivains qui disent ne rien pouvoir faire sans leur dose quotidienne de café.

Devant l'étonnement de son interlocuteur, elle avait poursuivi en riant :

– Eh oui, la librairie s'est transformée en épicerie. Que voulez-vous, les nourritures de l'âme ne sont pas suffisantes à nos gens de lettres. Nous faisons les distributions tous les jours de 14 à 18 heures, sauf le dimanche.

– Que faut-il faire pour obtenir cette aide alimentaire ?

– Être écrivain fréquentant ou non la librairie. Nous faisons parvenir aux intéressés des prospectus conçus par Gisèle qui donnent à nos intellectuels la date des envois. Tenez, regardez les bons signés par les destinataires.

François Tavernier avait lu : «Jean-Paul Sartre : un kilo de café vert, un saucisson, une boîte d'huile, un kilo de fruits secs ; Jean Cocteau : trois kilos de café vert, un pain de confiture de lait, un kilo de fruits secs ; Henri Michaux : un kilo de café vert, une livre de thé, dix tablettes de chocolat, trois kilos de lait condensé, trois pots extra de viande, un jambon, trois pains de confiture de lait ; André Breton : un kilo de café vert, deux saucissons, une boîte d'huile, un kilo de fruits secs, un pain de confiture de lait ; Albert Camus : deux kilos de café vert, deux *bandolas*, une boîte d'huile, un pain de confiture de lait. »

Plus ému qu'il ne voulait le paraître, François posa les bons, marqués d'un bonnet phrygien sous lequel deux mains se serraient, sur le comptoir encombré.

Adrienne Monnier avait remarqué son émotion et c'est avec un bon sourire qu'elle lui avait dit :

– Eh oui, mon cher monsieur, nous ne sommes que de pauvres créatures. Revenez quand vous voudrez, vous serez toujours le bienvenu.

Introduit dans les milieux péronistes comme dans ceux de l'*intelligentsia* argentine, il avait une position idéale pour aider Sarah et ses amis dans leur mission. Était-il bien nécessaire pour autant d'épouser sa belle amie juive ? Il en doutait et cependant... Fallait-il, pour apaiser leur soif de vengeance, sacrifier son amour pour Léä ?

Pour se changer les idées, il accepta l'invitation de Laure à venir écouter du jazz au «Lorientais» où jouaient un clarinettiste aux cheveux en brosse, l'air d'un bûcheron canadien dans sa chemise écossaise, Claude Luter et un trompettiste long et maigre, Boris Vian.

11

20 juillet 1946

Ma chérie,
Je suis à Paris depuis quelques jours. Le téléphone est
encore incertain dans ce pays et les opératrices n'ont guère
pitié des amoureux. Il ne me reste que la plume pour te
dire que tu me manques terriblement et que je viendrai
dans le courant de la semaine avec Laure que j'ai ren-
contrée avant-hier. Ta petite sœur compte se servir de moi
pour éviter un trop long séjour à Montillac... De toi, elle
n'a que la chevelure, et c'est dommage!

J'ai revu Sarah. J'ai compris ta réaction quand elle m'a
raconté son supplice, et, cependant, elle ne t'a pas tout dit.
Tu ne dois pas rester là-dessus; tu as suffisamment souf-
fert toi-même pour la comprendre. Vous êtes assez sem-
blables sur bien des points. La différence est que toi tu
n'as pas été au bout de l'horreur... Il faut que tu saches
que Sarah ne sera plus jamais une femme «normale».
Quoi que nous fassions, nous ne pourrons jamais répa-
rer l'irréparable; mais nous pouvons l'aider. Je te demande
de me permettre de venir à Montillac avec elle, elle le sou-
haite vivement. Si tu refuses, je comprendrai. Mais je te
connais, tu es généreuse et tu aimes Sarah. Je pars tout à
l'heure pour Londres; j'y resterai deux jours. Téléphone

*à Laure ou télégraphie-lui pour donner ta réponse. J'ai
hâte de te revoir, de te serrer dans mes bras, de voir tes
yeux se refermer sur ton plaisir.*

   *Petite fille, je voudrais que tu sois sûre d'une chose,
d'une seule: je t'aime. Ne l'oublie jamais. L'avenir peut
nous réserver des surprises, ne pas être celui dont nous
aurions rêvé. Je sais cependant que tu es la seule, tu entends
bien, LA SEULE, auprès de qui je voudrais vivre, entouré,
pourquoi pas? d'enfants qui te ressemblent,*

François.

   Le cœur de Léa avait bondi quand elle avait reconnu
l'écriture de son amant. Abandonnant à Françoise et
à Ruth la surveillance des confitures qu'elles faisaient depuis le matin, elle avait couru s'enfermer
dans le bureau de son père pour lire tranquillement sa
lettre.
   La seule!... elle était la seule avec laquelle il voudrait
vivre, avoir des enfants!... «Moi aussi, j'aimerais vivre
avec lui», pensa-t-elle. Un sentiment de bonheur, de paix
l'envahit: c'était la première fois qu'elle se disait cela.
Elle éclata de rire. Pourquoi avait-elle attendu si longtemps pour se l'avouer?... La réponse lui vint immédiatement: «J'ai peur qu'il ne me fasse souffrir!» À cette
pensée, son corps se couvrit de nouveau de sueur. «Je
suis folle de me mettre dans un état pareil parce que
l'homme que j'aime – oh oui, comme elle l'aimait,
comme c'était bon enfin de le reconnaître – me déclare
son amour!» Elle rit encore, cependant l'inquiétude
demeurait. Léa relut la lettre... Puisqu'il le demandait,
elle recevrait Sarah, serait tendre et affectueuse. À eux
deux, ils l'aideraient à surmonter son chagrin, la feraient
renoncer à ses idées de vengeance. Vite, téléphoner à
Laure pour lui dire que Montillac les attendait tous les
trois... Mais pourquoi écrivait-il: «L'avenir peut nous

réserver des surprises, ne pas être celui dont nous aurions rêvé... »? Il y avait comme une menace dans ces mots... Puisqu'ils s'aimaient, l'avenir serait merveilleux... « L'avenir peut nous réserver des surprises... » Quelles surprises?... Que voulait-il dire par là?... Léa porta ses mains à ses tempes pour arrêter ce battement... ferma les yeux... les rouvrit aussitôt... Derrière ses paupières closes, l'espace d'un instant, elle avait vu Sarah lui tendant son enfant mort... Sarah qui riait et la regardait d'un air terrible...

Léa se réfugia sur le vieux canapé de son père et, recroquevillée sur elle-même, se mit à trembler. L'odeur de la sueur froide, qui sourdait de son corps grelottant, lui donnait la nausée. « Il faut que je me calme... je dois me calmer... Maman... Camille... j'ai peur, si vous saviez comme j'ai peur... » Le souvenir apaisant des mains de sa mère et de celles de Camille sur son front, quand les mauvais rêves venaient hanter ses nuits, peu à peu la rasséréna. Elle se releva péniblement, la bouche amère. Le miroir de la salle de bains lui renvoya le reflet d'une noyée. Avec rage, elle retira ses vêtements et se jeta sous la douche. Ah, se laver de tous ces souvenirs, de toutes ces images, ne penser qu'à la joie d'être vivante, d'avoir un corps fait pour le plaisir!... Ce plaisir que François savait si bien lui dispenser. Retrouver enfin ce bonheur d'être soudés l'un à l'autre... L'avenir, avec lui, ne pouvait être fait que de bonnes surprises, c'était cela qu'il avait voulu dire. Ensemble, ils redonneraient à Sarah le goût de vivre; ils sauraient l'entourer de toute leur tendresse; leur amour ne pouvait qu'être bénéfique à tous. Tous ceux qu'elle aimait, Léa les voulait heureux autour d'elle. La guerre était finie, le temps de la paix et du bonheur était revenu.

C'est en chantant qu'elle sortit de la douche, s'essuya, se regarda avec complaisance dans la haute glace de la salle de bains, se parfuma et s'habilla d'une légère robe de toile.

Des rires et des exclamations joyeuses provenant de la terrasse la firent descendre en courant le long des charmilles ; ce n'était pourtant pas l'heure de l'apéritif du soir, mais celle précédant le déjeuner. À l'ombre de la glycine, Alain Lebrun débouchait une bouteille de champagne en compagnie d'Estelle, de Lisa, de Françoise et de Ruth encore enveloppées de leurs tabliers de cuisinière.

– Que se passe-t-il donc ? Que fêtez-vous sans moi ?

– Charles et Pierre sont partis te chercher, dit Françoise avec un sourire taquin.

– Je ne les ai pas vus. Me dira-t-on enfin ce qui se passe ?

– Françoise... commença Lisa en pouffant derrière sa main.

– Quoi, Françoise ?

– ... vient de nous annoncer, continua Estelle en s'arrêtant pour essuyer les larmes qui coulaient de ses yeux.

– Tu pleures ! Est-il arrivé quelque chose ?

– Non... enfin oui, mademoiselle Léa, dit Alain en faisant sauter le bouchon.

– Allez-vous me dire... Oh, je crois comprendre !... vous et Françoise ?... Oui ?... Oh, petite sœur, que je suis heureuse ! s'écria Léa en embrassant Françoise. Mes félicitations, Alain, dit-elle en l'embrassant à son tour.

– Merci, mademoiselle.

– Il n'y a plus de mademoiselle. Ne suis-je pas votre belle-sœur ?

– Merci, Léa.

Souriante, Léa prit le verre de champagne qu'il lui tendait.

– On n'a pas trouvé... Ah, tu es là !... Pierre et moi, on t'a cherchée partout, dit Charles essoufflé.

– Tenez les enfants, venez trinquer avec nous.

– Alain, juste un doigt, ils sont encore petits, dit Françoise.

Quand chacun fut servi, Alain Lebrun leva son verre.

– Je bois au plus beau jour de ma vie. Je bois à la femme que j'aime, à Montillac et à tous ceux qui l'habitent. À votre santé à tous et à toutes.

– Comme votre papa et votre maman seraient heureux, dit Ruth en pleurant.

– Allons ma bonne Ruth, ce n'est pas le jour pour pleurer, dit Estelle en se mouchant bruyamment.

– Non, ce n'est pas le jour, hoqueta Lisa.

Elles étaient si comiques toutes les trois, leurs mouchoirs à la main, que Françoise, Alain et Léa éclatèrent de rire.

– C'est ça, moquez-vous, bougonna Ruth.

En fin de journée, tous trinquèrent dans les chais en l'honneur des fiancés, en compagnie de Jean Lefèvre et du père Henri.

– À quand ton tour? dit Jean à Léa d'un air entendu.

– Plus tôt que tu ne le penses, fit-elle d'un ton léger.

Devant son air épanoui, elle s'en voulut de sa réponse. Comment rattraper sa bévue? Heureusement, Françoise fit diversion.

– Mon père, nous serions très heureux Alain et moi que vous acceptiez de nous marier.

– Ce sera un grand plaisir pour moi.

– Pour la noce, vous attendez la fin des vendanges? demanda Jean.

– Non, répondit Françoise, nous tenons, Alain et moi, à nous marier le plus vite possible, après la publication des bans.

– Nous n'allons pas avoir le temps de tout préparer, de faire faire la robe, d'envoyer les invitations, d'organiser la fête…

– Il n'y aura pas de fête, Léa, dit Françoise. Je tiens à me marier dans la plus stricte intimité.

– Mais...

– Tu dois bien comprendre pourquoi?

Oui, bien sûr, elle comprenait. Elle n'était qu'une sotte!

– François m'informe de sa venue avec Laure et une amie. Peut-être seront-ils là pour le mariage, dit-elle.

– Quelle bonne nouvelle, dit Lisa, j'aime beaucoup monsieur Tavernier.

La nouvelle ne plaisait pas à Jean Lefèvre, qui lança à Léa un regard rapide.

– Toi et Jean, si vous le voulez bien, serez mes témoins. Alain a demandé à son oncle et à un ami.

Tout le reste de la semaine, jusqu'à l'arrivée de Laure et des invités de Léa, la vie à Montillac retrouva une effervescence qu'elle n'avait pas connue depuis longtemps. Ce n'étaient que cavalcades à travers la maison, déplacements de meubles, livraisons diverses en vue de l'emménagement des nouveaux mariés. Il avait été décidé qu'ils occuperaient l'ancienne chambre de monsieur et madame Delmas qui était la plus belle de la maison et qui avait un petit salon et une salle de bains attenants. Les récents travaux avaient rendu cet appartement encore plus agréable. Pierre aurait sa chambre auprès de celle de sa mère.

L'annonce de ce mariage avait rajeuni Lisa et Ruth; elles discutaient trousseau, argenterie, linge, vaisselle. La couturière de Langon vint prendre les mesures des dames de Montillac pour les toilettes. Les choix donnèrent lieu à des discussions animées. Françoise opta pour un simple tailleur jaune pâle, Léa pour une robe manteau d'un rouge sombre, Lisa pour une robe en foulard imprimé avec le paletot assorti, Estelle pour un ensemble gris perle; Ruth dit qu'elle n'avait besoin de rien. Étant donné le peu de temps dont disposait la couturière, on se mit d'accord sur le fait qu'un seul essayage suffirait. Il fallut toute la persuasion câline de Léa pour faire accepter cette décision à madame Larcher, qui pensait qu'il en fallait au moins trois. Il fut convenu que ces dames se rendraient à Langon pour gagner du temps. Maintenant, il fallait penser aux chapeaux, aux chaussures, aux sacs et aux gants. Munies d'un échantillon du tissu de leurs vêtements, elles prirent la direction de Bordeaux la veille de l'arrivée de Laure.

Épuisées après leurs courses, elles s'étaient installées dans un salon de thé face au théâtre, entourées de paquets. À une table voisine, elles aperçurent leur cousine Corinne Delmas, qui venait d'épouser un riche propriétaire de Pauillac, et deux de ses amies. Les trois jeunes femmes chuchotèrent vivement en reconnaissant Léa et Françoise. Cette dernière rougit et baissa la tête, tandis que Léa les regardait d'un air effronté.

— Quel culot! s'exclama une des amies de Corinne à haute voix.

— Comment osent-elles se montrer? fit l'autre.

— Nous ne les voyons plus, s'empressa de dire Corinne.

— Partons, dit Françoise devenue très pâle.

— Pas question, fit Léa, les yeux assombris.

— Mes enfants, pas d'esclandre, murmura Estelle.

Léa se leva et se dirigea vers la table des trois jeunes femmes.

— Bonjour, Corinne. Le mariage semble te réussir, tu as une mine superbe. La dernière fois que je t'ai vue avec oncle Luc, tu étais plus maigre. Bonjour, mesdames.

— Bonjour.

— Françoise se marie dans trois semaines, bien entendu tu es cordialement invitée avec ton mari.

— Félicitations, balbutia Corinne, je ne sais pas si ce sera possible.

– Essaie, ma chérie, cela nous ferait tellement plaisir. Au revoir, je te laisse, nous avons tant à faire. À bientôt, tu recevras un faire-part.

– Au revoir.

Contente d'elle, Léa regagna sa table.

– Je l'ai invitée à ton mariage.

– Tu n'as pas fait ça ?

– Rassure-toi, elle ne viendra pas ; mais je ne suis pas mécontente d'avoir mis cette pimbêche dans l'embarras.

– C'est moi que tu mets dans l'embarras, dit Françoise tristement.

– Pardonne-moi, petite sœur, je n'ai pas voulu cela.

– Garçon, l'addition, demanda Estelle.

Parties dans la joie et les bavardages, elles rentrèrent en silence, chacune perdue dans ses pensées.

Enfin, le lendemain, en fin de journée, François Tavernier et Laure arrivèrent en compagnie de Sarah Mulstein et de Daniel Zederman. Depuis le début de l'après-midi, Léa guettait leur arrivée, postée à l'entrée de Montillac, au bord de la route… Quand la voiture entra, dans sa hâte, elle faillit passer sous les roues. Le conducteur l'évita de justesse et sortit furieux du véhicule :

– Mademoiselle, vous êtes complètement folle, j'aurais pu vous écraser.

La déception se peignit sur les traits de Léa.

– Mais ce n'est pas…

– Je suis là.

– Oh, François, j'ai cru que tu n'étais pas venu !… Qu'as-tu ? Tu as mal à la tête ?

– À cause de ta précipitation et du coup de frein de Daniel, je me suis cogné contre le pare-brise.

– Oh, je suis désolée, dit Léa en éclatant de rire.

François lui lança un regard furieux.

– C'est tout l'effet que cela te fait ?

Léa rit de plus belle, imitée par Laure et Daniel puis par Sarah qui venaient de descendre à leur tour. Tavernier prit un air menaçant ce qui redoubla l'hilarité. Bientôt lui aussi fut gagné par le fou-rire. C'est en riant qu'il prit Léa dans ses bras.

– Petite emmerderesse, toujours à te mettre en travers de ma route, dit-il avec tendresse.

Sarah s'avança vers eux, souriante sous son turban noir.

– Léa, je te remercie, c'est la première fois que je ris de bon cœur depuis la guerre. Viens que je t'embrasse.

Les deux amies s'étreignirent sans chercher à dissimuler leur émotion.

– Je comprends votre préférence, murmura Daniel à François. Votre amie est magnifique.

– Attention, ne tombez pas amoureux, sinon vous aurez affaire à moi.

– Pour une femme comme celle-ci, je serais capable d'affronter pire que vous.

Le ton avec lequel il prononça ces paroles, les regards émerveillés qu'il lançait à Léa lui furent désagréables. «Il ne manquerait plus que je sois jaloux», pensa-t-il.

– Ma chérie, j'ai amené mon cousin Daniel Zederman. C'est un peu cavalier. J'espère que tu ne m'en veux pas.

– Mais non, la maison est grande.

Laure courait déjà vers la propriété. Accrochée aux bras de Sarah et de François, Léa allait rayonnante vers la maison.

– Je suis heureuse de connaître enfin ce Montillac dont tu me parlais tant. Je comprends que tu l'aimes, tout est si harmonieux, si évident, si naturel avec cependant comme une sorte de réserve. C'est une demeure qui ne doit pas se donner à n'importe qui, dit Sarah.

Léa la regarda attentivement : comment une étrangère à ce pays avait-elle si bien deviné l'esprit des lieux ?

Ils passèrent devant la façade nord, puis le long des

hangars de bois abritant les charrettes tandis que le soleil déclinait dans un rougeoiement d'apocalypse, donnant un aspect irréel aux bâtiments de Bellevue qui semblaient fondre dans la fournaise. Le coucher du soleil avait toujours été pour Léa un moment intense. Toute petite fille, marchant à peine, elle s'échappait vers la partie ouest de la maison pour regarder l'astre brillant se « mettre au lit ». À chaque fois qu'il disparaissait derrière la colline de Verdelais, elle avait un pincement au cœur et sentait monter en elle une vague inquiétude. Cette inquiétude était toujours présente. Là, aujourd'hui, entre l'homme qu'elle aimait et l'amie retrouvée devant un ciel tourmenté de pourpre et de noir et ce soleil d'un éclat de feu, l'inquiétude, fut non seulement présente comme à chaque fois, mais forte, très forte. Ses compagnons s'étaient arrêtés et faisaient silence devant cet instant de beauté qui absolvait, l'espace de cet instant, toute laideur sur terre. Pourquoi cette angoisse soudaine ?… Oh, que le soleil ne se couche pas, que ne vienne pas la nuit porteuse de rêves sombres !… Appuyée contre son amant, elle frissonna longuement. Sentir un corps aimé vibrer contre le sien, partager avec lui l'émotion du moment, cela seul était vrai, se dit Tavernier en l'enlaçant. Léa leva les yeux vers lui, éblouissante, irréelle, nimbée de l'éclat du soleil couchant. Leurs ombres enlacées se projetaient, presque palpables, sur le mur du chais où fleurissaient d'odorantes roses blanches. Leur désir montait dans l'odeur des roses, si fort qu'ils éprouvèrent une brusque jouissance qui les laissa tremblants, bouleversés par cette reconnaissance de leurs corps. Sarah et Daniel les regardaient, traversés de sentiments divers ; ces deux-là étaient faits évidemment l'un pour l'autre, complémentaires. « Ai-je le droit ? » pensait Sarah. « Je veux que cette fille m'aime un jour comme elle l'aime », se disait Daniel.

Toujours enlacés, Léa et François se dirigèrent lentement vers l'entrée sud de la maison. Là, ils gagnèrent le salon où les attendaient les demoiselles de Montpleynet, Françoise et Laure bavardant avec animation, le père Henri, Jean Lefèvre et Alain Lebrun fumant en devisant. Charles se jeta dans les bras de son « ami François ».

– Te voilà un homme maintenant, mon garçon, dit-il en le reposant à terre.

Quant à Pierre, peu habitué à tant de monde, il se cacha derrière sa mère.

Léa fit les présentations. Après avoir bu un verre d'un vin vieux de Montillac, ils passèrent à table.

Le repas fut gai et animé. Ruth avait mis les petits plats dans les grands et fut chaudement félicitée par Tavernier. Sarah, assise entre le père Henri et Jean Lefèvre, paraissait souriante et détendue, écoutant attentivement ses voisins à tour de rôle ; Alain Lebrun ne quittait pas Françoise des yeux, Daniel et Laure parlaient avec animation, Estelle et Lisa surveillaient les enfants. Après le dîner, hormis les enfants et les tantes, on descendit vers la terrasse.

La nuit était noire maintenant, chaude et étoilée. En fumant ils contemplaient, accoudés au parapet le sombre paysage égayé de rares lumières du côté de Langon. Un train passa sur le pont métallique tel un serpent lumineux. Une étoile filante tomba ; Léa fit un vœu.

Fatiguée du voyage, Sarah demanda à se retirer. Ils remontèrent vers la maison. Jean et le père Henri prirent congé.

– Laure, tu t'installes dans ta chambre, je pense ? J'ai mis Sarah dans celle du fond et Daniel dans la petite chambre à côté de la tienne, dit Léa.

– Bonne nuit, ma chérie, dit Sarah en l'embrassant.

– Bonne nuit, mademoiselle.

– Bonne nuit Daniel, je m'appelle Léa. À demain.

Enfin seuls !

– Viens, la nuit est trop douce pour aller se coucher, je veux marcher avec toi.

En se tenant par la taille, ils descendirent en contrebas de la terrasse. Le chemin longeant les vignes était mœlleux à leurs pieds. Ils tournèrent dans celui de gauche qui allait vers les saules.

– Je reconnais cet endroit.

– C'est la Gerbette, nous y sommes venus le soir de l'enterrement de mon père.

– Je m'en souviens, dit-il en l'attirant à lui.

– Viens, dit-elle en se dégageant.

Comme la première fois, il dut ouvrir la porte d'un coup d'épaule. Comme la première fois, elle dit :

– Ce n'est pas très beau. Dans mon souvenir, ça l'était beaucoup plus.

Et comme la première fois, il étendit sa veste sur le foin.

Le jour se levait quand ils rentrèrent à Montillac fourbus et heureux. À peine couchés dans le lit étroit où dormait Léa, ils sombrèrent dans un sommeil profond.

12

La semaine passa comme dans un rêve tant Léa avait de choses et de lieux à montrer à ses amis. Laure ne quittait plus Daniel, le dévorant des yeux, lui la trouvait charmante, un peu collante, rien à voir avec sa sœur qui accaparait toute son attention et devant qui les autres femmes avaient bien du mal à exister – à part Sarah, mais Sarah, c'était autre chose. Sarah, c'était son double femelle. Ils avaient souffert les mêmes tourments, les mêmes angoisses, la haine les avait soutenus; du fond de l'épouvante, ils s'étaient juré de vivre pour témoigner de l'horreur, pour se venger. Ce qu'ils avaient fait pour survivre, ils en éprouvaient de la honte et cette honte aussi méritait vengeance. Ils s'étaient tout dit et s'étaient reconnus. Il avait dix-huit ans, elle bientôt trente, mais ils étaient plus vieux qu'un homme de quatre-vingt-dix ans. Françoise se disait qu'elle pourrait aimer Alain, Léa et François étaient si manifestement épris l'un de l'autre que c'en était gênant. Gênant et douloureux pour Jean. Il comprenait le choix de son amie: Tavernier, c'était l'aventure, Paris; lui, c'était la vie calme et bourgeoise, la province et cependant, il était convaincu que toute une part d'elle-même était faite pour une vie paisible dans ce pays qu'elle aimait.

Sur la terrasse, marchant de long en large, le père Henri et Sarah poursuivaient une discussion animée.

–... Les vrais combattants ont peur d'être des tortionnaires. Ils méprisent, dans un égal dégoût, celui qui parmi eux se laisse enivrer de fureur guerrière jusqu'à devenir un tueur...

– Vous avez raison, mon père, nous ne sommes pas de vrais combattants et pourquoi le serions-nous face à ceux qui ont été, eux, des tortionnaires? Ce n'est pas de fureur guerrière que nous sommes ivres, mais de vengeance. Et vous me parlez bonté, amour, justice, pardon!... Comment voulez-vous que nous comprenions ces paroles?

– Vous le devez pourtant. Vous portez en vous une grande responsabilité: témoigner. Témoigner devant la terre entière de quelles folies est capable le genre humain pour que, les connaissant, il les rejette avec horreur...

– Comment après avoir vu, comme moi, de quoi ils étaient capables, vous les considérez toujours comme appartenant au genre humain? Vous croyez toujours en votre Dieu?...

– Oui, plus que jamais je crois en Lui. Je sais avec certitude que l'Éternel est Amour, qu'Il est là, présent, actif, non coupable de la douleur et du mal. Il peut sembler au croyant que le cri des douleurs dont est remplie la création le nie, le rende incroyable. Pour qu'Il soit croyable, le croyant ne doit pas être un «croyant tout court», mais un «croyant quand même», c'est-à-dire les yeux grands ouverts face aux réalités qui interpellent tous les hommes et les blessent et leur restent obscures, et pourtant certain que l'Éternel est Amour quand même. Pardonner est un devoir...

– Parlez pour vous, vous êtes chrétien, moi je suis juive! Le voudrais-je, je ne le pourrais pas, je n'en aurais pas le droit, trop de morts, trop de souffrances réclament justice...

– Vous-même vous employez ce mot. Laissez faire la justice, elle a ses droits; bien plus que des droits, des devoirs catégoriques. Elle doit châtier, mais la justice n'a rien à voir avec la haine ni avec les vengeances. Ni la haine ni la vengeance ne savent produire ; elles sont stériles et destructrices. Que la justice durement, quand elle doit être dure, accomplisse son œuvre, mais que notre cœur n'en devienne jamais mauvais. Prenez garde à cette contamination qui fait que, parfois, celui qui a lutté contre un mal devient, après son triomphe, atteint de ce même mal qu'il a voulu terrasser.

– C'est trop tard, je suis contaminée.

– Je ne veux pas le croire. Au moins n'entraînez pas votre jeune cousin, c'est encore un enfant...

– Un enfant ! Voulez-vous qu'il vous raconte, «cet enfant», ce qu'il a connu là-bas et pire, ce qu'il a fait lui-même ? L'enfant dont vous parlez n'existe plus, il est mort à Mauthausen, à Buchenwald, à Auschwitz, à Birkenau, à Dachau, vous avez le choix. Cet enfant a la haine au cœur et ce n'est pas moi qui l'ai contaminé.

– Dans l'enfer des camps, j'ai prié pour nos tortionnaires. Car c'est notre fierté, à nous autres Français, d'appartenir à un peuple pour lequel il n'est pas tolérable, il n'est pas admissible, dût-on y risquer sa peau, que des hommes, quels qu'ils soient, soient traités de la façon dont nous avons été traités ; mais c'est par la justice et la seule justice que nous avons le droit de nous venger, car malgré tout ils sont nos frères, ils sont nôtres puisqu'ils sont humains.

– Arrêtez, je vous en prie, vous n'avez pas le droit de comparer les victimes aux bourreaux. Vous ajoutez à mes souffrances une douleur insupportable.

– Pardonnez-moi de vous faire souffrir mais je me dois, en tant que prêtre, de vous dire que vous faites fausse route. Devenus maîtres, comment les faibles d'hier ne deviendraient-ils pas à leur tour bourreaux si ne leur est pas, aussitôt la puissance entre leurs mains, redite la loi : «Sers en premier le plus souffrant», ce qui n'est rien d'autre que : « Aime comme toi-même ton prochain » ?

– Gardez vos bonnes paroles. J'ai eu tort de me confier à vous. Que pouvais-je attendre d'un prêtre de cette religion qui nous a fait tant de mal.

Le père Henri baissa la tête, l'air soudain très malheureux.

– Je sais... L'intolérance de l'Église catholique envers les juifs n'est certainement pas étrangère à l'extermination du peuple juif. Mais nous sommes nombreux dans son sein à en demander pardon.

– Pardon... pardon.. c'est tout ce que vous savez dire ! C'est peut-être là votre affaire, ce n'est pas la nôtre.

– Ma pauvre enfant !...

– Je ne suis pas votre enfant !...Oh, excusez-moi !

Sarah, dans un grand geste de révolte, venait de bousculer Léa et de renverser le plateau et les verres qu'elle portait.

– Tu ne peux pas faire attention, dit Léa avec humeur.

– Je suis désolée, mais le père...

– Ah, je vois, encore une des vos discussions. Je ne comprends pas, mon père, que vous vous obstiniez à vouloir lui faire entendre raison. Moi, il y a longtemps que j'ai renoncé.

Le père Henri ne répondit pas, occupé à aider Sarah à ramasser les morceaux de verre.

Léa s'était prise pour le père Henri d'une grande affection. Il n'avait ni la haute stature de son oncle Adrien, ni son éloquence, mais il y avait chez ces deux religieux un amour sincère des hommes et une grande compréhension de leurs souffrances. Il y avait cependant chez le capucin une naïveté qui n'existait pas chez le dominicain, quelque chose de l'enfance. L'ami de Jean Lefèvre avait une confiance illimitée en son Dieu et en son amour pour ses créatures. De ses soirées passées à Montillac à se promener dans les vignes ou bien sur la terrasse ou encore assise dans le bureau de son père, Léa gardait le souvenir de longues conversations sur les mystères de l'amour divin et du rôle de l'homme sur la terre.

« La seule gloire véritable pour le Christ, c'est d'être reconnu pour ce qu'il est, c'est-à-dire Amour infini. Libre à nous d'y répondre ou non ! L'enfer, ce n'est pas les autres, c'est soi-même en refus d'aimer. Se voir dans la glace de l'éternité tel qu'on s'est fait ! Et le salut c'est, dans le rejet de l'illusoire, cette rencontre avec l'essentiel. N'ayons pas peur de vivre les yeux ouverts, ne se cachant rien : ni les horreurs du mal ni les émerveillements du beau ; n'ayons pas peur que nos pas et nos jours n'aillent vers rien ni personne. Le mal, à mes yeux, c'est en grande partie de croire orgueilleusement qu'on se suffit à soi-même. C'est le sentiment de sa propre suffisance et le mépris de l'autre poussé jusqu'à l'absurdité. Scandale de la vie bafouée, du gaspillage, de l'indifférence aux vieillards et aux pauvres, aux affamés, aux opprimés, aux sans-travail, aux exclus de toutes sortes… Tout cela, c'est notre responsabilité, notre problème, pas ceux de Dieu. Le chemin de la vie, celui de la paix passent, pour les individus comme pour les peuples, par l'enrichissement du dialogue et le consentement au partage, quel que soit le nom qu'on lui donne. Les folies sanglantes auxquelles nous assistons ne sont-elles pas souvent l'exacerbation du désespoir devant tous les refus, tous les rejets ? Mon angoisse, c'est la conviction, la prescience que l'humanité va inéluctablement à sa perte si elle ne se remet pas en question, si elle ne retrouve pas d'urgence le sens de l'Éternel et son corollaire : l'exigence de l'Amour avec un grand A. Il n'y a pas d'autre choix que la naissance d'un nouvel homme ou le risque de voir l'humanité devenue folle disparaître de l'histoire universelle. Le nouvel homme, c'est celui qui aura pris conscience qu'on ne peut être complètement heureux sans les autres, ni à plus forte raison contre les autres. Celui aussi qui sera convaincu que, s'il faut poursuivre la lutte pour faire régner la liberté dans les lieux et dans les cœurs où elle ne règne pas encore, il faut également garder à l'esprit le but ultime de cette liberté, son sens autre qu'être libre pour être libre. Sinon, au lieu de se libérer, on retombe sous l'oppression (celle de l'idéologie, de l'intolérance, de la haine) ou dans l'esclavage (celui de la puissance, de l'argent, de l'égoïsme forcené). Le chemin de la vie, celui de la paix, passent, pour tous les individus comme pour les peuples, par l'enrichissement du dialogue et le consentement au partage, quel que soit le nom qu'on lui donne. »

Comme elle aurait voulu partager sa foi, croire en l'homme nouveau, libre et généreux, croire en son désir de paix, d'amour de l'autre. Rien autour d'elle ne l'annonçait et les propos de Sarah et de Daniel battaient en brèche ceux de l'homme de Dieu. Avec un serrement de cœur, elle pensa à son oncle Adrien. Plus que jamais, en ce moment, il lui manquait. Même ayant perdu la foi, il aurait su, elle en était sûre, trouver les mots d'espoir pour apaiser les angoisses, les questions que Léa se posait sur la vengeance et la justice. Dans son esprit troublé, se heurtaient les mots d'amour du père Henri et les cris de haine de Sarah. Lequel des deux avait raison ? Quand elle quittait le prêtre, elle était pleine du désir d'aider à l'édification d'un monde nouveau, mais après une discussion avec Sarah, son cœur était plein de violentes rancunes et du désir d'éliminer ceux qui avaient fait tant souffrir son amie.

L'arrivée de Françoise et de Laure fit diversion aux pensées désordonnées de Léa.

— Encore des verres cassés, si cela continue, il n'y en aura bientôt plus, dit Françoise d'un ton de reproche.

— C'est de ma faute, dit Sarah, j'ai bousculé Léa et son plateau. Je vais chercher d'autres verres.

– Je viens avec vous, dit le père Henri.

Pour la première fois depuis qu'elles étaient réunies, les trois sœurs se retrouvèrent seules. Laure prit ses aînées par le bras.

– François doit retourner à Paris dans deux jours, je ne sais pas comment annoncer aux tantes que je repars avec lui. Pouvez-vous m'aider ?

– Pourquoi ne restes-tu pas jusqu'à mon mariage, c'est dans trois semaines ?

– Je reviendrai. J'ai promis à des amis de partir dans le Midi avec eux.

– Quelque chose me dit que si Daniel restait, tu resterais aussi, fit Françoise avec un sourire malicieux.

Laure rougit violemment et détacha son bras de celui de sa sœur.

– Qu'est-ce qui te fait dire ça ?

– Je ne suis pas la seule à l'avoir remarqué, tu ne le quittes pas d'une semelle, je suis même étonnée qu'il ne soit pas avec toi. Dès qu'il s'éloigne, tu le suis du regard ou tu te précipites à sa recherche, tu acquiesces à la moindre de ses paroles, tu ris aux éclats à la plus insignifiante de ses plaisanteries, tu…

– Oh, ça va !… tu ferais mieux de t'occuper de ton mariage plutôt que de moi et de Daniel.

– En attendant le tien.

Laure rougit à nouveau et s'enfuit en courant vers la maison. Françoise et Léa la regardèrent partir en riant.

– Pauvre petite sœur, je m'en veux de l'avoir taquinée, dit Françoise en s'accoudant au parapet.

– Laisse, ce n'est pas grave, elle s'amourache du premier venu qui a de beaux yeux. Rappelle-toi Maurice Fiaux !

– Tu ne vas pas comparer ce criminel au cousin de Sarah !

– Je ne compare évidemment pas, je dis simplement

qu'elle s'imagine aimer Daniel comme elle s'est imaginé aimer Fiaux.

– Je crois que tu te trompes, cela me semble au contraire très sérieux. Ce qui est triste, c'est que lui ne l'aime pas.

– Il est trop jeune.

– Tu devrais savoir qu'il n'y a pas d'âge pour aimer. Il ne l'aime pas, mais il en aime une autre.

– Qui ?

– Ne joue pas les saintes nitouches, tu le sais très bien ; toi, fatalement.

– Si tu crois que j'ai seulement fait attention à lui… Tu oublies qu'il y a François.

– Je n'ai pas dit que toi, tu l'aimais, mais que lui était amoureux de toi.

– Cela lui passera.

– Ça m'étonnerait.

Leur discussion fut interrompue par le retour de Sarah et du père Henri portant verres et bouteilles. Daniel était avec eux, tenant avec précaution une corbeille de pêches de vigne.

– Qu'a donc Laure ? Elle fait une de ces têtes !

– Eh bien, monsieur Tavernier, nous allons bientôt célébrer le mariage de Françoise : à quand le vôtre avec Léa ? demanda Estelle en s'asseyant près de François qui fumait un cigare dans la cour en attendant le café.

– Après mon prochain voyage en Argentine.

– Vous pourriez vous marier avant et l'emmener avec vous.

– Ce ne serait pas possible. La mission confiée par le gouvernement m'oblige à de fréquents déplacements à travers le pays et à des voyages dans des contrées inhospitalières.

– Je suis certaine que ce n'est pas pour effrayer ma nièce.

– J'en suis sûr, mais je ne veux lui faire courir aucun

risque. L'Argentine n'est pas un pays stable. La démagogie du gouvernement qui n'hésite pas à s'appuyer sur les syndicats tout en se montrant d'une extrême tolérance, pour ne pas dire plus, envers des nazis en fuite, crée un climat de suspicion fort désagréable. Croyez-moi, il vaut mieux attendre un peu.

– Mais la réputation de ma nièce !…

– Je vous en prie, mademoiselle… Croyez-moi, j'en suis aussi soucieux que vous.

Cela fut dit avec une telle conviction qu'Estelle inclina la tête en signe d'approbation. Tavernier continua.

– Je n'ai pas de plus grand désir que de rendre Léa heureuse, je vous supplie de me croire. Il ne s'agit pas de ma part de faux-fuyants, mais de l'obligation d'être libre durant quelque temps encore.

– Je veux bien vous croire, monsieur, mais je ne peux m'empêcher d'être inquiète de l'avenir de cette enfant. Les dures années que nous venons de traverser l'ont profondément marquée. J'ai peur qu'elle ne trouve pas sa place dans notre monde.

– Qu'est-ce qui vous fait dire cela ?

– Cette mélancolie qui tout d'un coup l'éloigne des autres, cette tristesse par moments suivie d'une exubérance excessive.

– Beaucoup de jeunes filles de son âge sont ainsi.

– Oui, mais je ne retrouve plus chez Léa cette joie de vivre qui la rendait si attachante.

– Ne croyez-vous pas que ce sont les soucis liés à la gestion de la propriété ?

– Pas seulement, je sens chez elle un grand désarroi, surtout depuis son retour.

François, qui connaissait la cause de ce désarroi, se reprocha de ne rien faire pour l'atténuer. Plus la date de son départ approchait, plus il redoutait de devoir lui annoncer ce délirant projet de mariage avec Sarah. Comment pouvait-elle en comprendre la nécessité ? Il avait exigé de Sarah le silence et se prenait à le regretter.

Léa avait retrouvé toute son amitié pour Sarah. Les deux amies passaient de longues heures à discuter. Elle était persuadée que c'était elle qui avait convaincu Sarah de laisser repousser ses cheveux. Il n'en était rien, la jeune femme s'était rendue aux raisons de son cousin Samuel ; un fin duvet brun recouvrait son crâne. Par jeu, Léa y passait la main, disant qu'elle n'avait rien touché de plus doux. Pas une seule fois, dans leurs conversations, il n'avait été question de ce qu'avait enduré Sarah, mais malgré tout, l'idée de vengeance faisait son chemin chez elle.

La veille du départ, Laure annonça à ses tantes qu'elle rentrait à Paris. Devant sa détermination, Estelle de Montpleynet dut s'incliner. Laure promit de revenir pour le mariage de sa sœur, trois semaines plus tard.

Curieux repas que celui qui les réunit tous. Chacun semblait faire effort pour avoir l'air heureux de cette réunion. Léa ne cherchait pas à dissimuler sa tristesse et ne remarquait ni les regards énamourés de Daniel ni ceux, jaloux, de Laure, pas plus qu'elle ne se souciait de Jean maintenant assuré qu'elle ne l'aimerait jamais et que, même absent, elle ne pourrait oublier son amant. Cependant, Jean avait cru remarquer chez son rival comme une incertitude, un malaise sournois. Il repoussait le vague espoir que cela faisait naître en lui. Si le bonheur de Léa était au prix de son sacrifice, il était prêt à s'éloigner et à quitter cette terre qu'il adorait. François et Sarah n'avaient rien dit de leur projet. Le cœur fermé à tout sauf à sa vengeance, Sarah regrettait de s'être tue : on aurait gagné du temps. Quant à François, il se reprochait sa lâcheté. Estelle souffrait et se disait que c'était sans doute un des derniers repas qu'elle partageait avec ses trois nièces réunies. Madame Lefèvre ne pouvait s'empêcher de penser que son fils Raoul avait passé les dernières heures de sa vie dans cette maison. Le père Henri, qui avait parlé longuement avec chacune des personnes présentes, priait tout bas que Dieu leur donne la force de surmonter les épreuves qui les attendaient. Le prêtre se sentait impuissant à réconforter ses amis et cela était pour lui d'une grande amertume.

Léa et François ne dormirent pas de la nuit. Ils firent plusieurs fois l'amour mais ne purent trouver dans le plaisir l'apaisement de leur angoisse. Au petit matin, François trouva le courage de lui annoncer son mariage avec Sarah. Léa l'écouta en silence. Surpris de son manque de réaction, il l'interrogea.

– Pourquoi ne dis-tu rien ?... Tu as bien compris que cela ne changera rien entre nous et qu'après, tout redeviendra comme avant ?... Parle, dis quelque chose.

Nue, Léa se leva, alluma une cigarette et alla à la fenêtre. Il y avait de la brume, le soleil qui se levait avait du mal à percer. L'air était lourd, cela sentait l'orage. À son tour, François alluma une cigarette et la rejoignit. Il plaqua son corps contre le sien et la serra contre lui. Jamais il ne s'était senti aussi désemparé que devant cette femme silencieuse dont le corps raidi disait le chagrin.

– Mon petit cœur, quand tout sera fini, je reviendrai, tout sera à nouveau comme avant...

– Non !

– Si, je te le promets...

– Tais-toi, ne dis rien, tu te mens à toi-même... Rien ne sera comme avant, non à cause de ce mariage, mais à cause de ce que vous allez faire... Je peux comprendre Sarah, mais toi ?...

– Elle a besoin de moi.

– Tu me l'as déjà dit. Ce n'est pas une raison. Tu devais tout faire pour l'éloigner de cette idée...

– J'ai essayé.

– Mais toi, pourquoi t'engages-tu dans cette aventure puisque, si j'ai bien compris, tu trouves cela inutile ?

– Mon amour, comment t'expliquer… Je me sens dans l'obligation d'aider Sarah. Son mari était mon meilleur ami, j'aimais son père comme je n'ai jamais aimé le mien. Même folle, je sens dans cette cause une vérité. Inutile, dis-tu, nécessaire pour beaucoup. Je ne partage pas tous les points de vue des vengeurs et cependant, je comprends leurs motivations.

– Moi aussi, je les comprends. Mais quand cela s'arrêtera-t-il ? Ne pouvons-nous faire confiance à la justice pour punir ces gens-là ?

– Tu as raison sur le fond, mais dans la réalité, tu sais bien qu'elle s'applique à un petit nombre. Sarah et ses compagnons ne peuvent supporter l'idée que de grands criminels puissent échapper à une juste punition.

– Est-ce à eux d'en décider ?

– Plus que d'autres, ils en ont le droit.

Léa se retourna et le regarda dans les yeux. Elle se sentait plus forte d'avoir parlé, d'avoir exprimé ses doutes et de savoir qu'il les partageait. Elle le comprenait et savait qu'à sa place elle ferait la même chose. Une grande douceur faite de tristesse et de lassitude l'envahit. Comme elle aimerait passer ses jours et ses nuits contre lui, à le regarder. Que de tendresse dans le sourire qu'elle lui adressa !

Oh, ce sourire !… Il ne s'était pas trompé, elle était telle qu'il l'imaginait, généreuse et forte. Bouleversé, il la regardait avec une intensité presque douloureuse. Leurs regards s'accrochaient l'un à l'autre, confiants, apaisés. Rien de ce qui allait leur advenir ne parviendrait à détruire cette certitude en leur amour. Il leur semblait que leurs corps enlacés ne touchaient plus terre, ils étaient comme portés par une vague profonde qui les jetait dans un univers de paix et de bien-être. Sans

146

s'être quittés des yeux, ils se retrouvèrent allongés sur le sol. Presque sans bouger, leurs sexes s'unirent, alors, de la pointe de leurs cheveux à la plante de leurs pieds, ils ne furent que jouissance. Jouissance profonde, immatérielle, absolue. Pas d'autres mouvements que le frémissement de toute leur chair... La houle montante du plaisir les emportait, interminable... Ils sombrèrent dans une somnolence bienheureuse.

Le bien-être les accompagna jusqu'au moment des adieux. L'émotion qu'éprouva Sarah faillit lui faire rendre les armes lorsque Léa lui dit à voix basse en l'embrassant :

— François m'a tout dit. J'essaierai de ne pas être jalouse. Je t'aime, je suis d'accord.

La main de Sarah s'agita longtemps à la portière.

13

La maison parut bien vide à tous après le départ de ses hôtes.

Mais le travail quotidien auquel venaient s'ajouter les préparatifs du mariage occupèrent le temps et les pensées de chacun. Un souci cependant, l'état de santé d'Estelle dont Françoise et Léa venaient de prendre conscience après la visite du médecin suite à un long évanouissement. Dûment chapitré par la vieille demoiselle, il ne révéla qu'une partie de la vérité sur l'état de santé de la malade. Mais le peu qu'il dit était suffisant pour les alarmer, sans cependant les inquiéter vraiment. Quant à Lisa, elle ne semblait pas se rendre compte de la gravité du mal dont était atteinte sa sœur et la traita en riant de paresseuse quand celle-ci dut rester au lit sur ordre du médecin.

Estelle demanda à voir le père Henri : elle lui avoua qu'elle se savait perdue et priait Dieu de tenir jusqu'au mariage. À partir de ce moment, le moine, qui passait quelques jours de repos à La Verderais chez son ami Jean Lefèvre, vint tous les matins, après sa messe passer de longs moments avec elle. L'affectueuse présence du prêtre, sa haute spiritualité, son amour profond des hommes lui apportèrent une force nouvelle et un retour vers Dieu. Sa foi recouvrée, elle voyait venir la mort sans peur. Ses craintes pour sa sœur s'étaient apaisées depuis qu'elle avait pris avec le notaire toutes les dispositions nécessaires.

Laure arriva la veille du mariage en taxi de Bordeaux, ses bagages remplis de cadeaux pour ses sœurs et ses tantes. Elle fut douloureusement impressionnée par la pâleur et la maigreur d'Estelle. Comme elle avait changé en si peu de temps !

Le lendemain, tôt levée, Françoise descendit dans le jardin. La journée s'annonçait très belle. La jeune femme, d'un pas lent, se dirigea vers Bellevue, mélancolique. Dans quelques heures, elle serait la femme d'Alain Lebrun et toutes ses pensées étaient tournées vers le souvenir d'Otto. Otto qu'elle avait l'impression de trahir en se mariant avec un autre. Il était trop tard maintenant pour revenir en arrière. À quoi bon faire de la peine à un brave homme comme Alain, à ses tantes et au petit Pierre qui s'était pris pour son futur beau-père d'une grande affection. Sept heures sonnèrent au clocher de Verdelais. Elle revint sur ses pas.

Dans la cuisine, Charles et Pierre prenaient bruyamment leur petit déjeuner préparé par Ruth qui avait recouvert sa meilleure robe d'un grand tablier blanc.

– Où étais-tu, Alain te cherche partout ?

– Je suis allée faire un tour. Il reste du café ?

– Une pleine cafetière. Dépêchez-vous les enfants, les cuisinières vont arriver.

– Ruth…

– Oui ?

– Tu crois que j'ai raison ?

La vieille gouvernante, qui versait le café dans une tasse, suspendit son geste et regarda, les sourcils froncés, celle dont elle avait soigné les maladies d'enfant, consolé les premiers chagrins.

– Il est un peu tard pour y penser.

Françoise soupira.

– Tu as fait un bon choix, continua Ruth. Pierre a besoin d'un père et toi, d'un homme. Lebrun est quelqu'un de solide avec un cœur d'or. Tu seras heureuse avec lui, j'en suis sûre.

– Merci, Ruth, tu me fais du bien. Charles et Pierre, vous avez fini ?... Venez faire votre toilette.

À peine venaient-ils de quitter la cuisine tous les trois que Laure et Léa entrèrent, les cheveux emmêlés, les yeux encore pleins de sommeil. Elles embrassèrent Ruth qui posa devant elles une assiette de tartines beurrées.

– J'aurais préféré des croissants, dit Laure en bâillant.

– Il faudra te contenter de pain, ma vieille, rétorqua Léa en s'étirant avec un grognement.

– Des croissants ! Pourquoi pas de la brioche, bougonna la gouvernante.

Pourquoi riaient-elles, ces deux gamines ?... C'était trop fort. L'air furieux de la brave femme les faisait rire de plus belle.

– Eh bien, on n'a pas l'air de s'ennuyer ici, dit Alain en entrant.

Il avait dû se renverser une bouteille d'eau de Cologne sur la tête, ses cheveux naturellement ondulés étaient soigneusement aplatis, sa chemise blanche au col trop serré menaçait de l'étrangler, quant à son costume bleu marine, il n'était pas du meilleur faiseur. Il avait l'air si empoté, ainsi endimanché, que, passé le moment de surprise où elles le regardaient bouche bée, tartines en l'air, elles pouffèrent de rire à nouveau. Lisa entra à son tour en robe de chambre de satin violet, des papillotes plein les cheveux. C'en était trop ; ce n'étaient plus des rires, mais des cris que poussaient les deux sœurs. Ruth allait de l'une à l'autre.

– Calmez-vous, vous allez vous rendre malades.

– Mais qu'est-ce qui les fait rire comme ça ? dit Lisa.

Léa se leva et, pliée en deux, sortit dans la «rue», bientôt suivie de Laure hoquetant, le visage rouge ruisselant de larmes, les mains crispées sur son ventre.

– Je vais faire pipi, hoqueta-t-elle.

– Tais-toi… j'ai mal !

Assises à même le sol caillouteux dans cette allée qui séparait les bâtiments des granges et des remises, baptisée «rue» dans leur enfance, elles se tordaient de rire. Sur le seuil de la cuisine, Lisa, Alain et Ruth les regardaient sans comprendre, l'air stupéfait. Quand enfin elles se calmèrent, elles étaient cramoisies et en sueur.

La cérémonie à la basilique de Verdelais fut simple et émouvante. La mariée, vêtue d'un tailleur jaune pâle, coiffée d'une sorte de canotier de paille naturelle orné d'une grosse rose jaune, était ravissante malgré son air traqué et sa pâleur. Elle regardait avec inquiétude autour d'elle comme si elle s'attendait à voir surgir une foule hurlante. Alain, la sentant tendue, lui prit la main. Françoise lui sourit avec gratitude.

À part les amis proches, il n'y avait personne : pas un membre de la famille de Bordeaux, pas même ces vieilles femmes qui, pour rien au monde, n'eussent manqué un mariage ou un enterrement. Par ces absences, on signifiait qu'on n'oubliait pas le passé. Françoise s'y attendait, elle avait essuyé suffisamment de rebuffades, d'insultes même depuis son retour dans le domaine de son père que cela lui fut presque indifférent. Il n'en était pas de même pour madame Lefèvre, Lisa et Ruth ; les trois femmes se sentaient humiliées par l'affront. «Il faut les comprendre», se disait l'oncle d'Alain, Jules Testard. Laure s'ennuyait dans son élégante robe de soie bleue d'un grand couturier. À côté de son élégance, Léa se sentait mal à l'aise dans sa toilette provinciale. Elle ne pouvait s'empêcher de comparer ce mariage à celui de Camille et de Laurent d'Argilat, la veille de la guerre.

L'église de Saint-Macaire était pleine, la mariée en blanc, les jeunes filles vêtues de couleurs vives. Léa eut une pensée émue pour celle qu'elle était à ce moment-là. Les souffrances éprouvées alors étaient bien loin, mais le souvenir de cette peine, vécue comme un abandon, une trahison, restait très sensible.

Après le repas, on repoussa les tables et les chaises afin de pouvoir danser. C'était une idée de Laure qui y tenait beaucoup. Elle avait apporté de Paris quantités de disques, on dansa donc. Alain et Françoise ouvrirent le bal, Laure dansa avec le témoin du marié qui avait bien du mal à s'adapter aux nouveaux rythmes et Léa avec Jean Lefèvre. Les deux jeunes gens dansèrent en silence, mélancoliques. La nuit chaude était tombée. Léa proposa à son ami de faire un tour sur la terrasse. Assis sur le banc de fer, ils regardèrent le ciel constellé d'étoiles.

— Oh, une étoile filante ! s'exclama Léa. Il faut faire un vœu. Allez, fais un vœu.

— À quoi bon, je n'en ai qu'un et je sais qu'il ne se réalisera pas.

Léa lui jeta un coup d'œil ; elle savait à quoi il pensait, mais ne pouvait rien pour lui. Doucement, elle posa sa main sur la sienne.

— Bientôt, tu rencontreras une femme faite pour toi qui t'aimera, aimera la vigne et te donnera plein de petits Lefèvre.

Il retira sa main avec agacement.

— Je l'ai déjà rencontrée.

— Que je suis contente ! fit-elle d'un ton joyeux. Pourquoi ne m'as-tu rien dit ?

— Ne te moque pas de moi, c'est de toi dont il s'agit, tu le sais très bien.

— J'avais cru…

— Rien du tout ! Tu sais que je suis amoureux de toi depuis toujours. Raoul aussi t'aimait, c'était même un de tes sujets de plaisanterie. Nous as-tu assez fait tourner en bourrique avec tes mines de coquette et nous, pauvres imbéciles, qui marchions comme un seul homme...

– Mais c'étaient des histoires d'enfants !

– Pour toi peut-être, mais pas pour nous. Tous les deux nous voulions t'épouser.

– Mais l'un d'entre vous aurait été malheureux !

– Sans doute, mais tu ne pouvais pas nous épouser tous les deux.

Le souvenir de leur nuit à trois se fit présent à leur esprit. Gênés et troublés, ils se turent. Heureusement, l'arrivée de Laure et de son cavalier fit diversion.

– Je me doutais bien que je vous trouverais ici, dit-elle en s'asseyant aux côtés de Jean. Quelle belle nuit, une vraie nuit de noces.

À son tour, elle resta un instant silencieuse, contemplant le ciel avant de reprendre.

– Tu viens toujours avec moi à Paris ? demanda-t-elle à Léa.

– Oui, si tante Estelle va toujours bien.

– Comment, tu vas à Paris et tu ne m'en as rien dit ?

– Je n'étais pas encore décidée.

– Tu ne peux pas te passer de Tavernier, c'est ça ?

– Cela ne te regarde pas, je vais où je veux.

– Arrêtez de vous disputer tous les deux, dit Laure. C'est moi qui ai demandé à Léa de venir passer quelques jours à Paris avant les vendanges. Elle a bien le droit de prendre un peu de vacances.

Jean se leva lourdement.

– Bien sûr qu'elle en a le droit, dit-il en s'éloignant.

– Pauvre Jean, tu es dure avec lui, dit Laure.

– Mais je ne le fais pas exprès. Je l'aime beaucoup, ce n'est pas de ma faute s'il est amoureux de moi.

– Tu ne lui as jamais dit la vérité au sujet de François ?

– Non, mais tout le monde est au courant, il ne pouvait pas l'ignorer.

– Il aurait mieux valu que tu le lui dises.

– Tu m'agaces, tu ne vas pas me faire la morale toi aussi. Est-ce que je te fais la moindre observation sur la manière dont tu vis à Paris?

– D'accord. Parlons d'autre chose. Quand vous mariez-vous François et toi?

– C'est une manie! Tante Estelle, Françoise, Ruth et maintenant toi, il faut que vous me parliez mariage. Je n'en sais rien, un jour, peut-être, nous ne sommes pas pressés.

– Et si tu tombes enceinte?

– On verra à ce moment-là. Cela peut t'arriver à toi aussi.

– Arrête, ne parle pas de malheur! Moi je n'ai pas de Tavernier sous la main.

– Je te fais confiance. Débrouillarde comme tu l'es, tu trouveras bien un brave pigeon.

Laure haussa les épaules et changea de conversation.

– Que dirais-tu si nous partions dans deux jours? Tu en as déjà parlé à tante Estelle?

– Oui, vaguement tout à l'heure. Elle a eu un drôle de sourire en me disant: «Amuse-toi bien, ma fille.» Tu crois qu'elle va mieux?

– Tu l'as vue comme moi, elle a meilleure mine malgré sa maigreur et elle est restée pas mal de temps en bas à bavarder avec madame Lefèvre et Lisa.

– Oui... Mais je ne peux m'empêcher d'être inquiète. J'ai l'impression qu'elle nous cache quelque chose.

– Si c'était grave, le médecin nous l'aurait dit.

– Tu dois avoir raison. C'est d'accord, on part dans deux jours. Je ne suis pas fâchée de quitter Montillac pour quelque temps: je me sens, je ne sais pas pourquoi, comme «enfermée».

– Tu vas voir, on va faire la fête, on dansera toutes les nuits.

14

François Tavernier les attendait à la gare d'Austerlitz. Dès qu'elle le vit, Léa se précipita dans ses bras, laissant Laure s'occuper des bagages. Quand ils se désenlacèrent, le spectacle de Laure traînant les lourdes valises, l'air furibond, les fit rire.

– Au lieu de rire bêtement, vous feriez mieux de m'aider. Vous aurez tout le temps de vous embrasser plus tard.

François fit signe à un porteur qui chargea les bagages sur ses épaules et les suivit jusqu'à la voiture.

– Je suis contente d'être ici, dit Léa en passant devant Notre-Dame.

– Ce soir, j'ai réservé une table chez «l'Ami Louis», un vieux bistrot où l'on mange un des meilleurs foies gras de Paris. J'y suis allé quelquefois pendant la guerre, c'était un des restaurants du marché noir. À la Libération, le patron a eu des ennuis mais il n'a pas perdu la main. Bien entendu, Laure, vous venez... j'ai également invité Daniel.

– Avec grand plaisir, balbutia Laure en rougissant.

Léa et François se lancèrent un regard complice.

Une foule nombreuse se pressait sur les quais, déambulant lentement, comme alanguie par une douceur de fin d'été. De-ci, de-là, apparaissaient les premières feuilles jaunies. Ils arrivèrent rue Grégoire-de-Tours.

– Ça ne vous ennuie pas si je vous enlève Léa dès le premier jour ?

– Bien sûr que si, cela m'ennuie, mais je comprends les amoureux. Quand me la ramenez-vous ?

– On verra cela tout à l'heure. Soyez prête pour neuf heures, je passe vous prendre. Donnez, je vais monter vos valises.

Dans la voiture, Léa alluma une cigarette. Pourquoi son cœur battait-il autant ? Ce devait être à l'idée de se retrouver seule avec lui dans quelques instants. Elle ferma les yeux, parcourue par un frisson de plaisir. Une fraîcheur parfumée les lui fit rouvrir. François venait de déposer un bouquet de roses sur ses genoux, sous le regard de connivence du fleuriste debout derrière sa voiture de quatre-saisons.

– Merci. Où m'emmènes-tu.

– C'est une surprise.

Ils prirent la rue Jacob.

– Nous allons passer devant chez mes tantes. Mais pourquoi t'y arrêtes-tu ?

– Parce que nous sommes arrivés.

– Mais…

– C'est moi qui ai racheté l'appartement.

– Oh, François ! fit-elle, émue, en passant les bras autour de son cou.

– Tu es heureuse ?

– Quelle question ! Je suis folle de joie.

Léa passait d'une pièce à l'autre en courant, s'émerveillant de tout.

– Que c'est beau ! C'est le même endroit et je ne reconnais rien, tout est si clair, tout me paraît plus grand.

– C'est normal, il y a encore très peu de meubles. Je compte sur toi pour l'aménagement.

– Avec plaisir, cela va être tellement amusant.

– As-tu vu ta chambre ?

– Je ne sais pas, laquelle est-ce ?

– Viens voir.

Il poussa une porte.

– Oh !...

Les derniers rayons du soleil éclairaient la chambre blonde et blanche, meublée d'un ravissant mobilier Charles X de bois clair. Un grand tapis bleu à grosses roses recouvrait presque entièrement le plancher. Le grand lit était d'une blancheur immaculée.

– Comment as-tu fait ? J'ai toujours eu envie d'avoir une chambre comme celle-ci ! dit-elle en se jetant sur le lit.

– Je connais tes goûts, tout simplement.

Il la rejoignit sur le lit et, sans même prendre le temps de se déshabiller, s'allongea sur elle.

Quand ils arrivèrent chez «l'Ami», Daniel Zederman les attendait. Laure, habillée trop élégamment pour l'endroit, s'avança, un sourire éclatant aux lèvres. Poli, Daniel se leva.

– Je suis bien contente de vous revoir.

– Moi aussi, dit-il en cherchant Léa du regard.

Ils s'installèrent. Léa regardait autour d'elle en faisant la moue.

– Cela ne te plaît pas ? demanda François.

– Pas vraiment. Tu dis que cet endroit est à la mode ? C'est moche, la lumière est horrible. Tu es sûr que c'est bon ?

– Très bon. Garçon !...

Un serveur en grand tablier blanc s'approcha.

– Monsieur ?

– Vous avez toujours votre meursault ?

– Oui, monsieur.

– Donnez-m'en une bouteille tout de suite.

– Bien, monsieur.

– Vous allez voir, je n'en ai jamais bu de meilleur. Tiens, regarde la carte.

À la table voisine, quatre personnes parlaient bas en regardant dans leur direction. Une élégante femme brune se leva et s'approcha d'eux.

– Monsieur Tavernier!

– Madame Ocampo!

François repoussa sa chaise et se leva.

– Quel plaisir, madame, de vous voir à Paris.

– J'y suis pour quelques jours encore, ensuite je pars pour Londres.

– J'ai appris que vous aviez obtenu la Légion d'honneur. Mes sincères félicitations.

– Merci... Mais n'êtes-vous pas la jeune fille de Nuremberg? Je suis heureuse de vous revoir. Vous êtes une amie de monsieur Tavernier?

– Oui. Bonsoir madame, permettez-moi de vous présenter ma sœur Laure et un ami, monsieur Zederman.

– Bonjour mademoiselle, bonjour monsieur. Je suis descendue au «Ritz», venez me voir tous les deux, cela me fera plaisir de bavarder avec vous avant mon départ.

Victoria Ocampo regagna sa table.

– Où l'as-tu connue? demanda Léa.

– À Buenos Aires. C'est une femme très importante là-bas, qui peut nous être très utile, ajouta Tavernier en se tournant vers Daniel.

Le meursault arriva et fut servi avec précaution par le patron lui-même.

– Vous m'en direz des nouvelles, c'est une bouteille de derrière les fagots.

– Hmm... il est aussi bon que celui que j'ai bu en 43.

Le patron se renfrogna et retourna à ses fourneaux.

– Il n'a pas eu l'air content, dit Laure.

– Il est bon parfois de rafraîchir la mémoire à certains.

– Encore! Mais ne pouvez-vous penser à autre chose! Vous êtes bien un des rares qui pensez encore à ça. Tout

le monde s'en moque des collaborateurs, pas collaborateurs, des résistants, pas résistants. C'est fini tout ça,
les gens en ont assez, ils ne pensent qu'à oublier, qu'à
trouver de quoi manger, de quoi s'habiller, à vivre quoi !
La guerre est finie, j'ai envie de m'amuser, pas qu'on me
parle de vengeance, d'exécution, de…

– Vous avez raison, ma petite Laure, oublions tout
cela… pour ce soir.

Il but lentement, un silence gêné s'installa autour de
la table. «Elle a raison, pensait Léa, à quoi ça sert de revenir sur le passé ? Rien ne pourra faire que tout cela n'ait
pas eu lieu. » La plupart cherchaient à oublier, une poignée seulement voulaient que la mémoire de l'horreur
nazie subsistât. Léa était partagée.

Au café, Tavernier annonça :

– Nous allons rejoindre Sarah et Samuel dans une boîte
russe. Vous aimez la musique tzigane ?

Sarah, les paupières mi-closes, écoutait la plainte des
violons. En blouses colorées, les musiciens du
«Shéhérazade» entouraient la table. Léa, un peu ivre,
se laissait aller au bien-être. Laure dévorait Daniel des
yeux. Le jeune homme, nerveux, fumait cigarette sur cigarette. Samuel et François étaient songeurs.

– C'est très joli ici, dit Laure, mais si nous allions dans
une cave de Saint-Germain-des-Prés ?

– Oh ! oui, dit Léa, je n'y suis jamais allée.

Ils quittèrent le cabaret vers deux heures du matin.
La nuit était douce.

Une voiture, tous phares éteints, roulait vers eux.
Des coups de feu jaillirent… des cris… Sarah tomba. La
voiture accéléra et tourna vers la place de l'Europe… Tout
semblait irréel… Samuel se pencha vers la jeune femme…
le haut de sa robe blanche était couvert de sang… elle

ouvrit les yeux… François se pencha à son tour et interpella le portier qui restait debout, bras ballants, interdit.

– Vite, appelez un médecin.

On entendit bientôt les sirènes de la police. Un homme en bras de chemise, une trousse à la main, arriva à son tour, repoussant les badauds. Il s'agenouilla et examina la blessée.

– Une balle lui a traversé l'épaule, dit-il à un policier en civil. Sous réserve d'un examen approfondi, cela n'a pas l'air trop grave. Cette dame a eu de la chance.

– Je veux bien vous croire, docteur, fit Sarah avant de s'évanouir.

Serrées l'une contre l'autre, Léa et Laure pleuraient.

– Vous voyez bien que ce n'est pas fini pour tout le monde, dit Daniel d'un ton méchant à l'adresse de Laure.

Les sanglots de la jeune fille redoublèrent.

On chargea Sarah sur une civière que l'on mit dans le fourgon de police. Samuel et Daniel montèrent avec elle.

Après le récit fait au commissaire de ce dont ils avaient été témoins, François, Laure et Léa regagnèrent leur voiture. Ils firent le trajet en silence jusqu'à la rue Grégoire-de-Tours.

– Il vaut mieux que vous passiez la nuit ensemble. Je vais à l'hôpital et je reviendrai dès que possible. En attendant, n'ouvrez à personne.

François Tavernier ne revint que tard dans la matinée, les traits tirés, le menton sali de barbe.

– Sarah est hors de danger. Elle n'a pas d'autre blessure que celle de l'épaule. Dans deux ou trois jours, elle pourra quitter l'hôpital.

– Que dit la police ?

– Elle est dans le vague. Vous vous souvenez que vous êtes convoquées au Quai des Orfèvres cet après-midi ?

160

– Oui, dit Laure. Qui pouvait en vouloir à Sarah au point de la tuer ? Avez-vous une idée ?

– Pas la moindre. Il s'agit sans doute d'une erreur.

– Mais, François…

– Oui, Léa, d'une erreur.

– Pourquoi nous avoir dit de n'ouvrir à personne ?

– Par prudence. Je ne peux pas rester plus longtemps, je dois me rendre au Quai d'Orsay. À tout à l'heure.

Non, elle ne connaissait pas d'ennemis à Sarah, non, elle n'avait pas vu les agresseurs ni relevé le numéro minéralogique de la voiture, non, elle n'avait remarqué personne de suspect, non… Léa n'aimait pas du tout cet interrogatoire. L'attentat avait profondément troublé Laure qui sentait vaciller tout son petit monde. Elle était si apeurée que l'inspecteur qui l'interrogeait eut pitié d'elle et écourta son audition. À la sortie du Palais de justice, elle quitta sa sœur sous prétexte d'un rendez-vous important.

Léa traversa la Seine et remonta le boulevard Saint-Michel. Des jeunes gens se retournaient sur son passage avec des sifflements admiratifs auxquels elle répondait par un sourire. Elle se sentait belle dans le tailleur bleu ciel emprunté à Laure. Il régnait sur le boulevard une effervescence de rentrée des classes ; des garçons et des filles déambulaient, les bras chargés de livres. Devant la gare du Luxembourg, une vingtaine de badauds entouraient un couple de chanteurs des rues et reprenaient en chœur le refrain d'une chanson d'Edith Piaf. La femme avait une belle voix. Léa s'arrêta. La chanson finie, la chanteuse fit la quête sous les applaudissements.

– Cinquante centimes, paroles et musique, qui m'achète le grand succès de la môme Piaf ?… merci, mademoiselle.

Rue Gay-Lussac, rue Saint-Jacques, Léa marchait d'un bon pas. Des hommes en uniforme sortant du Val de

Grâce lui lancèrent de fines plaisanteries. Sur l'étroit trottoir, elle s'enfonça dans l'encoignure d'une porte cochère pour laisser passer une jeune mère poussant un grand landau. Une main l'agrippa, la bousculant sous le porche et la plaqua face au mur rugueux tandis que l'autre la bâillonnait. La lourde porte se referma. Elle sentit l'haleine forte contre son visage.

– Ne bouge pas, ne crie pas... je ne veux pas te faire de mal, mais te charger d'un message... Tu vas à l'hôpital voir ton amie juive ?... Dis-lui qu'elle se tienne tranquille... On l'a ratée hier, on ne la ratera pas demain... Nous sommes partout... nous tuerons tous ceux qui se mettent en travers de notre chemin...

– Je ne comprends pas, parvint à articuler Léa.

– Tant mieux pour toi... si tu comprenais, tu serais déjà morte... Cette juive n'est pas une compagnie pour une belle fille comme toi... Tu as compris le message ?... Je vais te lâcher... surtout ne crie pas, je serais obligé de t'abattre, ce serait dommage... Allez, file rendre visite à cette putain.

L'homme la laissa brutalement, quitta le porche et ouvrit la porte sans se presser. Tremblante, les jambes molles, Léa se mit à pleurer nerveusement. Une cavalcade dans l'escalier lui rendit ses esprits.

– Tu cherches quelque chose ?, demanda un gamin de l'âge de Charles.

– Non, merci.

– Mais tu pleures !... Tu t'es fait mal ?

Elle réussit à sourire :

– Ça va, tu es gentil.

Après l'ombre de l'entrée de l'immeuble, le soleil encore lumineux de la fin de l'après-midi lui fit cligner des yeux. Elle courut, bousculant les passants et traversa, toujours courant, le boulevard de Port-Royal au milieu d'un concert de klaxons et d'imprécations. Essoufflée, elle arriva à l'hôpital ; là on lui indiqua le bâtiment dans lequel était Sarah. Une religieuse la conduisit jusqu'à la chambre de la blessée devant laquelle se tenait un agent de police qui lui demanda ses papiers.

– Ne la fatiguez pas, ne restez pas trop longtemps, dit la bonne sœur en ouvrant la porte.

La chambre était plongée dans une douce pénombre. Par la fenêtre entrouverte, munie de barreaux, un peu d'air passait, faisant mollement onduler le rideau de toile blanche. Dans le haut lit de fer, l'épaule entourée d'un bandage, Sarah semblait dormir. Avec émotion, Léa se pencha. Sarah ouvrit les yeux, plongeant son regard vert dans celui de son amie tandis qu'un léger sourire embellissait son visage. Sourire qui s'éteignit en voyant les traces de larmes sur les joues de Léa.

– C'est à cause de moi que tu pleures ?... Je vais très bien... dans deux jours je serai sur pied, te voilà rassurée ?... Mais qu'as-tu ?... Pourquoi pleures-tu ?... Il est arrivé quelque chose ?...

Ravalant ses larmes, Léa parvint à lui raconter ce qui venait de lui arriver et lui transmit le message dont son agresseur l'avait chargée.

Sarah se redressa sans pouvoir retenir un gémissement.

– C'est de ma faute, j'aurais dû attendre que tu sois rétablie.

– Ce n'est rien. Ainsi, ils sont passés à l'attaque. Je ne pensais pas qu'ils oseraient en France. Il faut croire qu'ils ont des complicités que l'on ne soupçonnait pas ou qu'ils sentent que nous sommes sur le point d'aboutir. Samuel a eu la confirmation que les deux femmes que je recherche sont à Paris, elles seraient sur le point d'embarquer pour l'Argentine avec d'autres criminels. Il faut que tu m'aides...

– Mais Sarah, tu n'as pas compris, si tu continues, ils te tueront !

– Ils m'ont déjà tuée, je ne les crains plus. Toi, que tu le veuilles ou non, tu fais partie des nôtres, tu n'as pas le choix : à l'heure qu'il est ils savent tout de toi et de ta famille. Si tu veux retrouver ta vie calme d'avant, il faut nous aider à les éliminer.

– Tu es folle, le temps de la clandestinité est révolu...

– Nous sommes en plein dedans. Pour eux comme pour nous, la guerre de l'ombre continue.

– Ça, je l'ai compris. Pourquoi ne pas dire à la police tout ce que tu sais sur leurs agissements en France ?

– Parce qu'on ne voudra pas m'entendre. Dire aux Français, au monde entier que les nazis sont toujours parmi nous, que la bête immonde n'est pas morte mais toujours prête à mordre, que dans chaque pays ils ont des amis désireux de les aider, qu'ils ont des hommes à eux dans les gouvernements, les journaux, l'industrie, la littérature, dire tout cela, c'est, dans le meilleur des cas, rencontrer une moquerie incrédule et dans le pire, des sympathisants à leur cause. Non, je ne peux pas en parler à la police.

– Aux services secrets alors ?

– Là, on m'écouterait sûrement, mais on me prierait de me taire.

– Je ne comprends pas.

– Parce qu'ils sont au courant et qu'ils aident certains nazis à fuir en échange de renseignements...

– Je ne te crois pas.

– Pour la France, je n'en ai pas la preuve, mais les Américains, entre autres, emploient les services de nombreux d'entre eux. Je ne vois pas ce qui empêche les Français d'en faire autant.

– Mais parce qu'ils sont français !...

Sarah, dont le visage s'était durci au fur et à mesure qu'elle parlait, éclata d'un rire mauvais.

– Je ne pensais pas qu'après avoir vécu ce que tu as vécu, vu la trahison, la collaboration jusque dans ta famille, tu aurais encore tant de naïveté.

Vaincue, Léa baissa la tête. Oui, même les Français...

Une religieuse entra.

– Madame Tavernier il va falloir que votre amie vous quitte, vous avez besoin de repos.

– Merci ma sœur, elle s'en va.

Un grand froid descendit en Léa. Incrédule, elle regardait la porte se refermer sur la femme en habit blanc, glacée, la tête baissée, n'osant affronter le regard de Sarah.

Un vague espoir... À l'entrée, elle avait demandé madame Mulstein...

– Je vois que François ne t'a rien dit. Nous nous sommes mariés à notre retour de Montillac. Mais ce n'est rien, ce n'est qu'une formalité nécessaire. Entre toi et lui, rien ne sera changé. Je ne suis pas jalouse.

« Mais moi, je le suis », pensa Léa au bord des larmes.

– Il faut que tu voies François au plus vite, continua Sarah, sans paraître remarquer la pâleur de Léa. À défaut, appelle Danton 26-27. Tu t'en souviendras ?... surtout n'écris rien. Quand on te répondra, tu diras que madame Hugo attend monsieur Sainte-Beuve à l'heure prévue. À neuf heures ce soir, tu te rendras passage Saint-André-des-Arts. Tu connais ?...

Léa acquiesça.

– Fais attention de ne pas être suivie. Mets des vêtements sombres, tu es trop voyante avec ce tailleur bleu. À ce rendez-vous, il y aura un des nôtres. Tu m'as bien dit que ton agresseur avait un accent d'Europe centrale ?... et que tu as senti sa moustache dans ton cou ?... cela peut être une indication. On s'approchera de toi en te disant : « Avez-vous vu Victor ? »

Tu répondras : « Je pense le voir ce soir. » Tu as bien compris ? Répète.

D'une voix monocorde, Léa répéta.

– C'est bien. Reviens me voir demain pour me tenir au courant.

Dans le couloir, elle croisa Daniel.

– Comment va-t-elle ?... Pourquoi ne dites-vous rien ?... Qu'avez-vous ? Vous êtes toute pâle.

Soutenue par le jeune homme, elle s'assit sur une chaise, les jambes molles, se sentant sur le point de s'évanouir.

– Ça va, ce n'est rien... je ne supporte pas l'odeur de l'éther.

– Vous m'avez fait peur... Comment va Sarah ?

– Mieux, beaucoup mieux.

– Voulez-vous que je vous raccompagne ?

– Non, ça ira, merci.

Léa n'avait qu'une envie, fuir cet hôpital et trouver un endroit calme où réfléchir. Elle quitta rapidement Daniel.

À l'Observatoire, elle sauta sur la plate-forme d'un autobus qui démarrait. Le contrôleur l'attrapa par le bras et mit la chaîne de sécurité.

– C'est dangereux, mademoiselle, de monter en marche.

– Vous allez vers la place Saint-Michel ?

– Oui, mademoiselle, c'est deux tickets.

Léa paya et s'accouda à la rambarde de bois. Le vent de la vitesse faisait voler ses cheveux.

L'étroite rue Saint-André-des-Arts était pleine de monde. Arrivée rue Grégoire-de-Tours, elle ouvrit la porte avec la clef donnée par sa sœur. Le studio était vide. À trois reprises, elle appela par téléphone la rue de l'Université, sans succès. François non plus n'était pas là. En revanche, au numéro donné par Sarah, une voix d'homme lui répondit.

15

– Avez-vous vu Victor ?

Bien que sur ses gardes, Léa sursauta. Un inconnu, arborant de superbes moustaches rousses, attendait sa réponse.

– Je pense le voir ce soir.

– C'est bon, venez.

Par le passage, ils rejoignirent le boulevard Saint-Germain et entrèrent dans un grand café. Il la poussa dans le fond, loin des consommateurs.

– Que prenez-vous ?

– Je ne sais pas, la même chose que vous.

– Garçon, deux verres de vodka bien glacée.

Ils restèrent silencieux jusqu'au retour du serveur.

– Buvez, vous avez l'air d'en avoir besoin.

Fermant les yeux, elle but… Aussitôt lui revinrent en mémoire les soirées, les jours passés avec les soldats soviétiques en Allemagne, à la recherche des personnes déplacées, des orphelins, les beuveries fantastiques, les chants si beaux, si mélancoliques. Elle devait à ces hommes venus de l'Est des moments fous de gaieté et noirs de tristesse. Elle revoyait ces regards noyés à l'évocation du pays natal, de la femme aimée : que de tendresse, de délicatesse sous leurs airs rustauds ! Ces efforts qu'ils faisaient pour lui rendre ses nuits moins inconfortables, se privant de leur couverture, partageant le thé, le pain noir… Comme elles lui manquaient, aujourd'hui, cette camaraderie, ces petites attentions qui rendaient la vie au milieu des ruines moins difficile, plus chaleureuse! Léa se prit à regretter ce temps et soupira.

– Ça ne vous ennuierait pas, mademoiselle, de revenir sur terre? dit l'homme à moustaches.

– Je pensais aux soldats russes, à mes amis…

Il la regarda d'un drôle d'air: «Encore une folle», pensa-t-il.

– Il ne faut pas rester trop longtemps ensemble. Si Sarah vous a donné ce numéro, c'est qu'elle avait quelque chose à nous communiquer.

Elle ne put s'empêcher de plaisanter:

– Comment avez-vous deviné?

Il ne devait pas avoir beaucoup d'humour, à moins que les subtilités du français ne lui échappassent, car il eut un froncement de sourcils agacé. Sans se démonter, Léa continua et lui raconta sa rencontre de la rue Saint-Jacques.

– Vous n'avez pas davantage de précisions?

– Non, à part les moustaches, l'accent et la taille il n'était pas beaucoup plus grand que moi. Ah! si, il avait un blouson ou une canadienne de cuir…

– Par ce temps?

– Oui, je m'en suis même fait la réflexion pendant qu'il me tenait.

– Il vous a semblé jeune?

– C'est difficile à dire… oui, je pense.

– Bien, on va se débrouiller avec ça. Vous revoyez Sarah demain?

– Oui, dit-elle du bout des lèvres.

– Dites-lui que nous avons localisé le gibier et que la chasse pourrait commencer plus tôt que prévu, elle comprendra.

– Moi aussi, je comprends… C'est comme un jeu scout,

on se croirait dans un roman de la collection «Signes de Piste», vous ne connaissez pas ?... C'est dommage, c'est plein d'aventures...

— Mademoiselle, il ne s'agit pas d'un roman d'aventures.

— Je le sais bien et c'est dommage.

Que cette jeune fille était énervante !... qu'est-ce que Tavernier pouvait bien lui trouver ?... Certes, elle était plutôt jolie, mais à côté de Sarah...

— Soyez prudente quand même, les gens que nous avons en face de nous ne sont pas des héros de roman... vous l'avez bien vu hier. Sortez la première... Au revoir.

Une fois sur le trottoir, Léa se demanda où aller. Elle n'avait envie d'aller ni rue de l'Université ni rue Grégoire-de-Tours. Machinalement, elle se dirigea vers le Théâtre-Français. Dans la rue de l'Odéon, elle s'arrêta devant la vitrine éclairée d'une librairie. À l'intérieur, plusieurs personnes discutaient avec animation. Une belle femme brune aux cheveux relevés, au beau visage froid se tenait à l'écart, écoutant un homme décoiffé, mégot aux lèvres, discutant avec de grands gestes : André Malraux. Elle se souvint que Raphaël Mahl lui avait fait lire *La Condition humaine*.

Pipe à la bouche, un homme très laid, à lunettes d'écaille, l'écoutait, attentif ; une petite femme un peu boulotte, au chignon soigneusement tiré, vêtue d'une robe grise d'orpheline, mettait de l'ordre dans une pile de livres. Et cet homme chauve portant un foulard rouge : André Gide !... Son oncle Adrien, contre l'avis de toute la bourgeoisie bordelaise, aimait ses écrits. Les deux hommes s'étaient rencontrés à Paris et avaient échangé quelques lettres, chose dont se montrait très fier le dominicain. Une femme aux cheveux courts, habillée à la garçonne et une autre de dos... Victoria Ocampo parlant avec François Tavernier. Ah non, pas lui maintenant ! À ce moment-là, son regard croisa celui de l'Argentine, qui désigna la vitrine à son interlocuteur. Avant que Léa ait eu le temps de réagir, il était devant elle et la tenait par le bras.

– Où étais-tu passée, j'étais fou d'inquiétude !...

– Laisse-moi !

– Sarah m'a tout raconté, il vaut mieux que tu retournes à Montillac.

– J'y retournerai si je veux, tu n'as pas d'ordres à me donner.

– Ce n'est pas un ordre que je te donne, mais un conseil pressant.

– Garde tes conseils...

– Mademoiselle Delmas, on se retrouve plus tôt que prévu.

– Bonsoir, madame.

– Entrez, je vais vous présenter à mes amis.

N'osant pas refuser, Léa entra dans la librairie.

– Adrienne, je vous présente ma jeune amie, Léa Delmas. Léa, voici Adrienne Monnier et Sylvia Beach qui sont libraires toutes les deux, madame Simone de Beauvoir et monsieur Jean-Paul Sartre, messieurs André Gide et André Malraux... Gisèle Freund, qui était avec moi en Argentine pendant la guerre et qui est de passage à Paris, dit Victoria Ocampo.

Après l'avoir saluée, Sartre et Malraux reprirent leur conversation ; Gide prit rapidement congé.

– Partons, fit Tavernier à voix basse.

Ils s'en allèrent à leur tour, après avoir promis à Victoria Ocampo de venir prendre le thé chez elle le lendemain.

– As-tu dîné ?

Léa fit non de la tête.

– Il faut manger, viens, ajouta-t-il en lui prenant le bras.

Ils marchèrent sans échanger un mot jusqu'à Saint-Germain-des Prés. Ils entrèrent dans la brasserie Lipp.

Le fils du patron, Roger Cazes, vint les accueillir.

– Bonsoir, monsieur Tavernier. Je vous donne la même table qu'hier ?

Il les installa près de la caisse. Un maître d'hôtel leur apporta la carte.

– Prendrez-vous un apéritif ?

Sans la consulter, François répondit :

– Deux coupes de champagne, s'il vous plaît.

À une autre table, Jean Cocteau et Marie Bell dînaient. Attablés un peu plus loin, elle reconnut Georges Bidault et Maurice Schumann. Tous les deux firent un signe de tête dans leur direction.

– Maintenant, raconte.

Léa but une gorgée de champagne.

– Il n'y a rien à raconter, ta femme t'a déjà mis au courant.

– Arrête, s'il te plaît, pas ce ton entre nous. Je t'avais parlé de ce projet de mariage, c'est fait, voilà tout.

– Voilà tout ! s'exclama Léa si haut que les regards des dîneurs se tournèrent vers elle. Tu y vas un peu fort, continua-t-elle en baissant la voix, je croyais que tu renoncerais à ce projet insensé. N'as-tu pas pensé à moi ?

– Ma chérie, je pense sans cesse à toi. Plus tard je divorcerai et je t'épouserai…

– Parce que tu crois que je vais attendre bien sagement que tu décides de divorcer ? Tu n'es pas le seul homme sur terre…

– C'est vrai, mais je suis le seul que tu aimes.

Alors là, il ne manquait pas de culot !… C'était pourtant vrai qu'elle l'aimait, ce salaud, et que l'idée qu'il s'intéressât à une autre femme la faisait souffrir…

– Il n'y a rien entre Sarah et moi et il n'y aura jamais rien. Mais je dois la protéger et l'aider…

– Et moi, cet après-midi, m'as-tu protégée ?

Comme il avait l'air soucieux soudain !

– Je donnerais je ne sais quoi pour que tu ne sois pas mêlée à tout cela…

– C'est un peu tard. Comme je n'arrivais pas à te joindre, j'ai rencontré un ami de Sarah...

– Avec de grosses moustaches rousses ?

– Oui, il m'a dit que la chasse pourrait commencer plus tôt que prévu...

– Ah, il a dit cela, fit-il, songeur.

– Est-ce que ça veut dire qu'ils ont retrouvé ces horribles femmes dont Sarah m'a parlé ?

– Je n'en sais rien, peut-être.

– S'ils les attrapent, que vont-ils leur faire ?

– Ce n'est pas difficile à deviner.

Cela ressemblait à du mauvais roman, ce dialogue dans cette brasserie parisienne, brillamment éclairée, remplie d'hommes politiques, de vedettes de cinéma, d'écrivains, de jolies femmes bavardant sous les céramiques de Fargue... Léa avait l'impression de vivre un rêve absurde ; en face d'elle, l'homme qu'elle aimait et qui l'aimait en avait épousé une autre, cette autre qui ne songeait qu'à sa vengeance, avait des compagnons louches, se faisait mitrailler en pleine rue, la chargeait de codes secrets tandis qu'elle se faisait agresser en plein jour par un moustachu qui proférait des menaces... C'était tellement fou qu'elle éclata de rire.

Décidément cette gamine le surprendrait toujours ; il la retrouvait abattue, silencieuse, agressive, mordante, méchante et maintenant rieuse. Quelle fille imprévisible ! Pas le temps de s'ennuyer avec elle. Cependant, derrière ce rire, il savait son désarroi, sa peur, son chagrin et s'en voulait d'en être la cause. « Je devrais la protéger, la rendre heureuse. Au lieu de cela, je l'entraîne malgré moi dans une aventure dangereuse où elle risque sa vie ; je suis une belle ordure. » Comme il se sentait vieux et las !... Une envie de la prendre et de fuir vers le premier pays venu, d'abandonner Sarah et ses projets meurtriers, son poste auprès du gouvernement, ses biens... partir seul avec elle, loin des dangers qui rôdaient autour d'eux, la regarder vivre et l'aimer, lui faire des enfants...

– Tavernier, enfin je vous trouve !

Samuel Zederman se tenait debout près de la table.

– J'ai fait tous les bistrots du coin à votre recherche. Dépêchez-vous, rendez-vous place des Vosges... Inutile d'emmener mademoiselle.

Ils finirent rapidement leur dîner en silence.

François la raccompagna rue Grégoire-de-Tours. Laure n'était toujours pas rentrée.

16

Léa n'arrivait pas à dormir. Minuit sonna à un des clochers du voisinage. Elle se leva, fouilla dans la garde-robe de sa sœur. Quelques instants plus tard, elle quittait la rue Grégoire-de-Tours vêtue d'une longue jupe noire et d'un pull moulant de la même couleur, ses cheveux attachés en queue de cheval. Par les rues mal éclairées, elle se dirigea vers la rue Dauphine, cherchant cette cave dont lui avait parlé Laure : « Le Tabou ».

À l'angle de la rue Christine et de la rue Dauphine, une bande de jeunes gens fumaient et bavardaient, appuyés contre une drôle de voiture décapotable à damiers jaunes et noirs. Elle s'avança vers un des garçons et demanda :

– Connaissez-vous « Le Tabou » ?

– Voilà bien le plus mignon rat de cave du quartier. Qu'en penses-tu, Toutoune ?

Une fille très jeune, à la poitrine serrée dans un pull à grosses côtes, les fesses moulées dans un pantalon de velours côtelé, au grand nez et aux longs cheveux noirs, regarda Léa de haut en bas.

– Ouais, pas mal. Et toi, Anne-Marie, comment la trouves-tu ?

– Sympa, répondit une mince fille rousse.

Léa commençait à être agacée d'être ainsi dévisagée.

– Je cherche « Le Tabou ».

– Vous êtes devant, mademoiselle.

Ça, la cave à la mode dont Laure n'avait cessé, à Montillac, de lui rebattre les oreilles! Elle leva la tête: pas de doute, c'était écrit.

– Vous avez l'air étonné, dit un garçon dégingandé, coiffé d'une casquette galonnée. C'est l'aspect miteux de l'endroit qui vous surprend? Que voulez-vous, ma chère, c'est comme l'époque, sale et pourri, le rendez-vous des paumés, pauvres et riches, tous confondus, l'idéal communiste en somme, des existentialistes...

– Des quoi?

– Ciel, vous débarquez ou vous vous foutez de moi?... Vous voulez me faire marcher, c'est ça... Habillée comme vous l'êtes... Oh, excusez-moi, je ne me suis pas présenté: François de la Rochefoucault, portier, pour vous servir. Frédéric, viens par ici... Regarde cette beauté qui nous arrive, cherchant «Le Tabou»... N'a-t-elle pas tout pour être acceptée dans ce temple hanté par les plus beaux esprits de ce temps?...

Un beau garçon à moustache blonde d'officier de cavalerie s'avança:

– Bonjour, mademoiselle, je m'appelle Frédéric Chauvelot, je suis en quelque sorte l'animateur de cet endroit. Permettez-moi de vous offrir le verre de bienvenue... Tarzan, tu te souviendras du joli minois de mademoiselle?

– Pour sûr, opina un colosse tatoué.

– Il est capable d'écraser une tête entre le pouce et l'index, souffla Frédéric à l'oreille de Léa en poussant la porte.

De l'escalier de pierre montait une haleine chaude. En descendant, Léa eut l'impression de pénétrer dans une marmite infernale, bouillonnante et fumante: les hurlements de la trompette et de la clarinette tendues vers les voûtes du XVIIe siècle ne firent qu'accentuer son sentiment. La fumée était telle qu'on ne voyait pas le fond de la cave qui n'avait pourtant que douze mètres sur huit. Des couples dansaient à tour de rôle un be-bop frénétique, applaudis par les clients serrés les uns contre les autres, assis ou debout.

– Que voulez-vous boire ?

– Une menthe à l'eau, répondit Léa après avoir regardé autour d'elle.

Un garçon suant, chemise à carreaux, trompé par sa tenue, s'approcha.

– Vous dansez ?

– Non, merci.

Le jeune homme s'en alla, haussant les épaules.

Curieux endroit. Curieuse musique, cela ne ressemblait à rien de ce que connaissait Léa.

– Laure !

Elle venait d'apercevoir sa sœur vêtue du tailleur bleu qu'elle portait la veille. Avec peine, elle se fraya un chemin jusqu'à la table où Laure se tenait en compagnie de cinq ou six jeunes gens de son âge : parmi eux, Franck, qui la vit le premier.

– Léa, quelle bonne idée d'être venue nous rejoindre.

– Je n'arrivais pas à dormir, j'étais inquiète pour Laure.

– Elle m'a raconté pour hier… comment va ton amie ?

– Bien, c'est moins grave qu'on ne croyait.

– Tant mieux. Laure, regarde qui est là.

– M'en fous, veux pas la voir, dit-elle d'une voix pâteuse.

– Elle est presque aussi ivre que toi la dernière fois.

« Oui, mais pas pour les mêmes raisons », pensa Léa.

– Vous êtes une amie de Franck ? dit Frédéric Chauvelot. Alors je vous laisse, vous êtes entre de bonnes mains.

Pendant un moment, Léa s'étonna des figures compliquées et acrobatiques des danseurs et en oublia pour quelques secondes ce qu'elle appelait la trahison de François et la tentative d'assassinat de Sarah. Machinalement, ses pieds battaient la mesure.

– Sale juif, c'est toujours par les juifs que les ennuis arrivent.

Malgré le bruit, Léa avait entendu ce qu'avait crié Laure d'une voix pâteuse d'ivrogne et s'était immobilisée, incrédule. Franck, dont la mère était juive, regardait son amie sans avoir l'air d'y croire.

– Sale...

La main de Léa s'abattant sur sa joue lui coupa la parole. Laure se mit à pleurnicher comme une enfant.

– T'as vu, elle m'a battue !

– Aide-moi à la ramener chez elle.

– Que se passe-t-il ? Pourquoi pleure-t-elle ? demanda la fille rousse de l'entrée.

– Laisse, tu vois bien qu'elle est soûle, dit Toutoune.

Ils ne furent pas trop de deux pour la hisser hors de la cave.

– Corbassière, peux-tu ramener la petite chez elle ? demanda Frédéric.

– D'accord, fit le jeune homme qui était assis au volant de la drôle de voiture à damiers.

– Ce n'est pas la peine, dit Léa, nous habitons à côté. Franck va m'aider.

– Comme vous voudrez.

Dans la rue à peine éclairée, Franck et Léa soutenaient Laure qui avait du mal à tenir sur ses jambes, suivis par trois amis du jeune homme qui chantaient à tue-tête.

– Fermez vos gueules !... On veut dormir !

Venant d'une fenêtre, ces cris furent accompagnés par le jet d'un pot d'eau qui éclaboussa les fêtards.

– Il n'y a pas de soir sans que l'un d'entre nous ne se fasse arroser, dit Franck. Ils ne pensent qu'à dormir dans ce quartier.

La douche n'avait pas calmé les chanteurs qui reprirent

de plus belle. Le carrefour des rues Saint-André-des-Arts et de Buci était sombre. Laure se faisait plus lourde. Un début de migraine rendait Léa de mauvaise humeur. L'entrée de la rue Grégoire-de-Tours était noire comme un four. Un des garçons alluma une lampe de poche, le faible faisceau lumineux éclaira le bord du trottoir. Tous phares éteints, une voiture s'avança. Le tailleur bleu de Laure faisait une tache claire. Brusquement les phares s'allumèrent. Léa leva le bras pour se protéger les yeux.

– Ah chouette, on voit où on met les pieds.

Léa laissa tomber ses clefs et se pencha pour les ramasser... Une rafale de mitraillette crépita, ricochant sur les pavés... Le corps de Laure fut agité de soubresauts... Elle était pesante soudain... si pesante... elle glissa malgré les efforts de Léa pour la retenir... Le craquement d'un changement de vitesses... le crissement de pneus... le claquement d'une portière... les phares de la voiture éclairèrent un instant les vieilles façades puis s'éteignirent... la voiture fila vers le boulevard Saint-Germain... Des fenêtres s'éclairèrent... s'ouvrirent...

– Qu'est-ce que c'est ?...

– Vous avez entendu ?...

– J'te dis qu'c'était une mitraillette ! J'connais, quand même !

– Viens te coucher, c'est encore ces voyous du « Tabou »!...

– Au secours, appelez la police !...

Accroupie dans le caniveau, Léa soutenait la tête de Laure qui gémissait.

– Ce n'est rien, petite sœur, ce n'est rien.

Le bleu du tailleur disparaissait peu à peu sous des taches sombres qui allaient s'agrandissant. Hébété, le front barré d'un trait de sang, les yeux braqués sur le corps allongé, Franck tenait d'une main tremblante la lampe électrique.

– Éclaire-moi, cria Léa.

Doucement elle posa la tête de sa sœur sur ses genoux, retrouvant les gestes doux de sa mère. Laure essaya de parler.

– Ne dis rien.

Enfin, la sirène d'une voiture de police. La rue, déserte un instant auparavant, se remplissait de gens en pyjama ou en chemise de nuit, une veste ou un châle hâtivement jeté sur les épaules. Des gardiens de la paix surgirent, portant une civière.

– Écartez-vous… laissez passer…

La petite foule s'écarta.

– Rentrez chez vous… y a rien à voir…

Personne ne bougea.

Un policier en civil se pencha sur les deux sœurs…

– Que s'est-il passé, demanda-t-il ? Éclairez-moi. Nom de Dieu, pauvre petite ! Mais… je vous connais, j'ai pris votre déposition sur l'affaire du « Shéhérazade » cet après-midi et… c'est votre sœur… qui avait si peur… Pauvre gosse…

– Vite monsieur, emmenez-nous à l'hôpital.

Avec précaution, les policiers chargèrent Laure qui avait perdu connaissance. Léa et Franck montèrent auprès d'elle.

Dans le couloir de l'Hôtel-Dieu, Léa marchait de long en large, fumant cigarette sur cigarette ; bientôt son paquet de Lucky fut vide.

– Cela fait au moins deux heures qu'ils l'opèrent… et toi tu es là à attendre calmement, sans bouger !

– Que veux-tu que je fasse ? dit Franck qui transpirait à grosses gouttes.

– Je ne sais pas… bouge, parle-moi !

– Pour te dire quoi ?… Tu crois que cela a à voir avec Sarah ?

– Je n'en sais rien, j'espère que non… Ce ne seraient pas vos histoires de marché noir ?

– Impossible, Laure ne traitait que de petites affaires et nous n'avons jamais eu à faire aux gros bonnets... C'est peut-être un accident...

– Un accident!... une rafale de mitraillette en plein Paris!... un accident!... tu as de ces mots!... Docteur! docteur, comment va-t-elle?

– Vous êtes de la famille?

– Oui, je suis sa sœur.

– Un miracle qu'elle n'ait pas été tuée sur le coup. Nous avons retiré sept balles, elle a perdu beaucoup de sang et tout risque d'hémorragie interne n'est pas écarté, à part ça, elle est en vie. Pour le moment, elle dort.

– Je peux la voir?

– Non, rentrez chez vous...

– Il n'en est pas question, je veux rester auprès d'elle. Il faut que je sois près d'elle quand elle ouvrira les yeux, sinon elle aura trop peur.

Le médecin sourit malgré sa fatigue.

– Je vais vous faire porter un peu de café chaud... Enfin, quand je dis café, c'est façon de parler...

– Merci docteur.

– Il a raison, tu devrais rentrer dormir, ce n'est pas la peine qu'on soit là tous les deux à attendre.

– Rentre si tu veux, je reste là.

– Comme tu voudras, je reste aussi.

Après avoir bu l'ersatz de café apporté par une religieuse, ils somnolèrent appuyés l'un contre l'autre jusqu'à l'arrivée de l'inspecteur de nuit.

– Avez-vous une idée sur ce qui est arrivé? Hier on tire sur votre sœur, avant-hier sur une amie, c'est beaucoup pour une simple coïncidence.

– Oui, sans doute, mais je n'en ai aucune idée.

– Vous êtes bien sûre?

Pourvu qu'elle ne rougisse pas!

– Absolument.

Le policier soupira, découragé.

180

– Quand pourrai-je la voir?

– Cela ne dépend pas de moi. Moi aussi j'aimerais la voir et lui poser quelques questions. Où étiez-vous hier?

– Je vous l'ai déjà dit, au «Tabou».

– N'avez-vous rien remarqué de suspect?

– Non, il faisait très sombre, je n'ai vu la voiture qu'au dernier moment.

– Était-ce la même que celle d'hier?

– Je n'en sais rien... une traction avant noire...

– Des tractions avant noires, on ne trouve que ça sur le marché, c'est la voiture des truands et des hommes politiques.

– Ce n'est pas la même chose? demanda Franck d'un air candide.

L'inspecteur haussa les épaules.

Tard dans l'après-midi, Léa fut autorisée à voir Laure.

– Ma chérie...

– Elle ne vous entend pas, elle est dans le coma.

– Cela va durer longtemps?

– Une heure comme des mois, on ne sait pas.

– Est-ce que je peux rester auprès d'elle?

– Oui, si vous le voulez. On va vous mettre un lit pliant.

– Merci, ma sœur.

Allongée sur l'étroite couchette, Léa, comme la veille, n'arrivait pas à dormir. Elle se leva et sortit fumer une cigarette dans le couloir. Sur sa chaise, le policier s'était assoupi. La vue du policier lui rappela celui en faction devant la chambre de Sarah. Sarah qu'elle aurait dû aller voir dans l'après-midi... et François, il devait être fou d'inquiétude...

– Je vous dis, monsieur, que l'heure des visites est passée depuis longtemps... Les malades dorment... Je vous en prie, monsieur...

Une minuscule bonne sœur trottinait à la suite de Tavernier.

– Léa !

Elle stoppa net l'élan qui la poussait vers lui. Le policier, réveillé, mit la main à son pistolet.

– Monsieur, que faites-vous ici ? C'est interdit.

– Mademoiselle Laure Delmas est une amie, je viens prendre de ses nouvelles.

– Revenez demain.

– Non, je dois parler à mademoiselle, fit-il en désignant Léa.

– Vous connaissez cet homme ?

– Oui.

– Allez lui parler dans le hall.

Léa avait envie de refuser, mais la perspective d'un esclandre entre le représentant de la loi et son amant l'arrêta.

Celui-ci lui prit le bras.

– Comment va Laure ?

– Elle n'a pas repris connaissance, ils espèrent la sauver.

– Tu dois partir immédiatement.

– Il n'en est pas question, je ne peux pas la laisser.

– Mais tu ne comprends pas que c'est toi qu'ils ont voulu tuer ? Ils ont pris Laure pour toi à cause du tailleur.

– Quel tailleur ?

– Le bleu, celui que tu portais l'autre soir.

– Ah !...

– Tu commences à comprendre ?

– Mais pourquoi voudrait-on me tuer ?

– Parce que tu es proche de Sarah.

– Je suis proche mais je n'ai rien à voir avec ce qu'elle veut entreprendre.

– Mais ça, ils ne le savent pas. Nous avons retrouvé la trace de la voiture, nous sommes sur le point d'intercepter un des tueurs. J'espère qu'il nous mettra sur la piste des chefs du réseau. Mais en attendant, tu dois disparaître. Ils ne vont pas tarder à savoir qu'ils se sont trompés de cible.

– S'ils en savent autant que tu le dis, je ne serai en sécurité nulle part.

– Ce n'est pas certain. Dès demain matin, Sarah quittera l'hôpital et nous la conduirons en lieu sûr. J'ai vu le ministre de l'Intérieur, il nous fait donner des gardes du corps. Qu'as-tu dit à la police ?

– Que je ne comprenais pas ce qui arrivait.

– Bien. Ils t'ont crue ?

– Je crois.

– Le ministre a mis le chef de la police au courant, celui-ci a fait donner des ordres en conséquence. L'affaire est maintenant entre les mains des services secrets. Si on vient t'interroger, tu ne sais rien.

– Qu'est-ce que tu vas faire ?

– Pour l'instant, pas grand-chose, me faire oublier... Tu as l'air fatigué... ne t'inquiète pas pour Laure, elle s'en sortira.

– Je l'espère, mais j'ai peur. Il me semble être revenue au temps où Camille était en danger. J'ai la même impression. Oh, François, dis-moi qu'elle ne va pas mourir...

Tavernier ne dit rien, doucement il caressa la joue pâle de son amie. Elle le prit à bras le corps et se serra très fort contre lui.

– Ma petite fille, moi qui aurais tant voulu t'épargner...

– Ce n'est pas très réussi.

– Mon amour, pardonne-moi, je t'aime, je voudrais tellement te rendre heureuse...

– Ça non plus, ce n'est pas très réussi.

– Je te promets qu'un jour ce sera possible.

– Un jour !... c'est bien loin.

Ils restèrent enlacés un long moment, silencieux. Sa bouche dans ses cheveux, il chuchota :

– Me pardonnes-tu ?

Il sentit son corps se raidir.

– Jamais, chuchota-t-elle à son tour en se blottissant davantage contre lui.

– Je comprends... mais n'oublie pas que je t'aime.

– Mademoiselle, mademoiselle, votre sœur a repris connaissance ! Le médecin de garde est auprès d'elle, dit le policier, essoufflé.

– Merci, j'arrive.

Elle courut vers la chambre, suivie de François Tavernier. Un homme en blanc était penché au-dessus du lit.

– Calmez-vous mademoiselle, tout ira bien. Vous êtes Léa ?

– Oui.

– Elle ne cesse de vous appeler, elle craignait que vous ne fussiez morte.

– Laure... ma petite chérie...

– Léa... tu es là...

– Ne parlez pas, mademoiselle, vous allez vous fatiguer.

– Je suis là, ne crains rien.

– Franck ?... et les autres ?

– Franck est dans le couloir.

Tavernier alla le chercher. Laure tendit la main vers lui.

– Ne pleure pas, tu vas me faire pleurer...

– Mademoiselle, ne vous agitez pas, vous avez besoin de calme.

– Et François ?... et Sarah ?...

– Sarah va bien... Francois est là.

– Hello, Laure.

– Je suis heureuse de vous savoir ici... J'ai mal !...

– Tais-toi, ne parle plus... je reste auprès de toi.

– J'ai rêvé que tante Estelle m'appelait... j'ai peur... j'ai si peur... Je ne vais pas mourir, dis ?...

– Non ma chérie, non, tout va bien...

– J'ai tellement mal...

– Taisez-vous, mademoiselle, ou je fais sortir tout le monde. Je vais vous faire une piqûre... après cela ira mieux, vous pourrez dormir.

– Je ne veux pas dormir...

Pendant que le médecin faisait la piqûre, Léa et Franck ne lâchèrent pas les mains de Laure. Débarrassée de toute trace de maquillage, elle avait l'air d'une enfant. Très vite, elle s'endormit.

17

Rassurée sur l'état de sa sœur, Léa accepta d'aller prendre un peu de repos. Rue de l'Université, François fit couler un bain. Après l'avoir déshabillée lentement, il la porta dans la baignoire et, avec des gestes de nourrice, la lava. La douceur des mains de son amant l'apaisa. Enveloppée dans un peignoir, il l'allongea sur le lit et la recouvrit d'une couverture de fourrure.

– Dors, ma chérie.

– Ne me laisse pas, dit-elle d'une voix ensommeillée.

– Ne t'inquiète pas, je veille sur toi.

Elle s'endormit en serrant sa main.

Quand elle se réveilla, la nuit était tombée, elle était seule.

– François! cria-t-elle en se redressant.

La porte s'ouvrit, un rai de lumière éclaira légèrement la pièce.

– Je suis là.

– J'ai eu si peur que tu ne sois parti.

– J'ai passé la journée ici. Maintenant je dois partir, Daniel va passer la soirée avec toi.

– A-t-on des nouvelles de Laure?

– Franck a appelé, elle va bien. Tu pourras aller la voir demain. Au revoir, mon amour, ne pense à rien.

– C'est facile à dire. Et Sarah?

– Pour l'instant, hors d'atteinte. Ne t'inquiète pas, je reviendrai dans la nuit.

Léa se rendormit. Quelques heures plus tard, elle se réveilla en sursaut.

– François, c'est toi? dit-elle dans l'obscurité.

– Non, c'est Daniel.

– J'ai fait un horrible cauchemar.

– C'est pour ça que je suis entré, vous avez crié, j'ai craint qu'il ne vous soit arrivé quelque chose.

– François n'est pas revenu?

– Non, je l'attends. Voulez-vous que je vous fasse du café? Il y en a du vrai dans la cuisine.

– Je veux bien, merci.

Léa se leva, se rafraîchit le visage dans la salle de bains et brossa ses cheveux.

Les deux jeunes gens se retrouvèrent dans la cuisine. Ils burent leur café en silence. Léa alluma une cigarette.

– Savez-vous où est François?

– J'en ai une vague idée.

C'était la première fois qu'ils se retrouvaient seuls, en tête à tête. Ils ne savaient quoi se dire.

– Quelle heure est-il? demanda Léa.

– Quatre heures du matin.

Ensemble, ils entendirent la clef tourner dans la serrure de la porte d'entrée. François Tavernier et Samuel Zederman entrèrent. François avait le visage mangé de barbe et les traits tirés, Samuel était très pâle.

– Comment cela s'est-il passé? demanda Daniel.

– Bien, répondit François. Nous ne nous étions pas trompés. Ce sont bien ces deux femmes qui ont tenté de faire assassiner Sarah et blessé Laure. Elles ont pu échapper, mais nous avons eu deux de leurs complices. Ils sont entre les mains des services secrets qui les interrogent. Un autre a été tué. Il était connu de la police, c'était un tueur de la bande de la rue Lauriston recherché depuis la Libération.

– Mais si ces deux femmes sont encore en liberté, Sarah n'est pas à l'abri, dit Daniel.

– Si, nous avons démantelé leur réseau, elles sont maintenant seules. Elles vont avoir du mal à passer inaperçues. Aucune d'elles ne parle français et leur signalement a été diffusé. Pour ce soir, vous allez dormir ici. On avisera quand il fera jour. Viens Léa, allons nous coucher.

Léa remarqua l'expression de douleur qui se peignit sur le visage de Daniel.

«Françoise devait avoir raison, pensa-t-elle, il est amoureux de moi.»

Dans la chambre, François se jeta sur le lit tout habillé.

– Viens, dit-il

Léa s'allongea sur lui. Comme il avait l'air fatigué! Elle remarqua quelques fils blancs dans sa chevelure et en fut émue. Elle embrassa ses paupières fermées, caressa son visage d'une main fraîche. Peu à peu, ses traits se détendirent. Il soupira. Il lui fit l'amour, lentement, presque tristement. Leur plaisir fut lent à venir.

Des coups frappés à la porte les réveillèrent; la voix de Samuel:

– Levez-vous, il est bientôt onze heures.

– Onze heures! fit François en se levant d'un bond.

Dans l'après-midi, Léa se rendit à l'hôpital. L'état de sa sœur était stationnaire, aux dires du médecin. Franck, qui n'avait pas quitté le chevet de Laure, ne tenait plus debout. Léa le renvoya se reposer avec ordre de ne revenir que le lendemain. Épuisé, il acquiesça. Dans la nuit, Laure se mit à délirer, appelant sa mère, Léa, Franck et Daniel. Affolée, Léa sonna l'infirmière de garde. Celle-ci dit que ce n'était rien; elle fit cependant une piqûre à la malade. Le reste de la nuit fut calme. Au matin, Léa fut réveillée par des pleurs.

– Tante Estelle… J'ai mal… je ne veux pas…

D'un bond, elle fut au chevet de Laure.

– Je suis là, ma petite chérie, je suis là.

Le front brûlant de fièvre, Laure ne semblait pas la reconnaître.

– J'ai mal... j'ai froid... oh !...

Un flot de sang jaillit des lèvres pâles. Léa cria.

– Que se passe-t-il ? Pourquoi avez-vous crié ? dit le policier en entrant brusquement. Oh ! mon Dieu !...

Il se précipita dans le couloir.

– À l'aide !... Venez vite, ma sœur.

La religieuse entra, suivie d'une assistante.

– Vite, allez chercher le docteur et sœur Joseph.

– Ma sœur, elle ne va pas mourir ?

– Priez, mon enfant.

Ils ne savaient donc dire que ça, ces gens d'église : « Priez. » Comme si la prière pouvait arrêter le sang qui coulait de la bouche de Laure.

– J'ai peur... Léa, j'ai peur...

– Non, non... ne dis rien... Je suis là... le docteur arrive...

– Maman... maman...

Transportée en salle d'opérations, Laure mourut à six heures du soir.

La nuit était noire, les rues à peine éclairées. Léa marchait seule. En longeant les grilles du Jardin des Plantes, elle sursauta au hurlement d'un loup. Le cœur battant, elle accéléra le pas. Ne pas penser... surtout, ne pas penser... Ce n'était pas vrai, cela ne pouvait pas être vrai... Pas Laure, pas la plus petite... c'était trop injuste... Tout ça à cause d'un tailleur bleu... Léa haïssait le tailleur bleu... C'est elle qui aurait dû se vider de son sang... pas Laure... Comment annoncer cela à Françoise, à Estelle ?... et Franck ?... que dirait Franck ?... ma petite sœur, pardonne-moi... Je commence à comprendre Sarah et les autres... Pourquoi tuent-ils des innocents ?...

on ne peut pas accepter cela... Aujourd'hui Laure, demain?... Elle pensa à Charles et le sentit menacé. Vite, appeler Montillac, s'assurer que tout allait bien... elle se mit à courir.

La place Saint-Michel était déserte, le bruit de sa course résonnait sur les pavés des quais. La rue des Saints-Pères était vide, comme abandonnée... Cet abandon lui donna le vertige. Elle tourna rue de l'Université, une voiture passa, rapide.

Personne dans l'appartement, des tasses sales traînaient dans l'évier de la cuisine, une odeur de tabac froid. Léa demanda le numéro de Montillac. À la huitième sonnerie, l'opératrice dit :

– Ce numéro ne répond pas.

– Insistez, supplia Léa.

La sonnerie reprit.

– Allô !

– Allô, c'est Léa, qui est à l'appareil ?

– Alain Lebrun... Ah, c'est vous, mademoiselle Léa...

– Ne m'appelez pas mademoiselle... Comment va Charles ?

– Bien, très bien.

– Ma tante Estelle va mieux ?

–...

– Allô, Alain, vous m'entendez ?...

– Oui.

– Comment va ma tante ?...

– Made... je vais vous passer Françoise.

– Allô Léa ?...

– Qu'est-ce que tu as ?... tu pleures ?...

– Tante Estelle...

Elle se laissa tomber sur une chaise, saisie par une folle angoisse.

– Quoi, tante Estelle ?

– Elle est morte...

Non, hurla Léa en silence.

– Elle est morte cet après-midi.

Comme Laure !... mon Dieu, pourquoi elles deux dans la même journée... comment dire à Françoise ?...

– Léa... Léa... tu es là ?. . . Réponds-moi... parle, je t'en supplie... Je comprends ce que tu ressens... Elle n'a pas souffert... cela s'est passé très vite... elle était très gravement malade... c'est mieux ainsi...

C'est mieux ainsi... Se rendait-elle compte de ce qu'elle disait, la tondue ?... Et Laure, c'était mieux ainsi ?... Prise de rage, elle s'entendit crier :

– Laure aussi est morte...

– Quoi !...

– Tu as bien entendu : Laure aussi est morte.

– Si c'est une plaisanterie, elle n'est pas drôle... Tu as perdu la tête ?...

Une grande lassitude s'empara de Léa.

– Je ne plaisante pas.

– Ce n'est pas vrai !... Dis moi que ce n'est pas vrai...

– Si, c'est vrai.

– Mais comment ?. . . pourquoi ?...

Pourquoi ?... comme s'il était possible de répondre... Aujourd'hui une jeune fille et une vieille femme, demain...

– Un accident... je t'expliquerai... je suis fatiguée, Françoise, si fatiguée...

– Moi aussi je suis fatiguée ! je veux savoir ce qui est arrivé.

– Demain... je te le dirai demain...

Léa coupa la communication et laissa retomber le combiné ; elle ne voulait plus rien entendre. Lourdement, elle se leva de la chaise, alla fouiller dans l'armoire de la salle de bains à la recherche d'un somnifère. Pas le moindre médicament, pas même de l'aspirine ; François n'était pas homme à abuser de produits pharmaceutiques. Une obsession, dormir... tuer toute pensée... Boire, il lui fallait boire comme à Nuremberg, comme à l'arrivée de la nuit sur les routes allemandes, boire... Dans le salon, sur une table basse, plusieurs bouteilles : whisky... cognac... Suze... Marie-Brizard... gin... Elle se versa un verre de gin, but d'un trait. C'était fort !... un verre, puis un autre... Tibutant, la bouteille à la main, elle s'effondra en travers le lit... La bouteille lui échappa et roula sur le tapis... Léa sombra dans une sorte de coma.

Pourquoi lui cognait-on sur la tête ?... Aïe !... Cette lumière éblouissante ! Arrêtez... et ce tournoiement qui l'emportait...

– Daniel, as-tu appelé le médecin ?

– Non, elle est soûle, elle n'a pas besoin d'un médecin, mais d'une bonne douche froide.

– Va préparer du café.

Daniel referma la porte avec humeur. François entreprit de déshabiller Léa. Ce n'était pas facile. Il avait l'impression de manipuler une poupée de chiffons. Elle était enfin nue quand Daniel revint avec une tasse de café. Il resta sur le seuil, immobile, à contempler ce corps abandonné.

– Comme elle est belle ! murmura-t-il.

D'un geste rageur, Tavernier la recouvrit.

– Laisse-nous.

Il redressa Léa et entreprit de la faire boire ; du café coula sur le menton puis le long du cou ; elle gémit. Il la rallongea, alla chercher une serviette mouillée et lui bassina le visage et la poitrine ; ses yeux s'ouvrirent sur un brouillard tournoyant.

– Laure...

De lourdes larmes se mirent à glisser sur ses joues.

– Je sais, mon petit, pleure.

Pendant quelques instants, il la tint serrée contre lui, secouée de sanglots.

Impuissant, il était impuissant à consoler celle qu'il aimait.

– Tante Estelle…

– Mon amour, bois, cela va te faire du bien.

Léa repoussa avec violence la tasse de café qui se renversa sur le lit.

– Elle est morte, hurla-t-elle, tante Estelle est morte !… Tu entends ? Morte !… comme Laure !

Un grand découragement envahit cet homme fort. Pourquoi tant de souffrances, tant de morts autour d'elle ? Il ne pouvait rien faire, il la laissa pleurer. Peu après, elle se leva et, nue, se dirigea vers la salle de bains ; il l'entendit vomir, puis ouvrir le robinet de la douche sous laquelle elle resta longtemps. Quand elle revint, les cheveux ruisselants, il fut effrayé de sa pâleur et des cernes qui marquaient son visage ; ses larmes ne coulaient plus. C'était pire, il la sentait désespérée.

Trois jours plus tard, ils partirent accompagner le corps de Laure. Dans le salon de Montillac, le cercueil d'Estelle attendait. Françoise et Léa s'étreignirent, en silence, sans pleurs. À pied, elles suivirent les corbillards jusqu'à l'église. La basilique était pleine d'amis, de voisins, de gens du coin, venus, bouleversés par tant de malheur, témoigner leur sympathie. Le père Henri prononça des mots d'amour et de paix. Françoise y fut sensible, le coeur de Léa resta fermé.

18

Ma petite fille,
Le départ pour Buenos Aires est fixé au 10 octobre. Je
pensais pouvoir venir t'embrasser, mais après Londres,
on m'envoie en Allemagne d'où je ne reviendrai que la
veille du 10. Sarah, Samuel et Amos m'accompagnent,
Daniel partira plus tard.
J'ai revu Victoria Ocampo à Londres, elle m'a dit
qu'elle serait heureuse de te recevoir dans sa propriété
de la banlieue de Buenos Aires à San Isidro, elle doit
t'écrire pour te confirmer son invitation. Je ne souhaite
pas que tu y répondes, ce pays n'est pas stable politi-
quement et il y a des risques d'affrontements, je ne veux
pas que tu sois mêlée à tout cela. Reprends des forces sur
cette terre que tu aimes. Plus que jamais, ils ont besoin
de toi à Montillac et c'est dans le travail que tu trouve-
ras l'apaisement. Si cependant tu préfères venir à Paris,
l'appartement de la rue de l'Université est le tien. J'ai
déposé à ton nom à ma banque une certaine somme. Sers-
t-en sans scrupule et considère que ce qui m'appartient
est à toi. N'oublie pas que c'est toi que j'aime et que je
te considère comme ma femme. Je sais que le temps vien-
dra où nous pourrons vivre ensemble sans peur et sans
contraintes.
J'ai beaucoup admiré ton courage durant ces jours

pénibles; tu as porté tout cela à bout de bras, ma vaillante.
Je t'admire autant que je t'aime.

Écris-moi à l'ambassade de France à Buenos Aires,
l'ambassadeur est un ami.

Tu me manques, ma chérie, chaque nuit et chaque jour
je souffre de ton absence. Pense à celui qui t'aime,

François.

«Je m'en moque, qu'il m'admire et me trouve courageuse et qu'il m'aime!... Cela ne l'empêche pas de partir avec une autre qui porte son nom... il se moque de moi... Croit-il que je vais l'attendre patiemment au coin du feu?... il mériterait que je le prenne au mot et que je dépense tout son argent... Comment peut-il parler d'apaisement alors que règne en moi un désordre total?... Il n'a rien compris!... Ils n'ont pas besoin de moi à Montillac, Alain et Françoise se débrouillent très bien et Charles, avec eux, a trouvé une vraie famille... ils sont très gentils avec cette pauvre Lisa qui n'arrête pas de pleurer et avec Ruth... je me sens plutôt de trop dans ce paysage... Montillac... les vignes... c'est vrai que je leur suis attachée et en même temps presque indifférente, comme si cela ne me concernait plus... j'aimerais savoir où est ma vraie place... je me sens de nulle part...»

Léa ne répondit pas à cette lettre. Le lendemain, elle reçut celle de Victoria Ocampo à laquelle elle répondit sur le champ.

Chère Madame,
Votre aimable invitation me touche beaucoup. J'ai très
envie de l'accepter, mais vous connaissez les deuils qui
ont frappé ma famille, je craindrais de la peiner en
m'absentant en ce moment. Soyez sûre que dès que je pen-
serai ce voyage possible, je ne manquerai pas de vous rap-
peler votre invitation.

Ici la vie est toujours aussi difficile, nous manquons de tout: charbon, pain, viande, tissu. Nous perpétuons les habitudes prises pendant la guerre: petit élevage, potager, troc. C'est ce qui nous permet de subsister.

Comme vous, j'ai suivi les procès de Nuremberg. J'ai été surprise de la relative clémence du verdict: douze condamnations à mort pour vingt-deux accusés. En quoi les dix autres sont-ils moins coupables? J'ai vu dans L'Illustration *que Fritsche et Schacht donnaient des autographes?... on croit rêver!*

François Tavernier part prochainement pour Buenos Aires, vous aurez sûrement l'occasion de le rencontrer.

Merci mille fois, chère Madame, pour votre affectueuse lettre et croyez, à mes sentiments amicaux et respectueux.

Léa.

Sur un point, Léa suivit les conseils de François; elle s'abrutit de travail. On la vit cueillir le raisin au milieu des prisonniers allemands et des ouvriers agricoles, porter de lourds paniers, aider Ruth à la cuisine, Alain Lebrun dans ses comptes, faire réciter ses leçons à Charles, parcourir la campagne avec sa vieille bicyclette bleue à la recherche de provisions et de champignons des bois. Elle fumait et buvait beaucoup: plus de tante Estelle pour lui en faire tendrement reproche. Sa mine taciturne n'encourageait personne à lui parler ouvertement.

Un soir qu'elle était plus sombre que d'habitude, Jean Lefèvre, venu dîner, lui dit:

– Tu devrais sortir davantage. Pourquoi ne viens-tu pas avec moi à Bordeaux, nous pourrions aller au théâtre, au cinéma?

– Je n'en ai pas envie.

– Que t'arrive-t-il? Je ne te reconnais plus. Je comprends que la mort de Laure et celle de mademoiselle de Montpleynet t'aient bouleversée, mais tu dois réagir ; la vie continue.

– Elle continue pour ta mère, la vie ?... Laisse-moi tranquille, je suis bien ainsi.

– Non, tu n'es pas bien, il suffit de te regarder, tu as perdu non seulement ta joie de vivre, mais toute vitalité, tu te tues au travail comme une bête de somme, tu ne lis plus, tu n'es même plus coquette, tu n'es plus celle que nous aimions... Oh, pardon !... Je ne voulais pas te faire de la peine.

Jean aurait fait n'importe quoi pour arrêter ses larmes de couler ; elle pleurait sans sanglot, la bouche ouverte comme si elle manquait d'air.

– Ce n'est pas vrai, nous t'aimons tous, je t'aime, c'est ce qui me rend maladroit. Léa, je t'en prie, ne pleure plus...

Malhabile, il la serra contre lui ; l'humidité de sa joue, le parfum de ses cheveux le troublèrent. Il la revit nue dans ses bras à la ferme Canelos, se souvint de son corps qui s'offrait, que lui et son frère avaient aimé toute une nuit. Il tenta de chasser ces images... impossible, elles étaient en lui incrustées à jamais. Il embrassa ses cheveux, ses yeux, son cou, sa bouche... ses mains glissèrent le long de son dos, de ses hanches, relevèrent la jupe... Léa ne pleurait plus, attentive. Ils étaient dans le bureau de son père, elle s'écarta de lui et alla fermer la porte à clef. Fébrilement, Léa déboutonna son chemisier, fit glisser sa jupe et sa culotte et apparut, mince et bronzée. Avec un gémissement, Jean la souleva et la porta sur le divan. Comme lors de cette nuit mémorable, elle l'aida à se dévêtir ; il se laissait faire, pataud.

– Tu ne m'en veux pas ?

– Mais non, fit-elle, en allumant une cigarette, c'était très bien.

– Je suis heureux, si tu savais comme je suis heureux.

– Tant mieux.

– Quand allons-nous nous marier ?

Ça le reprenait, elle n'avait pas pensé à cela. Pour lui, ce qui venait de se passer équivalait à une acceptation de mariage. Comment lui faire comprendre qu'il n'en était rien et que seule une trop grande solitude l'avait jetée dans ses bras ? Le lui dire, c'était le blesser à jamais. Comment sortir de cette équivoque sans dégâts ?

– Je te l'ai déjà dit, je n'ai pas envie de me marier.

– Mais toutes les femmes ont envie de se marier !

– Peut-être, mais pas moi.

– Comment, après ce qui s'est passé entre nous…

– Eh bien quoi, il s'est passé quelque chose de très naturel entre une femme et un homme, pas de quoi en faire tout un plat !

Jean baissa la tête, rougissant.

– Allez, regarde-moi, n'importe quelle femme serait heureuse de t'épouser. Tu rencontreras bientôt une gentille fille…

– Tais-toi ! c'est toi que j'aime et personne d'autre. Je t'aime depuis mon enfance, depuis mon enfance je rêve de t'épouser…

– Ce sont des rêves d'enfant. Raoul aussi, quand il avait dix ans, rêvait de m'épouser.

– Si tu avais choisi Raoul, je l'aurais accepté, j'aurais été très malheureux, mais je l'aurais accepté ; avec lui tu aurais été heureuse.

– Sans doute, mais lui non plus je ne l'aimais pas… Voilà, c'est dit, je ne t'aime pas… je t'aime bien, je t'aime comme un frère, énormément, mais pas au point de t'épouser.

– Tu aimes toujours ce Tavernier ?

– Ce Tavernier comme tu dis, oui, je l'aime…

– Tu continues à l'aimer malgré son mariage ?

– Cela me regarde. Si tu veux que nous restions amis, ne me parle plus de lui… Laisse-moi, il est tard, je voudrais dormir.

198

La mort dans l'âme, Jean Lefèvre s'en alla.

La vie continua, plus triste et monotone qu'avant. Un jour que tout lui semblait plus lourd que d'habitude, Léa envoya un télégramme à Victoria Ocampo. Celle-ci répondit simplement : « Venez. » Elle chargea une agence de voyages de Bordeaux de lui trouver une place à bord d'un bateau en partance pour l'Argentine. Ce fut difficile, les paquebots français étaient pleins ; restaient les lignes étrangères. On lui trouva une place de première sur le *Cabo de Buena Esperanza* partant de Gênes le 11 novembre. Juste le temps pour les formalités nécessaires. Maintenant, il fallait annoncer à Charles et à Françoise qu'elle partait.

– Si tu trouves que c'est ce que tu as de mieux à faire… dit simplement Françoise.

Avec Charles, ce ne fut pas aussi facile. Le petit garçon pleura, exprima avec ses pauvres mots son chagrin. La promesse d'un costume de gaucho et d'un retour rapide calmèrent un peu sa peine.

La veille de son départ pour Paris, elle alla se recueillir sur la tombe de ses parents et de Laure puis sur celle d'Estelle. Elle abandonnait là non seulement son enfance, mais sa jeunesse. À vingt-quatre ans, elle se sentait vieille, pensait ne plus croire en rien. Accablée de solitude, elle restait assise sur la pierre tombale, les mains abandonnées. Depuis un moment, le père Henri l'observait.

– J'étais venu vous dire adieu, votre sœur m'a dit que vous étiez ici.

– Merci, mon père. Je laisse là tout ce que j'aime.

– Non, ils sont en vous à jamais, comme l'éternel Amour. « Là où vous allez, n'oubliez pas les choses simples, soyez ouverte aux autres, laissez tout égoïsme, c'est en aimant que vous serez aimée. N'ayez pas peur de vivre les yeux ouverts en ne vous cachant rien, ni les horreurs du mal, ni les émerveillements du beau, n'ayez pas peur que vos pas et vos jours n'aillent vers rien ni personne. L'absurde absolu pour un être humain, c'est de se retrouver vivant sans raison de vivre… »

– Sans raison de vivre ? C'est mon cas.

– Vous n'avez pas le droit de dire cela, pensez à tous les malheureux. « Quand on a plus ou moins tout perdu (ou bien tout donné), ou que l'on se trouve profondément handicapé, on n'a devant soi que deux manières d'être : ou bien l'on devient replié sur soi, fermé aux autres et à tout, et comme anéanti, vite aigri et désespéré, ou bien, à l'inverse, se réalise à la dimension même du dépouillement où l'on se trouve, une ouverture, et comme une perméabilité, une compréhension intuitive et passionnée de toute désolation des autres. Cela, certes, ne va pas sans bataille avec soi-même. Chacun garde son tempérament, ses travers, ses déficiences… Il suffit de ne pas se dérober. Jamais personne n'y parvient réellement tout seul. Cette ouverture résulte toujours de rencontres. Tantôt c'est la rencontre de plusieurs qui se comprennent d'emblée sur l'essentiel, qui se portent les uns les autres et qui ont une volonté commune de servir. Tantôt, c'est la rencontre d'abord invisible, surgie au plus intime de soi, avec un absolu. À sa manière, il se fait entendre et entraîne comme un ami disant "veux-tu ?" et auquel on répond "oui". Les uns lui donnent un nom : l'Éternel qui est Amour. D'autres ne le nomment d'aucune façon. Mais ils l'aiment, eux aussi, et consentent. »

– À quoi consentent-ils ?

– « À l'amour. L'amour ? C'est-à-dire cette passion violente, la passion de la communion qui, tout entière, exige le service, avant soi, de quiconque souffre plus que soi. Quiconque veut vivre à pleine vie doit, tôt ou tard, quelle que soit l'aisance de sa condition, passer un jour par ce chemin. Cette sorte d'enrichissement, de plénitude, que seules rompent de façon vivante toutes les limites humaines de nombre, de temps, d'espace et d'illusion, ne peut être atteinte qu'en passant par un dénuement. Le monde ne reste respirable que parce que chaque jour, ici ou là, de partout, des humains à travers leurs chagrins s'ouvrent ainsi, refusent l'étouffement. Ils rendent ouverte et lumineuse une route où la foule peut cheminer, trébuchante, mais réussissant à ne pas perdre cœur. Peu d'êtres sont plus malfaisants que ceux qui, n'ayant pas ou peu souffert, ne savent pas ce que c'est que souffrir, souffir sans échappatoire possible. Sont-ils pour autant innocents de cette ignorance ? Sûrement non. Parce qu'il est donné aux humains deux voies pour entrer dans cette connaissance : souffrir en soi-même de quelque manière ou bien aimer. Et qui donc pourrait être absous d'avoir vécu sans aimer ? »

– Souffrir en soi-même !... Que faites-vous de ces millions d'hommes, de femmes, et d'enfants qui ont souffert en eux-mêmes ? Ils n'étaient ni ignorants, ni malfaisants et qu'est-il advenu d'eux ?

– Je pourrais vous répondre qu'ils dorment dans la paix du Seigneur, ce que je crois profondément, mais vous refuseriez de m'entendre car votre cœur est plein de haine et de ressentiment. Et cependant, il y a chez vous une grande disponibilité à l'amour. Un jour viendra où vous retrouverez votre confiance en l'homme, en l'humanité... Ne souriez pas, je connais vos qualités de cœur et votre générosité. Sous des dehors futiles, vous êtes sensible aux autres, vous ressentez l'accablement que ressentent les autres. « Il est difficile de rendre croyable que l'Éternel est Amour quand même. Oui, comment expliquer qu'il soit possible d'être "croyant quand même" alors que les moyens d'information nous font voir l'horreur du monde, en même temps que ses splendeurs ? Comment est-ce possible d'être "croyant quand même" ? C'est devenu possible pour moi le jour où j'ai compris à quel point nous nous sommes trompés sur l'Éternel. Nous l'avons caricaturé à notre image humaine. Parce que quand l'homme est puissant, il est dominateur, alors on nous fait penser que l'Éternel, puisqu'il est Tout-Puissant, est dominateur... »

– Je croyais que Dieu nous avait créés à son image ?...

– « C'est dans l'amour que nous ressemblons à Dieu. Dieu nous a créés libres pour être capables d'aimer, cette liberté est la vraie grandeur de l'homme. Dieu, parce qu'il est Amour, est le "Tout-Puissant-captif". Si Dieu était dominateur, il serait à condamner. C'est Camus qui dit : "Jamais je ne pourrai accepter de donner ma foi à un Éternel créateur d'un monde dans lequel pleurent, souffrent tant, les petits enfants innocents." Il faut venger Dieu de l'insulte qui lui a été faite en le présentant comme Tout-Puissant-dominateur. Il faut le venger en le montrant "Tout-Puissant-captif-par-amour". Il faut autant venger l'homme, car on a trompé l'homme horriblement. »

– Venger l'homme ? Là, je vous comprends, mais comment ?

– « En aimant. Venger l'homme, venger Dieu en aimant. »

Dans la lumière déclinante du soir, le visage du moine irradiait de bonté et d'amour. De cet amour pour son Dieu, pour les hommes, qu'il essayait de transmettre à Léa. Léa n'était pas insensible à son discours passionné qui, par moments, lui rappelait ceux que tenait son oncle Adrien. Mais où tout cela l'avait-il mené, son oncle Adrien avec sa foi en Dieu, en l'homme ?... En enfer, si l'enfer existait...

– Je réfléchirai à vos paroles, mon père, j'essaierai de me souvenir que la vengeance passe par l'amour.

« Se venger en aimant, pensa-t-elle, il faudra que j'en parle à Sarah. »

Ils rentrèrent en silence sur Montillac en passant par le calvaire dominant la campagne tandis que le soleil disparaissait dans un ultime rayonnement.

19

Allongée sur un transat du *Cabo de Buena Esperanza*, recouverte d'un plaid, Léa se remémorait ses derniers jours passés en France : le dîner à Montillac la veille de son départ avec la famille, Jean Lefèvre, sa mère et le père Henri. D'un accord tacite, on avait parlé de choses sans importance. Léa s'était montrée gaie et affectueuse envers tous. Sur le point de les quitter, elle mesurait combien elle les aimait et combien ils allaient lui manquer. Quand tous furent partis ou couchés, elle avait fait le tour de la vieille maison, était descendue sur la terrasse pour un ultime adieu. À chaque moment important de sa vie, à chaque départ comme à chaque retour, c'était sur cette terrasse, face au paysage paisible de vignes, de bois et de prés qu'elle puisait force et détermination. Une nouvelle fois, elle avait une impression de déchirement, de départ sans retour. Vers où allait-elle ? Elle n'en savait rien, elle pressentait seulement de nouvelles souffrances.

De son bref séjour à Paris, elle gardait un souvenir désordonné. La présence quotidienne de Franck, qui ne se remettait pas de la mort de Laure, leurs sorties, les films qu'ils avaient vus, les boutiques qu'ils avaient faites avec l'argent de François, tout cela était confus comme son voyage jusqu'à Gênes pour prendre le bateau en compagnie de Daniel Zederman et d'Amos Dayan. Sur le navire, ils s'étaient séparés, les deux jeunes gens voyageant en deuxième classe, ce dont Léa avait été soulagée tant elle avait envie d'être seule. L'escale de Barcelone lui avait permis d'admirer les jardins de Gaudi, de se promener dans les ruelles de la ville et d'écouter des flamencos dans une boîte du port avec Daniel. À Lisbonne, elle était restée à bord, fiévreuse et migraineuse. Invitée, un soir, à la table du capitaine, elle avait fait la connaissance d'un Hollandais d'Amsterdam d'une trentaine d'année, bel homme malgré une certaine froideur, voyageant pour ses affaires, Rik Vanderveen. Il parlait un français remarquable avec une pointe d'accent, se disait collectionneur d'art, grand amateur de peinture surréaliste, entretenant une correspondance suivie avec André Breton, Marcel Duchamp et Salvador Dali qu'il avait rencontrés chez Lise Deharme, femme ravissante et cultivée qui tenait salon près des Invalides. Ces conversations sur l'art et la littérature lui rappelaient celles du cher Raphaël Mahl. D'abord, ils s'étaient rejoints tous les soirs au bar à l'heure de l'apéritif pour prendre un verre, puis après le dîner, pour finir par se retrouver côte à côte à la même table avec pour compagnons deux messieurs frôlant la cinquantaine qui ne parlaient qu'anglais avec un détestable accent.

Un jour qu'elle était arrivée en retard pour déjeuner et qu'ils ne l'avaient pas vue arriver, elle les avait surpris tous les trois parlant allemand à voix basse : cela lui avait causé un bref malaise. Très vite le séduisant Hollandais était devenu le chevalier servant de Léa. Il lui faisait une cour discrète à laquelle elle n'était pas insensible. Une chose l'agaçait cependant, c'était sa curiosité à son égard: d'où venait-elle ? Que faisaient ses parents ? Avait-elle des frères et sœurs ? Était-elle fiancée ? Qu'allait-elle faire en Argentine ? Chez qui descendait-elle ? Combien de temps comptait-elle rester en Amérique du Sud ? Avait-elle des amis à Buenos Aires ? Par jeu, plus que par méfiance, Léa s'était inventée une famille, une vie de jeune fille insouciante et sans problèmes. La seule chose sur laquelle elle dit la vérité, c'était l'invitation de Victoria Ocampo, mais sans entrer dans le détail.

Rik Vanderveen était un bon danseur, un peu raide, peut-être, rien à voir avec la souplesse d'un François Tavernier, mais agréable quand même, surtout pour le tango. Chaque nuit, Léa dansait jusqu'à deux ou trois heures du matin. Sa jeunesse et sa beauté égayaient ces soirées un peu guindées ; elle dansait volontiers avec qui l'invitait, surtout avec Vanderveen. Une nuit qu'il la raccompagnait jusqu'à la porte de sa cabine, il l'avait attirée à lui et embrassée ; Léa s'était laissé faire sans déplaisir puis, coquette, l'avait planté là. Entrée dans sa cabine, elle avait allumé et poussé un cri.

– Léa, que vous arrive-t-il ? avait crié Vanderveen à travers la porte.

Un doigt sur les lèvres, Amos lui avait fait signe de répondre.

– Rien, je me suis cognée au bureau. Bonsoir, à demain.

– Vous êtes sûre que tout va bien ?

– Tout à fait sûre, merci. Bonne nuit.

– Bonne nuit.

Toujours un doigt sur les lèvres, Amos l'avait entraînée loin de la porte.

– Que faites-vous ici ? dit-elle à voix basse.

– Je vous attendais. Il y a longtemps que vous connaissez cet homme ?

– Qui ?

– Rik Vanderveen.

– Depuis que je suis sur le bateau. Nous avons sympathisé.

– N'avez-vous rien remarqué le concernant?

– Non. Qu'aurais-je dû remarquer?

– Quelles sont vos relations avec les autres personnes de la table?

– Avec monsieur Barthelemy et monsieur Jones?... des relations de table seulement. Ils se saluent mais parlent peu ensemble... Ah si! une fois... ils parlaient allemand tous les trois.

– Que disaient-ils?

– Je n'ai pas très bien compris, ils parlaient à voix basse et se sont tus à mon arrivée... J'ai cru entendre les mots « sous-marin » et « Cordoba »... Vous ne pensez pas que ce sont des nazis en fuite?

– Je n'en sais rien. Nous essayons d'obtenir des renseignements par radio. En attendant, soyez prudente et essayez d'en savoir plus sur eux.

L'air frais fit frissonner Léa; elle plia son plaid et rentra dans sa cabine. Un bouquet de roses rouges trônait sur la coiffeuse. Une carte accompagnait les fleurs: « Je vous attends ce soir au bar, Rik » Et si c'était un nazi? pensat-elle. Cela lui paraissait difficile à croire. Ne lui avait-il pas dit son horreur de la guerre et des atrocités commises par les Allemands? Qu'il parle la langue des vaincus ne devait pas l'étonner, beaucoup de Hollandais la parlaient. Amos et Daniel se trompaient, ils voyaient des nazis partout. Cependant l'inquiétude demeurait, elle se promit d'être encore plus prudente et de le questionner.

Elle revêtit pour le dîner une longue robe de crêpe d'un blanc ivoire au corsage drapé et releva ses cheveux en boucles sur le sommet de sa tête. Elle sourit, satisfaite, à son reflet dans le miroir.

Le bar était très animé. Jocelito, le pianiste, jouait une valse lente et Ricardo, le barman, spécialiste de délicieux cocktails, secouait son shaker avec énergie. Il sourit en voyant Léa entrer.

– *Buenas tardes, señora.*

– Bonsoir, Ricardo.

– J'ai préparé un cocktail en votre honnour, mademoiselle, en honnour de la France, voulez-vous y goûter ?

– Avec plaisir, comment s'appelle-t-il ?

– « Deuxième DB », mademoiselle.

Le fantôme de Laurent d'Argilat sur son char passa. Léa prit le verre que lui tendait le barman et but au souvenir du jeune homme disparu.

– C'est bon, mais très fort.

– Faites attention aux mélanges de Ricardo, ils sont redoutables, dit Rik Vanderveen en s'approchant du bar.

– Merci pour les roses, Rik, elles sont magnifiques.

– Venez vous asseoir. Que voulez-vous boire ?

– Je vais reprendre un « deuxième DB ».

– Vous avez connu quelqu'un dans cette division ?

– Oui, un ami très cher qui a été tué en Allemagne.

Vanderveen poussa un soupir.

– Nous avons perdu beaucoup d'amis dans cette guerre.

– Où étiez-vous, Rik ?

– J'ai été fait prisonnier en 40. J'ai passé ces quatre années dans un camp d'officiers.

– C'était dur ?

– Assez ; mais rien en comparaison de ce qu'enduraient les juifs dans les camps de concentration.

– Vous avez des amis juifs ?

– Quelques-uns. Et vous ?

– J'en avais un, il est mort ; et une autre, qui a été déportée.

– Elle est revenue ?

– Je ne sais pas, mentit Léa.

Pendant un moment, ils burent en silence.

– Vous connaissez monsieur Barthelemy et monsieur Jones ?

– Pas plus que vous. Je sais qu'ils se rendent en

Argentine pour l'exportation de viande et qu'ils sont Irlandais. Pourquoi cette question?

– Pour rien. Allons dîner, j'ai faim.

Après le repas, Léa prétexta une migraine et se retira dans sa cabine, où elle trouva un message laconique de Daniel: «Soyez demain dimanche à la chapelle pour la messe.» Songeuse, elle se coucha mais, ne pouvant dormir, se releva, enfila un pantalon et un pull-over et alla sur le pont. De la musique lui parvenait du salon où l'on dansait. Accoudée à l'arrière du bateau, cheveux au vent, elle regardait le sillage du navire éclairé par la lune. Le ciel était superbe d'étoiles. François regardait-il le même ciel, pensait-il à elle ou bien l'avait-il déjà oubliée?... Elle n'avait pas annoncé sa venue. S'il n'avait pas revu Victoria Ocampo, il risquait d'être surpris, furieux peut-être. Par contre, elle était sûre que Sarah serait heureuse de la revoir. «Qui sait si je ne pourrai pas leur être utile», pensait-elle. Un bruit de voix l'arracha à ses pensées, il lui sembla connaître l'une d'entre elles. Sans réfléchir, elle se dissimula derrière un rouleau de cordages. Des bribes de phrases en allemand lui parvenaient: «Aider les camarades... autorités alliées... internationale sioniste... heureusement que Perón... dans une *estancia* en Patagonie... notre trésor de guerre... nous serons les plus forts... Attention... on vient... Ah ça c'est vous... non, nous ne savons rien... nous verrons à Buenos Aires... Séparons-nous, il vaut mieux qu'on ne nous voit pas ensemble...»

Très vite, les causeurs s'éloignèrent. Léa sortit de sa cachette: elle avait reconnu la voix de monsieur Barthelemy. Amos et Daniel avaient donc raison!... Dès demain, elle les avertirait. Après avoir jeté un coup d'œil alentour, elle rejoignit rapidement sa cabine.

Quand Léa arriva, la petite chapelle du bateau était pleine. Les fidèles, ceux qui n'avaient pas trouvé de place sur les chaises pliantes, assistaient à l'office debout. Près de la porte se tenaient ses deux amis, l'air emprunté. Elle se faufila jusqu'à eux. Daniel glissa dans sa main un papier ; à son tour, elle lui en remit un dans lequel elle faisait part de ce qu'elle avait entendu la nuit dernière.

Après l'office, les passagers des secondes regagnèrent leur pont. Rik s'approcha de Léa.

– Avez-vous bien dormi ? Comment va votre migraine ?

– Tout va très bien, ce matin, il fait un temps magnifique. Demain nous faisons escale à Rio. Connaissez-vous le Brésil ?

– J'y suis venu avant la guerre. C'est un beau pays, mais il y a trop de Nègres. Me ferez-vous le plaisir de m'accompagner à terre ?

– Peut-être.

– Comment, peut-être, ne suis-je pas votre chaperon ? Vous ne connaissez personne à bord pour vous accompagner et c'est dangereux pour une femme seule de se promener dans les rues.

– Que voulez-vous qu'il m'arrive ?

– Pour le moins, d'être importunée. L'homme sud-américain est beaucoup plus entreprenant que l'Européen. Alors, c'est d'accord, je vous emmène ?

– On verra, demain est un autre jour. Vous m'excuserez, je vais chez le coiffeur.

– Alors, à tout à l'heure.

« Soyez chez vous à deux heures du matin, j'ai des choses importantes à vous communiquer. Redoublez de prudence. » C'était signé Daniel. « On se croirait en plein roman d'espionnage », pensa Léa qui déchira le message en petits morceaux tout en surveillant le coiffeur dans un miroir. Elle était l'unique cliente du salon. Machinalement, elle feuilleta des magazines français, espagnols et américains. Un grand reportage sur de

Gaulle retint son attention. On parlait de sa carrière militaire, mais rien sur ce qu'il était devenu depuis ce mois de janvier où il avait « décidé de se retirer ». Elle se souvint de sa déception, de sa tristesse. Quoi, même lui, le grand homme quittait le navire et pourquoi ? « L'honneur, le bon sens, l'intérêt de la patrie m'interdisaient de me prêter plus longtemps à une manœuvre qui aurait finalement pour but de laisser l'Etat plus méprisé, le gouvernement plus impuissant, le pays plus divisé et le peuple plus pauvre. Je me suis donc démis de mes fonctions que l'on semblait ne m'avoir confiées que pour m'empêcher de les exercer. » Depuis son départ, la France s'enlisait dans des querelles de partis ; le bel idéal de la Résistance n'avait pas survécu longtemps à la fin de la guerre. Dans un mois, ce serait Noël, un Noël au soleil. Retrouverait-elle jamais la joie des Noël d'antan ? Un regret enfantin l'envahit. Elle s'agita sous le séchoir. Le coiffeur, un bellâtre gominé qui ne parlait pas un mot de français, vint la délivrer.

Pour la première fois, Léa s'ennuyait à bord. Elle craignait de retrouver Rik Vanderveen pour le dîner et plus encore le rendez-vous tardif de Daniel.

Contre toute attente, le dîner fut gai. Invitée avec Rik à la table du commandant, elle fit la connaissance d'une jeune Argentine qui travaillait à la radio de Buenos Aires. Dans un français approximatif, la ravissante Carmen Ortega raconta avec humour ses démêlés avec la femme du président argentin, Eva Duarte. Pendant quelque temps, elles avaient partagé un appartement de la *calle* Posadas, jolie rue ombragée, mais s'étaient séparées après maintes querelles à propos de leurs amants. Eva était *resentida*[1], elle l'avait prouvé à maintes reprises. Coquette, envieuse, elle voyait en toute femme une rivale. Elle jouait volontiers la petite fille pour atten-

1. Rancunière.

drir son entourage. Carmen raconta la rencontre entre Eva et Perón à Luna-Park et comment elle avait évincé la belle actrice Libertad Lamarque. Mince, brune au corps parfait, Carmen Ortega avait un don inné de mime. À la fin du repas, les deux jeunes femmes étaient amies.

Il était près de deux heures du matin quand Léa regagna sa cabine. Elle venait à peine d'arriver que l'on frappa à sa porte.

– C'est Daniel, ouvrez.

Précipitamment, le jeune homme entra.

– Amos et moi avions raison, Barthelemy et Jones sont des nazis en fuite et des pires; l'un était médecin au camp de Buchenwald, l'autre adjoint du commandant du camp de Dachau. Ils se nomment Adolf Reichman et Maurice Duval.

– C'est un nom français.

– Oui, la famille était originaire de France. L'ancêtre est arrivé en Autriche au XVIIe siècle.

– Et Rik Vanderveen ?

– Nous n'avons rien trouvé sur lui, il semble bien être hollandais, ses papiers sont en règle. Nous en saurons plus à Buenos Aires. De votre côté, vous n'avez rien appris de nouveau ?

– Non. Demain, je vais à terre avec lui. Je vais l'observer attentivement.

– Redoublez de prudence, Barthelemy et Jones se méfient. Ils ont fait prendre des renseignements sur vous.

– Et vous, vous n'avez pas été repérés ?

– D'une certaine manière, si, mais c'est ce que nous voulions. Deux passagers de seconde croient que nous sommes allemands et que nous fuyons l'Europe. Bien sûr, nous faisons tout pour qu'ils croient le contraire tout en commettant quelques petites imprudences. Ils sont en rapport avec vos deux voisins de table. À l'arrivée, il faudra absolument éviter que l'on nous voit ensemble, ce serait dangereux pour vous et pour nous. Pour l'instant, par chance, personne n'a remarqué que nous nous connaissions et notre escapade à Lisbonne est passée inaperçue. Je ne pense pas que nous nous revoyions avant l'arrivée sauf en cas d'extrême urgence. Nous savons où vous joindre, attendez de nos nouvelles.

Ce fut sans plaisir que Rik Vanderveen servit de «chaperon» aux nouvelles amies qui découvraient avec émerveillement les immenses plages de Rio, ses rues animées, ses boutiques de luxe. Pour Léa, ce luxe, cette profusion après la disette de l'Europe paraissaient sortir d'un rêve. Elle remarqua à peine la misère des *favelas* entrevues au cours d'une promenade en taxi tant les Brésiliens étaient gais et souriants. Elles remontèrent à bord les bras chargés d'emplettes.

Pendant tout le reste du voyage, elles ne se quittèrent pas, au grand agacement de Vanderveen, et se promirent de se revoir à Buenos Aires.

Le bateau accosta à 7 heures du matin le lundi 16 décembre. Le temps était nuageux et frais. Une voiture attendait Léa. Le chauffeur, qui venait de la part de Victoria Ocampo, lui dit que celle-ci avait dû se rendre à Mar del Plata pour quelques jours et qu'elle la priait de l'en excuser. Elle lui avait réservé une chambre au «Plaza *hotel*» dont le directeur était de ses amis. Dès son retour, elle viendrait chercher son hôte et la conduirait à San Isidro. En attendant, le directeur se tenait à sa disposition pour la piloter dans la ville.

– Quelle chance tu as de descendre au « Plaza *hotel* », c'est un endroit que j'adore. Veux-tu que nous nous retrouvions au bar ce soir à 9 heures ? Ensuite, nous pourrions dîner ensemble.

– Avec plaisir, à ce soir.

Au «Plaza», le directeur l'attendait et la conduisit lui-même à sa chambre.

– N'hésitez pas à me déranger si vous avez besoin de quelque chose. Je vous envoie la femme de chambre. Me ferez-vous l'honneur de déjeuner avec moi ?

– Bien volontiers.

– Alors, à tout à l'heure, je vous attendrai au grill.

20

– On m'avait prévenu, mais je ne voulais pas le croire. Que fais-tu ici ?

– Tu le vois, je suis en vacances.

Léa réfréna l'élan qui la poussait vers lui. Surtout, ne pas lui montrer sa joie de le revoir, qu'il ne devine pas l'envie qu'elle avait de lui.

Bon Dieu, qu'elle était belle, encore plus désirable si c'était possible ! François avait beau essayer de montrer sa colère, il était heureux, très heureux qu'elle soit là malgré tous les problèmes qui allaient fatalement en découler.

– Victoria Ocampo m'avait bien dit qu'elle t'avait invitée et que tu avais accepté, mais je ne pensais pas que tu viendrais.

– Tu t'es trompé, je suis là.

– Tu comptes rester longtemps ?

– Je ne sais pas. Oh ! François… c'était si dur là-bas, si triste !… J'avais l'impression de m'enfoncer dans un ennui sans fin… Sans cesse, je pensais à Laure… à cette mort absurde… que c'est moi qui aurais dû être à sa place… Et puis, cette morosité, ce désenchantement en France… C'est pire que pendant la guerre, chacun ne pense qu'à soi, à son porte-monnaie, à son garde-manger. Le marché noir n'a jamais été aussi florissant, le trafic des tickets d'alimentation aussi important… La présence des Américains est presque aussi pesante que celle des Allemands ; nous avons troqué des troupes d'occupation contre d'autres… On a l'impression que cela est sans issue… Ici, tout à l'air plus facile, les femmes sont élégantes, les hommes bien habillés, les marchés regorgent de victuailles, les magasins de marchandises. Il y a même du vrai chocolat en abondance. Les Argentins ne semblent penser qu'à s'amuser et à courtiser les femmes.

– C'est une spécialité du pays. Le mâle argentin, quel que soit l'endroit, s'arrange toujours pour faire du coude ou du genou à une femme, quand ce n'est pas davantage.

– Je croyais que tous les hommes étaient comme ça.

– Avec toi, sans doute, dit-il en la prenant dans ses bras.

– Laisse-moi !

– Pas question, il y a des semaines que je pense à toi et que je n'ai pas…

– Que tu n'as pas quoi ? dit-elle en se débattant.

– Tu sais très bien ce que je veux dire. Mais peut-être n'en est-il pas de même pour toi. Je me suis laissé dire que sur le bateau tu ne t'étais guère ennuyée, qu'on te faisait la cour et que ça n'avait pas l'air de te déplaire.

– Oui, et alors ?… Je suis libre, moi.

– Non ! Tu es à moi.

Avec quelle certitude il avait dit cela ! Il la bascula sur le lit. Mais Léa, malgré son désir, était bien décidée à ne pas céder. C'était trop facile : il suffisait qu'il apparût et hop ! elle se retrouvait dans ses bras, amoureuse et ronronnante. Il fallait que cela change !

Contre toute attente, il la laissa, se releva et alluma une cigarette.

– Je suis invité à la réception donnée pour le mariage de la fille du chef de la police, le général Velazco. Il y aura toute la société péroniste, ce peut être amusant pour toi.

– Sarah sera là ?

– Évidemment, elle est presque intime d'Eva Perón. C'est très utile pour nous. As-tu une robe élégante ? Il faut que tu sois la plus belle.

– Je crois que ça ira. C'est à quelle heure ?

– À vingt heures.

Il était vingt et une heure passée quand François Tavernier, Sarah et Léa arrivèrent à la réception. La mariée, en robe à volants à traîne, le corsage égayé par une lavallière bleu foncé, recevait les compliments des invités en compagnie de son mari, Léo Max Lichtschein, et de son père en uniforme. Assise, entourée d'une cour de jeunes hommes, Eva Perón, rutilante de bijoux, un adorable chapeau perché sur un chignon compliqué, parlait d'un ton animé. Elle fit signe de la main à Sarah.

– Chère madame Tavernier, que je suis heureuse de vous voir. Bonjour, monsieur Tavernier, comment allez-vous ? dit-elle en espagnol.

– Très bien, comme à chaque fois que je vous vois, dit-il en s'inclinant et en baisant la main tendue.

Eva Perón eut un sourire satisfait au plat compliment. Puis elle regarda Léa d'un air interrogateur, le regard froid.

– Qui est cette jeune fille ?

– Une amie qui arrive de France, mademoiselle Léa Delmas...

Eva salua de la tête, Léa fit de même. Visiblement le courant ne passait pas entre les deux jeunes femmes. Sarah vint à la rescousse.

– Léa est une grande amie, que vous impressionnez. De plus, elle ne parle pas votre langue.

Elle fit un geste qui signifiait que cela n'avait pas d'importance et reprit sa conversation avec les jeunes hommes.

Sarah prit le bras de Léa et l'entraîna à travers le salon,

216

saluant, serrant des mains, riant, minaudant jusqu'à la terrasse où se tenaient seulement trois ou quatre personnes.

Au loin, sur le Río de la Plata, des navires passaient.

– Tu es comme un poisson dans l'eau parmi ces gens-là, tu connais beaucoup de monde, il y a longtemps que je ne t'ai vue aussi gaie, aussi à l'aise.

– Je les hais. Je joue cette comédie pour mieux pénétrer les milieux péronistes et découvrir ceux qui aident les nazis.

– Tu as déjà des indices ?

– Oui, le chef de la police, Juan Filomeno Velazco est en relation avec certains d'entre eux.

– Tu en es sûre ?

– Aussi sûre que le docteur Rodriguez Arasja qui se répand partout en accusations sur Velazco quant à ses relations amicales avec des membres de réseaux nazis. Tu sais que Daniel et Amos en ont identifié deux à bord du *Cabo de Buena Esperanza* ?

– Oui.

– Ils ont été reçus longuement à l'hôtel de police avant de partir pour Cordoba. Ton ami hollandais est également parti pour Cordoba. Il n'a pas cherché à te revoir ?

– Non, il m'a fait porter des fleurs avec une carte disant : « À bientôt. » Tu as des renseignements sur lui ?

– Toujours rien. Mais Daniel et Amos, qui sont aussi à Cordoba, le surveillent…

– Mais ils vont se faire repérer, comme moi, ils ne parlent pas un mot d'espagnol !

– Dans leur cas, c'est préférable. N'oublie pas qu'ils se font passer pour Allemands et qu'ils sont censés ne parler que cette langue.

– Mais comment se débrouillent-ils ?

– Tu sais, à Cordoba, c'est sans problème. C'est presque ouvertement que les nazis sont installés là-bas. Sur place nous avons des amis argentins qui les ont pris discrètement en charge. Pour le moment, ils sont hébergés dans un hôtel appartenant à des Allemands, tenu par des Allemands, du concierge à la femme de chambre en passant par les garçons d'étage, avec un cuisinier allemand qui fait de la cuisine allemande, le tout dans une ambiance tyrolienne.

– Le gouvernement argentin tolère cela ?

– La presse péroniste est progermanique. N'oublie pas que l'Argentine n'est entrée en guerre contre l'Allemagne qu'un mois avant la capitulation de celle-ci. Samuel et Uri sont à Buenos Aires. Grâce à des communistes argentins, ils sont sur la piste d'un réseau qui organise des évasions de nazis à partir de l'Espagne. Nous allons passer à l'action très prochainement. Que comptes-tu faire en Argentine ? Je ne sais toujours pas pourquoi tu es venue.

– Je ne le sais pas très bien… pour venger Laure peut-être. As-tu retrouvé la trace de ces deux femmes ?

Le visage de Sarah se contracta.

– Pas encore, mais cela ne saurait tarder.

Les boucles de ses courts cheveux noirs auréolaient le visage légèrement maquillé de Sarah et la faisaient paraître plus jeune. Elle était très élégante dans sa robe de soie rouge à pois blancs.

– Léa, quel plaisir de vous retrouver ici !

Les deux amies se retournèrent.

– Rik ! je…

– Vous avez l'air d'être surprise. Vous saviez bien que je vous avais promis de vous revoir. Présentez-moi à madame.

– Sarah, je te présente monsieur Rik Vanderveen. Rik, je vous présente madame Mul… madame Tavernier.

Rik Vanderveen claqua les talons et s'inclina.

– Je suis ravi de vous connaître, madame, des amis m'ont parlé de vous.

– Ah oui ?… Comment ça ?

218

– Comme étant une amie de la belle présidente.

– Les nouvelles vont vite en Argentine. Vous vous plaisez dans ce pays ?

– Beaucoup. Les Argentins sont des gens très hospitaliers. Et vous-même, madame, vous plaisez-vous ici, loin de Paris ?

– On trouve à Buenos Aires tout ce qu'on trouvait à Paris avant la guerre, c'est une ville très francophone, je ne suis pas du tout dépaysée ici.

– Et vous, Léa, vous plaisez-vous au pays du tango ?

– Beaucoup.

– Avez-vous revu cette jeune femme dont vous fîtes connaissance sur le bateau ?

– Tenez... quand on parle du loup... Carmen !...

– *Che*, Léa !... Chérie que je suis contente... Comment se fait-il que tu sois ici ?...

– Je suis venue avec des amis. Tu te souviens de monsieur Vanderveen ?

– Comment oublierais-je notre protecteur des rues de Rio ? Que c'est drôle que vous soyez là. Vous êtes un ami du marié, peut-être ?

– Non, du général Velazco.

Léa et Sarah se lancèrent un bref coup d'œil qui n'échappa pas à Carmen.

– Et vous, de qui êtes-vous l'amie ? De la mariée ?

– Non, de la *señora* Perón.

– Je croyais que vous étiez brouillées ?

– Oh ! non, on ne se fâche pas facilement avec moi. Léa, je fais demain un émission à Radio Belgrano, il y aura le grand chanteur de tango Hugo del Carril. Je t'emmène, ce sera très amusant... Oh, quel bel homme !

– C'est mon mari, fit Sarah.

– Oh pardon !

– Il n'y a pas de mal. Mon chéri, voici une jeune fille qui te trouve très séduisant. Mademoiselle ?...

– Carmen Ortega, répondit-elle en rougissant.

Léa s'écarta, le cœur serré. Que faisait-elle ici, dans ce pays inconnu, avec ces étrangers?... Elle regardait l'homme qu'elle aimait, qu'elle était venue chercher jusque-là sans vouloir se l'avouer en se donnant de fausses raisons, faire le joli cœur avec cette petite actrice argentine sous le prétexte qu'elle le trouvait «bel homme»!... et Sarah qui jouait les entremetteuses!... Et Rik Vanderveen, pourquoi la regardait-il ainsi?... Pourvu qu'il ne devine rien!... Elle lui sourit, coquette.

– Comme vous sembliez loin, tout à l'heure. On dirait que vous vous ennuyez?

– Un peu. Si nous partions?

– Ce serait incorrect vis-à-vis de vos amis...

– Ça m'est égal, j'ai envie de m'en aller. Vous venez?

François, accaparé par Carmen Ortega, les vit partir la rage au cœur. Ah, la garce! elle le lui paierait.

À la table voisine de celle occupée par Rik Vanderveen et Léa au restaurant «La Cabaña», six hommes parlaient fort en allemand, très naturels, comme s'ils étaient dans une brasserie de Munich. Mal à l'aise, Léa s'agitait sur sa chaise, touchant à peine la somptueuse viande qui était dans son assiette.

– Vous n'aimez pas? demanda Vanderveen.

– Je n'ai pas très faim.

– L'endroit vous déplaît?

– Pas du tout, c'est amusant mais nos voisins sont très bruyants.

– Comprenez-vous ce qu'ils disent?

– Pas du tout. Et vous?

– Un peu, ce sont des Allemands. Il y en a beaucoup ici. Vous n'avez pas remarqué?

– Non, je n'ai pas fait attention. Vous restez longtemps en Argentine?

– Cela dépend de vous.

– Comment cela?

– Il m'est très agréable de vous revoir et j'aimerais que nous fassions plus ample connaissance.

Léa ne répondit pas.

– Vous ne dites rien ? Qu'en pensez-vous ?

Que lui répondre ? Pourquoi avait-elle accepté de dîner avec lui ? C'était idiot : tout ça pour rendre François jaloux.

– Ce serait charmant, dit-elle d'un ton désinvolte. Mais pas avant quelque temps, je suis très prise en ce moment.

– Je suis très patient, chère amie.

Il y avait comme une menace dans sa façon de s'exprimer. Léa vit arriver la fin du repas avec soulagement. Il la raccompagna jusqu'au «Plaza». Dans le hall, Vanderveen la remercia pour l'excellente soirée et ajouta :

– Je quitte Buenos Aires pour quelques jours. Dès mon retour je vous ferai signe. À bientôt. Je vous souhaite une très bonne nuit.

– Bonne nuit.

En lui donnant sa clef, le concierge lui remit un message. Dans l'ascenseur, Léa lut :

«Je passe te prendre demain pour déjeuner. Je t'embrasse, Sarah.»

Assise dans un confortable fauteuil du bar du «Plaza», Sarah buvait un *naranja bilz* en attendant Léa. Elle la vit entrer et lui fit signe de la main. Les deux amies s'embrassèrent.

– Tu as l'air fatigué, dit Sarah. Tu as mal dormi ?

– Oui. Je n'ai pas fermé l'œil de la nuit. Je suis inquiète.

– Pourquoi ?

– Je ne sais pas, j'ai une curieuse impression... l'impression d'être observée, épiée.

– C'est normal, tu dois l'être. Tout étranger fait ici l'objet de contrôles de police. Attends-toi à être interrogée.

– Tu l'as été, toi ?

– Discrètement. Je suis femme de diplomate et ils tiennent à donner une bonne image de leur pays, mais la police est très présente, partout. Tu dois donner le sentiment d'être une jeune femme insouciante, sans aucun problème, occupée uniquement de toilettes, de bijoux, de sorties. Ils ont un tel mépris des femmes qu'ils ne peuvent pas les imaginer autrement, conforte-les dans cette idée, c'est le meilleur moyen pour qu'ils te laissent tranquille. Plus tu seras coquette, futile, mieux cela vaudra.

– Je suivrai ton conseil. Où est François ?

– Il est parti pour Montevideo.

– Pour longtemps ?

– Jusqu'à la fin de la semaine. Il m'a chargée de m'occuper de toi.

– C'est trop aimable à lui.

– Ne le prends pas comme ça. Viens, je t'emmène déjeuner dans un endroit à la mode, l'« Odeon » : on y rencontre des comédiens, des journalistes, des écrivains et des gens moins recommandables. Après, nous irons chez « Harrods » et chez « Gath y Chaves » voir des robes.

À l'« Odeon », Sarah fut accueillie en habituée.

– Voici votre table, madame Tavernier.

– Merci, Mario.

Tout le long du déjeuner Léa admira la comédie jouée par Sarah ; riant fort, parlant haut : la parfaite idiote, pensait Léa qui avait bien du mal à garder son sérieux. Se piquant au jeu, elle lui donna la réplique.

– Tu as remarqué la robe de la *señora* Perón ?... quelle élégance !... et la robe de la mariée ?... un peu trop de volants peut-être... et cette lavallière !... ridicule, non ?... on ne verrait pas ça à Paris... Ton chapeau est charmant... comment trouves-tu le mien ? c'est une création de Gilbert Orcel... chou, n'est-ce pas ?...

– Tu ne crois pas que tu en fais un peu trop ? chuchota Sarah.

– Je ne crois pas, vois comme nous regardent les hommes, l'air ravi et les femmes, l'air pincé ?... Qui salues-tu ?

– Une actrice, Fanny Navarro, et un acteur, Narciso Ibañez Menta.

– Comment fais-tu pour connaître tous ces gens ?... Ne te retourne pas.

– Qu'y a-t-il ?

– Tu m'avais bien dit que Daniel et Amos étaient à Cordoba ?

– Oui.

– Ils viennent de s'installer à une table près de la porte.

– Tu es sûre ?

– Tout ce qu'il y a de plus sûre.

– Surtout, fais semblant de ne pas les voir, nous sommes censés ne pas nous connaître. S'ils sont ici, c'est qu'il y a du nouveau. Que font-ils ?

– Ils regardent la carte... ils font signe au garçon... ils ont l'air de passer leur commande... Daniel se lève... il demande quelque chose à un serveur... il va vers les toilettes.

– Tu crois qu'ils nous ont vues ?

– Je pense... Amos fait un signe de tête dans la direction prise par Daniel...

– Ne bouge pas, j'y vais.

Le temps sembla long à Léa. Daniel revint à sa place. Mais que faisait Sarah ?

– Ah, enfin ! Tu as été bien longue. Que se passe-t-il ? Tu en fais une tête ?

Pâle, les traits tirés, Sarah s'efforça de sourire.

– Ils ont retrouvé leur trace.

– De...

– Oui. Il faut prévenir Samuel et Uri.

– Je peux t'aider ?

– Pas pour le moment. Rentre à l'hôtel, nous ferons les magasins une autre fois.

– J'ai promis à Carmen Ortega d'aller la voir à Radio Belgrano.

– Ne change rien à ton programme. Vas-y, je t'appellerai en fin de journée.

Le public, autour de Léa, applaudissait à tout rompre Hugo de Carril qui venait de chanter *Adios pampa mía*, ainsi que venait de l'annoncer Carmen, vêtue d'une longue robe de satin vert amande ; le présentateur vanta les cigarettes Arizona et Carmen enchaîna sur *El Casino Ruso* puis l'orchestre attaqua une rumba en final. La salle applaudit longuement. Carmen vint chercher Léa.

– *Che*, je t'emmène dans ma loge, je vais me changer. Comment as-tu trouvé ?

– Bien, très bien. J'aime beaucoup la voix d'Hugo del Carril.

– Après-demain, je reçois Alberto Castillo, c'est un des grands du tango lui aussi. Assieds-toi, je n'en ai pas pour longtemps. Aide-moi pour ma robe.

Carmen enjamba la robe et apparut dans une courte combinaison de soie rose ornée de dentelle noire. Ainsi, elle était ravissante.

– Hier soir, après ton départ, le général Velazco m'a posé des tas de question sur toi : depuis quand je te connaissais, de quoi avions-nous parlé, etc. Je ne savais pas trop quoi lui répondre. J'espère pour toi que tu es en règle et que tu ne connais ni communistes ni étudiants.

– Des étudiants ?

– Oui, beaucoup sont antipéronistes. À Cordoba il y a eu des manifestations contre Perón, la police a arrêté plusieurs d'entre eux.

– Je ne connais personne ici, à part toi et Victoria Ocampo.

– Moi, ce n'est pas grave, on me considère comme une

petite actrice sans importance. Victoria Ocampo, c'est plus embêtant : elle et ses amis sont très surveillés.

– Pourquoi ?

– Victoria appartient à l'aristocratie argentine. Comme beaucoup de *porteños* elle est antipéroniste. Tu comprends, *che* ?

– Oui, je crois. Mais toi, tu es quoi ?

Carmen lança un regard appuyé à sa nouvelle amie et dit d'un air hésitant :

– *Che*... la politique, tu sais, ça ne m'intéresse pas beaucoup. Comme toutes les femmes, je n'y comprends rien, je laisse les hommes s'en occuper, cela a tellement l'air de les amuser. Ce n'est pas comme ça en France ?

– Oui, si on veut... mais en France nous avons maintenant le droit de vote.

– Pas encore en Argentine, mais la belle Eva s'est donné pour mission de «sauver les femmes, de leur montrer la voie», elle, «simple femme du peuple».

– Tu veux dire qu'Eva Perón est féministe ?

– *Che* ! Surtout pas, pour elle les femmes sont toutes de possibles rivales, mais elle a senti, à moins que ce ne soit Perón, qu'il y avait là une force immense, qu'elle essaie de mettre au service de Perón. Comme elle le dit, elle n'est ni vieille fille, ni d'ailleurs assez laide pour jouer ce personnage créé par les suffragettes anglaises, ce personnage type de femme qui ne conçoit le féminisme que comme une sorte de revanche et dont la vocation première semble être celle d'ordinaire réservée aux hommes. Elle trouve que l'immense majorité des féministes du monde entier constitue une curieuse espèce de femmes. Je partage assez son avis. Et toi, qu'en penses-tu ?

– Pas grand-chose, je ne me suis jamais posé la question. Il me semble qu'étant femme on est forcément féministe. Je ne me suis jamais sentie en opposition aux hommes, je me sens capable de faire les mêmes choses qu'eux, ni mieux ni plus mal. Pendant la guerre les femmes ont eu à prendre des décisions souvent difficile, certaines se sont battues comme les hommes, beaucoup ont risqué leur vie pour sauver des enfants juifs ou des aviateurs anglais. À ce moment-là, on ne se posait pas tant de questions, on faisait ce qu'on pensait devoir faire.

— Chez nous, c'est plus compliqué, la mentalité des hommes est très *macho*, nous n'avons pratiquement aucun droit, nous sommes sous la tutelle de nos pères, de nos frères et de nos maris. Evà l'a très bien compris, qui encourage les femmes à être indépendantes économiquement sans pour autant renoncer à leur féminité. Les Argentines la suivent assez bien là-dessus. Quand elle leur dit que la mère de famille est en marge de toutes les assurances, qu'elle est le seul être au monde à travailler sans salaire ni garantie de respect, sans horaire ni dimanche, sans vacances ni repos d'aucune sorte, sans indemnité de renvoi ni possibilité de grève, on l'acclame. Elle a été jusqu'à suggérer que la nation paie un salaire aux mères, salaire qui proviendrait des revenus de ceux qui travaillent, y compris les femmes...

— Ce n'est pas une mauvaise idée.

— Je le pense aussi. Tout n'est pas à jeter dans la politique du parti unique de la révolution.

— Qu'est-ce qui l'est ?

— Je t'expliquerai plus tard. Je te raccompagne au «Plaza». Tu m'invites à prendre un verre ?

— Avec plaisir.

21

– Pardonnez-moi, chère petite amie, de ne pas avoir été là lors de votre arrivée, mais des affaires importantes m'appelaient à Mar del Plata. Bien entendu, vous venez vous installer à San Isidro.

– Pour quelques jours seulement. Si cela ne vous ennuie pas, je préfère rester au « Plaza ».

– Comme vous voulez. Après les fêtes de Noël, je retourne à Mar del Plata et vous viendrez avec moi, dit Victoria Ocampo en ajustant ses lunettes à monture blanche.

– Vous passerez les fêtes à Buenos Aires ?

– Oui, je réunis quelques amis dont votre ambassadeur, Vladimir d'Ormesson. Le connaissez-vous ?

– Pas encore.

– Vous verrez, c'est un homme charmant, très cultivé, fidèle en amitié, il a beaucoup aidé mon ami Roger Caillois. Il y aura également ma sœur Angelica, ma sœur Silvina et son mari, l'écrivain Adolfo Bioy Casares, mon cher Jorges Luis Borges, Jose Bianco et Ernesto Sabato. Peut-être quelques autres personnes, peu nombreuses, comme monsieur et madame Tavernier. Je ferai prendre vos bagages dans la soirée. Je vous emmène déjeuner au « London Grill ». C'est un peu ma salle à manger quand je suis en ville. Après nous partirons pour San Isidro.

Au «London Grill», une foule d'hommes se pressait au bar dans l'attente d'une table. Un maître d'hôtel s'avança, empressé.

– *Señora Ocampo, qué alegría de verla otra vez, nos echó de menos.* [1]

– *Gracias, Hector.* [2]

Le déjeuner fut très agréable bien que souvent interrompu par des connaissances de Victoria Ocampo venant la saluer.

Chaque samedi et chaque dimanche après-midi, Victoria Ocampo recevait à l'heure du thé, amis, écrivains, collaborateurs de la revue *Sur*, intellectuels étrangers de passage. Léa, depuis deux jours installée dans la grande maison de San Isidro, aidait la maîtresse de maison et Angelica à accueillir ses invités. Elle s'étonnait de voir Jorge Luis Borges engloutir de telles quantités de *dulce de leche*, cette confiture de lait qu'elle trouvait particulièrement écœurante et qui faisait les délices des Argentins. Nora, la sœur du poète, parlait de sa peinture tandis que Adolfo Bioy Casares le photographiait, Sarah et Silvina Ocampo étaient lancées dans une conversation passionnée tandis que Vladimir d'Ormesson et François Tavernier discutaient à voix basse dans un coin du salon; tout le monde parlait français. Léa se sentait un peu à l'écart de tous ces gens brillants qui s'entretenaient avec aisance de surréalisme et de politique, de poésie et d'ésotérisme, de péronisme et de syndicalisme. Elle descendit les marches de la véranda et se dirigea vers la terrasse qui dominait le fleuve. Il faisait très chaud, elle releva la jupe de sa robe de toile blanche pour s'asseoir à l'ombre sur un banc de pierre vert de mousse

1. Madame Ocampo, quelle joie de vous revoir, vous nous avez manqué.
2. Merci, Hector.

et regarda machinalement les voiliers qui se balançaient sur l'eau. L'un d'eux était immobile face à la villa Ocampo. Cette immobilité attira l'attention de Léa. Trois hommes se tenaient dans l'embarcation ; l'un d'eux regardait dans sa direction à l'aide de jumelles. Instinctivement, elle se rejeta dans l'ombre, n'osant plus bouger. Le temps commençait à lui sembler long quand un bruit de pas, derrière elle, la fit sursauter. Elle se retourna vivement.

– Oh ! François, tu m'as fait peur… Fais attention qu'on ne te voie pas du fleuve… regarde ce voilier, il y a au moins une vingtaine de minutes qu'un homme observe la maison à la jumelle.

– Tu as raison, c'est étrange.

– J'ai peur. Je n'ai pas eu de nouvelles de Sarah depuis l'autre jour, je ne l'ai revue qu'aujourd'hui. J'ai cru comprendre qu'elle avait retrouvé la trace de ces deux femmes.

– Oui, c'est pour cela que je suis rentré plus tôt que prévu de Montevideo. Nous les surveillons. Je ne crois pas qu'elles se soient rendu compte que nous les avions repérées. Par contre leurs amis s'intéressent beaucoup à nous…

– À moi aussi ?

– Oui, grâce à ceux du *Cabo de Buena Esperanza*. Par chance, ils ne semblent avoir localisé ni Samuel et Uri ni Daniel et Amos qui sont installés dans le même hôtel que ces femmes, au « Jousten » dans Corriente, et dont la plupart des clients sont allemands…

– Quelle idée d'aller se jeter dans la gueule du loup ?

– Ils sont plus en sûreté sur le terrain des nazis que nous à l'extérieur. Je suis inquiet pour toi, ma chérie, j'aimerais te savoir loin de tout cela, ce n'est pas ton affaire.

– Comment, ce n'est pas mon affaire ?… N'ont-ils pas assassiné Laure ?

– Nous la vengerons, mais cela ne lui rendra pas la vie.

– Je le sais bien, mais je ne peux pas vivre avec cette idée que ses assassins soient en liberté et vivent insouciants.

– Ils ne le seront pas longtemps.

– Qu'allez-vous faire ?

– Encore une fois, ne t'occupe pas de tout ça. Moins tu en sauras, mieux cela vaudra.

Doucement, il la prit dans ses bras et l'attira à lui. Elle se laissa faire sans résistance, rassurée d'être contre sa poitrine. Pourquoi tout était-il si compliqué ? C'était si simple de se laisser aimer sans penser au lendemain. Elle releva la tête et tendit ses lèvres. Ils s'embrassèrent avec gourmandise, affamés. Un bourdonnement de rires et de voix les sépara. Sarah et Victoria venaient vers eux, suivies de Borges et de Bioy Casares. Ils se levèrent à leur approche.

– Léa, je me demandais où vous étiez passée, dit Victoria d'un ton de reproche.

– Ce parc est si beau et ce fleuve si grand. J'étais venue les admirer.

– Oui, cet endroit est beau. Pour combien de temps encore ? Après moi, que deviendra cette maison ?

Sarah s'approcha et la prit par le bras.

– Chère madame, vous avez le temps d'y penser.

Là-bas, sur le Rio de la Plata, le voilier s'éloigna. Léa fut la seule à le remarquer et en éprouva du malaise.

Ils remontèrent lentement vers la maison. François prit le bras de Léa.

– J'ai envie de toi. Pourquoi ne viendrais-tu pas à Buenos Aires demain ? Tu as toujours ta chambre au « Plaza » ?

– Oui.

– Je vais demander à Sarah de t'inviter, cela surprendra moins que si c'est moi.

– Décidément, tu penses à tout, dit-elle d'un ton acerbe. D'accord, je viendrai demain.

230

La plupart des invités prirent congé. Il ne resta que Silvina Ocampo, Bioy Casares et Borges.

Pendant le dîner, dans l'immense salle à manger aux lourdes chaises, Léa faisait un effort pour suivre la conversation de Borges qui passait d'un sujet à l'autre avec virtuosité, sans se soucier de son interlocutrice.

– Aimez-vous les ponts?... Il faudra que je vous emmène voir le pont Alsina, c'est un des endroits de Buenos Aires que je préfère.

– Jorge, vous n'allez pas emmener cette petite dans cet horrible quartier, sale et lugubre, dit Victoria.

– Votre sœur ne pense pas comme vous. Souvent, Silvina et moi, nous marchons sans but dans les rues de notre ville cherchant à nous égarer. Hélas! sans succès. «J'aime la laideur de ma ville natale presque autant que sa beauté. C'est très important de marcher dans une ville, dans sa banlieue, d'écouter la nuit. Je me souviens d'une longue promenade dans la banlieue de Buenos Aires avant la guerre avec Drieu la Rochelle, il était un peu tard, nous avions marché et nous étions arrivés tout près de la province. On sentait la plaine qui grandissait, les maisons devenaient de plus en plus rares, de plus en plus basses. Alors Drieu a trouvé une façon précise d'exprimer cela. Ce que nous, poètes argentins, cherchions depuis des années, il l'a trouvé tout de suite. Nous regardions, il était une heure du matin. Il m'a dit: "Vertige horizontal." C'était exactement cela. Il fallait être français pour exprimer si clairement ce que nous, Argentins, ressentons. La France est le pays littéraire par excellence. Je crois que c'est le seul pays où les gens s'intéressent à des questions littéraires. Ce n'est pas une question de cénacles ou de divergence d'écoles. Cela fait peut-être partie de l'esprit historique des Français, cette façon de voir toutes choses en fonction de l'histoire, ce qui n'arrive pas ailleurs, non?»

Léa aurait bien été incapable de dire si cela arrivait ailleurs ou pas. Maintenant Borges parlait de Flaubert, de Schopenhauer, de Stevenson, de Kipling, d'Oscar Wilde… De Flaubert elle n'avait lu que *Madame Bovary* et de Kipling, *Le Livre de la jungle* !… pas assez pour soutenir une conversation avec ces gens qui jonglaient avec le français, l'espagnol, l'anglais et l'italien. Léa se sentait sotte et ignorante… et elle n'aimait pas cela. Peu à peu, elle s'évada de l'assemblée, revoyant les dîners à Montillac, quand son père et son oncle Adrien parlaient des livres qu'ils aimaient. La petite fille alors les écoutait, heureuse quand le nom d'un écrivain lui rappelait quelque chose – ne fût-ce que la place qu'il occupait dans la bibliothèque paternelle. Enfant, elle était la seule à aider son père à ranger les livres. Plus tard, elle avait commencé à les lire en partant de la première lettre de l'alphabet. C'est ainsi qu'elle avait lu plusieurs romans d'Edmond About : *Maître Pierre*, sur l'assèchement des Landes, *Le Roi des montagnes*, et *L'homme à l'oreille cassée*… Les dix-huit volumes des Mémoires de la duchesse d'Abrantès, *Les Poésies philosophiques* de Louise Ackermann, *Irène et les eunuques* de Paul Adam. Dans les B, après avoir dévoré *Les Époux malheureux* puis *Les Amants malheureux* de Baculard d'Arnaud, elle s'était jetée sur Balzac et avait lu *La Comédie humaine* avec gourmandise. De Constant elle avait aimé *Adolphe* et de Farrère, *Fumée d'opium* ; sans oublier Delly, Corneille. C'est à la lettre F qu'elle s'était arrêtée de lire dans l'ordre alphabétique de la bibliothèque de son père et avait puisé, au hasard de son inspiration, dans les M, ce qui avait amené Mauriac et Montaigne, dans les R, Rimbaud et Paul Reboux… Quand on s'étonnait qu'elle puisse passer ainsi de Paul Bourget à Voltaire, elle répondait, agacée : «Ce sont des livres.» Car pour elle, en ce temps-là, la lecture était avant tout un dépaysement, une évasion. Le style, le sujet, l'époque n'avaient pas d'importance, seul existait le plaisir de la lecture, de la découverte. Ce n'est que bien des années plus tard qu'elle fit la différence entre la bonne littérature et l'autre – mais jamais elle ne voulut renier celle-ci.

– ... Pour que quelque chose soit vraiment écrit, on doit l'écrire corps et âme et on ne sait pas ce que cela peut donner comme résultat...

Qui disait cela ? Léa sursauta, semblant émerger d'un rêve.

– Eh bien, Léa, où étiez-vous ? Perdue dans vos pensées ?

– Je pensais à mon père et aux livres que j'ai aimés.

Elle dit cela comme quelqu'un réveillé d'un songe. Pendant ces quelques instants d'absence, elle s'était évadée loin de l'Argentine, des rues sombres évoquées par le poète, de cette somptueuse maison, de ses hôtes diserts et cultivés, des menaces rôdant autour de ses amis, du souvenir de Laure morte... Elle revenait à regret mais apaisée.

– Si vous le permettez, Victoria, je vais me retirer, je tombe de sommeil. Vous ne m'en voulez pas ?

– Non. Nous devons vous paraître bien ennuyeux avec nos péroraisons sur la littérature.

– Ne croyez pas cela, mais en vous écoutant je sens toute mon ignorance.

Elle ne remarqua pas la brève lueur d'intérêt qui s'alluma dans les yeux myopes de Borges.

Le lendemain, Victoria Ocampo la déposa rue Florida devant le «Jockey Club». Sans se presser, Léa remonta la rue vers le «Plaza» en regardant les vitrines. Il faisait chaud, les femmes étaient vêtues de courtes robes fleuries, les hommes les regardaient, l'air avantageux, sirotant le maté ou fumant de courts cigares noirs. Léa était l'objet de regards appuyés, de propos qu'elle devinait canailles, de frôlements indiscrets. Cela ne lui déplaisait pas, c'était comme un hommage de la rue rendu à sa beauté. Les désirs qu'elle pressentait excitaient le sien ; dans quelques instants, elle serait dans les bras de l'homme qu'elle aimait, le reste n'avait pas d'importance. Elle s'arrêta longuement devant un magasin qui présentait des «modèles de Paris» ; cet ensemble vert bordé de blanc était ravissant, quant à cette robe bain de soleil à rayures multicolores, vraiment très jolie mais... ce visage reflété près de la jolie robe ?... Pourquoi cette angoisse ?... il y avait de la haine dans le regard de l'homme fixé sur son reflet... elle se retourna... L'homme eut l'air surpris et recula puis, sans la lâcher du regard, se retourna et partit rapidement. Il passa devant le siège du journal *La Nación* et bouscula un passant qui lisait les feuilles imprimées exposées à l'extérieur. Ce fut très bref, mais Léa eut le temps de reconnaître monsieur Barthelemy. Les deux hommes se perdirent dans la foule.

Le temps semblait moins beau, les boutiques moins attrayantes, la rue moins gaie, recelant des dangers. Léa se retint de courir. Pour la première fois depuis qu'elle était à Buenos Aires, elle ne s'arrêta pas pour admirer les bouquets du magnifique magasin de fleurs installé dans l'angle du «Plaza».

– Il y a un message pour vous, mademoiselle, dit le concierge en lui tendant sa clef.

Le taxi déposa Léa à l'angle de Suarez y Necochea dans le faubourg de la Boca. Quelle idée de lui donner rendez-vous dans un quartier pareil ! Elle regarda autour d'elle, essayant de s'orienter. Pas facile, dans cette ville où les rues se coupaient à angle droit, de s'y retrouver ; autant elle était à l'aise dans celles, tortueuses, de Paris ou de Bordeaux, autant à Buenos Aires elle avait l'impression de se retrouver toujours au même endroit. Là, c'était un peu différent : pas de boutiques, un quartier misérable aux maisons basses, aux trottoirs défoncés, encombrés de gravats et de détritus, quelques bars ou cafés fermés. À cette heure du début de l'après-midi, tout semblait dormir dans la chaleur de l'été. Un chien famélique vint renifler ses pieds et s'enfuit devant son geste menaçant. Elle buta contre les racines d'un gros arbre qui déformaient la chaussée et jura entre ses dents. Malgré son chapeau de paille, la lumière lui blessait les yeux ; la sueur coulait le long de son dos et entre ses seins. Il n'y avait donc personne dans ce maudit quartier ? D'une fenêtre basse, au ras du sol, munie de barreaux, montait une chanson de Carlos Gardel. Léa se pencha. Malgré la pénombre du lieu, elle entrevit des tables et des chaises. Sur les tables, des verres et des assiettes sales, dans le fond un comptoir au-dessus duquel brillait une rangée de bouteilles. Près de la fenêtre un escalier étroit et raide de cinq marches descendait. Elle le prit en se tenant aux murs noirs de crasse. Pendant quelques instants, elle ne vit rien. Après la chaleur du dehors, l'air de la salle brassé par un grand ventilateur lui sembla délicieux. Hormis la voix de Carlos Gardel et le couinement du ventilateur, il n'y avait aucun bruit dans le café. Peu à peu ses yeux s'habituèrent au demi-jour. La pièce était vide, ni clients ni patron. Comment disait-on en espagnol : « Il y a quelqu'un ?... » Pour signaler sa présence, elle toussa, heurta les chaises... à la radio la voix du Toulousain s'était tue, remplacée par les glapissements d'une présentatrice. L'image de Carmen Ortega debout devant le micro surgit à son esprit... Sur les murs d'un blanc sale, des portraits de vedettes de cinéma dans des cadres d'un doré éteint : l'un d'eux lui rappela quelqu'un... sans aucun doute, il s'agissait d'Eva Perón... brune sur la photo et le visage plus arrondi, quelques mots manuscrits d'une grande écriture, signés « Eva. »

Léa remonta les marches, la rue était toujours déserte et blanche de chaleur ; elle redescendit et se laissa tomber sur une chaise. À tout prendre, on était mieux ici que dehors, quelqu'un finirait bien par arriver. Elle avait faim. Elle se leva et remarqua derrière le comptoir un rideau rougeâtre qui dissimulait à moitié une ouverture, sans doute la cuisine. Elle écarta le rideau, une odeur graisseuse lui chatouillait désagréablement les narines. Pas d'autre lumière que celle tombant d'un soupirail sale, il faisait très sombre. Marchant à tâtons elle s'avança, oppressée par le silence. Son pied heurta quelque chose de mou, elle retint un cri, saisie de terreur. Tremblant, elle se baissa. Sa main rencontra un corps étendu ; sous ses doigts un coeur battait. Agrippant le corps par les épaules, elle le tira dans la salle.

– François !

Ses yeux étaient clos, du sang poissait ses cheveux. Sur le comptoir elle prit un pichet d'eau. Elle en versa doucement sur son front... il bougea la tête de droite et de gauche en gémissant puis ouvrit les yeux.

– François !

Péniblement, il se redressa.

– Donne-moi quelque chose à boire.

Toutes ces bouteilles ! laquelle prendre ?... Au hasard elle en déboucha une, sentit le liquide : cela ferait l'affaire. Au goulot, il but une rasade, s'étrangla, toussa, cracha, pesta.

– Mais ce n'est pas de l'alcool, c'est du vitriol ! s'écria-t-il avant d'avaler une nouvelle gorgée.

Sans lâcher la bouteille, il se mit debout, la chemise salie de sang et d'alcool.

– Il y a longtemps que tu es là ? demanda-t-il.

– Je ne sais pas, vingt minutes, peut-être. Que t'est-il arrivé ?

– Je t'avais donné rendez-vous dans ce quartier car je pensais l'endroit plus discret que le «Plaza». J'ai eu soif, je suis entré dans ce café, des marins, des gens du port déjeunaient...

– Je n'ai vu personne !

– Ils se seront enfuis. Je n'étais là que depuis quelques instants quand j'ai été attaqué par derrière. Ils ont dû me croire mort, ce qui expliquerait pourquoi ils ont tous disparu. Tu m'as trouvé ici ?

– Non, dans la cuisine.

– Je ne comprends pas... Ne restons pas là, ils peuvent revenir, à moins qu'ils n'aient été prévenir la police, ce qui ne vaudrait pas mieux.

– Tu ne peux pas sortir comme ça, il te faut un médecin.

– On verra plus tard. Viens.

Rue Necochea, à part quelques chiens, ils ne virent personne ; le quartier semblait vidé de ses habitants.

– Allons vers l'avenue Don Pedro de Mendoza, elle longe le fleuve Riachuelo, on y trouvera un moyen de transport.

Sur l'avenue, un autobus brinquebalant tentait d'éviter les nids-de-poule de la chaussée. Tavernier lui fit signe de s'arrêter. Le véhicule ralentit dans un grincement de ferraille.

– Monte, dit-il en poussant Léa.

Des fanfreluches ornaient le pare-brise, des breloques, des images de saints, de la Vierge, de vedettes de football, des photos d'enfants, de *pin-up*, s'entrechoquaient au rythme des cahots.

– *¡ Che ! ¿ Señor, fue su mujer que lo pusó en tal estado ?* [1]

– *Es muy celosa.* [2]

– *Ya veo* [3], fit le conducteur d'un air compréhensif, en vendant les tickets sans cesser de conduire.

Ils allèrent s'installer dans le fond de l'autobus, coincés entre deux matrones encombrées de paquets. Durant

1. *Che !* Monsieur, c'est votre femme qui vous a mis dans cet état ?
2. Elle est très jalouse.
3. Je vois.

tout le trajet, ils n'échangèrent pas un mot. Blottie contre lui, Léa sentait la peur la quitter peu à peu.

Le chauffeur s'arrêta devant un grand bâtiment et cria dans leur direction, en montrant le bâtiment du doigt.

– *Señor, tendría que is a curarse al hospital*[1].

– *Gracias. Es una buena idea*[2].

François et Léa descendirent.

– Hep, taxi!

– Et l'hôpital? dit Léa.

– Une autre fois, monte... À l'ambassade de France.

– Tavernier, vous êtes sûr que vous ne me cachez rien?

– Monsieur l'Ambassadeur!...

– Bon d'accord, gardez vos secrets, mais ne comptez pas sur moi pour vous venir en aide si vous vous mettez la police péroniste sur le dos. Le général Velazco n'est pas un rigolo. Si vous et vos amis tombiez entre leurs mains, je ne pourrais rien faire. Les instructions du Quai sont formelles : pas d'anicroches avec les Argentins.

– Rassurez-vous, monsieur l'Ambassadeur, nous n'avons rien contre le gouvernement argentin...

– Je ne veux pas savoir contre qui vous en avez...

– Mais, cher ami, contre personne.

– Ne me prenez pas pour un idiot, Tavernier, j'ai mes informateurs, moi aussi. Et cette jeune fille qui est actuellement chez ma femme?...

– Mademoiselle Delmas?... C'est une amie de Sarah, d'une excellente famille bordelaise...

– Bordelaise?... Bon... Mais que faisiez-vous avec elle dans ce quartier louche?

– À cette heure de la journée, la Boca est plutôt calme. Je voulais lui montrer un quartier pittoresque de Buenos Aires.

1. Monsieur, vous devriez aller vous faire soigner à l'hôpital.
2. C'est une bonne idée, merci.

– Pittoresque, pittoresque... la place de cette jeune fille est plutôt dans les magasins de la rue Florida que dans la Boca, même à une heure de l'après-midi... Qu'est-elle est venue faire seule, ici, en Argentine, sans chaperon ?...

– Vous êtes démodé, Vladimir, les jeunes filles voyagent sans chaperon de nos jours, dit Tavernier en éclatant de rire.

– C'est une erreur. Quoi qu'il en soit, dites-lui de se montrer prudente. Elle est descendue chez madame Ocampo, m'a-t-on dit ?

– Oui, elles se sont connues à Nuremberg.

– À Nuremberg ?... Mais que diable une jeune fille comme mademoiselle Delmas faisait-elle à Nuremberg ?

– Elle assistait au procès des criminels nazis.

– Des criminels !... les bras m'en tombent !... Ne me dites pas qu'elle a été déportée ?... Pauvre enfant.

– Non, elle était dans la Croix-Rouge. Si cela vous intéresse, vous n'aurez qu'à le lui demander.

– Je m'en voudrais de ranimer de mauvais souvenirs. Ce sont des moments terribles que je n'aime pas évoquer.

– Ils me semblent plutôt difficiles à oublier.

Le ton sec avec lequel François Tavernier prononça ces mots fit hausser d'étonnement les sourcils de Vladimir d'Ormesson.

– Ce n'est pas ce que j'ai voulu dire. Vous pensez sans doute à votre femme ?... J'admire beaucoup le courage de madame Tavernier et je suis très sensible à la confiance que vous m'avez témoignée tous les deux en me racontant ce triste passé... Mademoiselle Delmas est-elle au courant ?

– Oui. Mais dans notre entourage, elle est la seule.

– Je m'en souviendrai. Allons rejoindre ces dames.

22

Léa n'était pas depuis huit jours à Mar del Plata chez Victoria Ocampo qu'elle ne savait déjà plus comment répondre aux multiples invitations de la jeunesse dorée de l'endroit. Il n'était question que de promenades en mer, de pique-niques dans les *estancias* environnantes, d'excursions à vélo, de parties de tennis ou de golf, de soirées dansantes ou de thés chez les uns et les autres. On s'arrachait la jeune Française, invitée d'une des personnalités les plus en vue de Mar del Plata.

À Buenos Aires, Noël et le jour de l'an s'étaient passés en fête et en bals. Léa et Sarah avaient été les reines de la colonie française et embelli les soirées de l'ambassade de France. Aucune suite n'avait été donnée à l'agression dont avait été victime Tavernier, on ne parlait plus de nazis, Samuel et Daniel Zederman ainsi que Uri Ben Zohar et Amos Dayan étaient à Buenos Aires et se comportaient comme de paisibles touristes. Carmen Ortega avait entraîné Sarah et Léa chez un professeur de tango. Les figures compliquées de la danse, *la sentada, el ocho, la corrida*, n'avaient pas de secret pour Carmen. Sarah se révéla très douée; quant à Léa, elle mélangeait les pas.

– Plus souple, soyez plus souple!… Laissez-vous guider, disait le professeur, ancien célèbre danseur de tango,

Arturo Sabatini, aux cheveux gominés et au costume trop ajusté sur un ventre mal contenu par un corset.

La chambre qu'occupait Léa à la villa Victoria était, comme toutes les chambres de la maison, ornée d'un papier fleuri avec des grands oiseaux, de rideaux assortis, et d'un mobilier de bois peint. Dans la moiteur de la sieste, ces motifs végétaux conféraient à la pièce un aspect de serre ou de jungle, qu'accentuait le tapis aux grosses roses. La belle demeure en bois, dont les balcons et les vérandas donnaient sur un parc ombragé, n'était pas sans lui évoquer Montillac. Jusqu'à Angelica et Victoria Ocampo qui lui rappelaient ses tantes Estelle et Lisa de Montpleynet. La maîtresse des lieux passait ses matinées à travailler dans son bureau hexagonal, laissant à sa sœur et à sa fidèle Fanny le soin de s'occuper des charges quotidiennes. Le soir, après le dîner, elle se promenait avec Léa et quelques amis dans son jardin, quelquefois elle s'asseyait sur un banc et disait, fort bien, des poèmes. Léa aimait ces moments calmes et mélancoliques. Cependant, elle commençait à s'ennuyer, François lui manquait et le désir qu'elle avait de lui la tenait éveillée de longues heures chaque nuit. Ses caresses solitaires ne faisaient qu'exaspérer son désir. La fougueuse étreinte qui les avaient unis dans sa chambre du «Plaza» après la scène de l'ambassade de France lui semblait remonter au déluge. Les danses à la mode, comme le *merengue* ou la samba, les bains de mer à demi nue, le soleil, les hommes entreprenants la mettaient dans des états qui la faisaient se traiter de «chienne en chaleur». Si François voulait qu'elle reste sage, il ferait bien de venir la chercher.

En short et sandales blanches, foulard noué sur la tête, Léa pédalait le long de l'avenue surplombant la mer. Elle rejoignait au club de golf Jaime Ortiz et sa sœur Guillermina. Les deux jeunes gens, un peu plus jeunes que Léa, étaient les boute-en-train d'une bande de garçons et de filles qui ne pensaient qu'à s'amuser. Ils appartenaient tous aux meilleures familles d'Argentine et dépensaient allègrement l'argent de leurs parents.

Guillermina Ortiz et son amie Mercedes Ramos vinrent en courant au devant de Léa.

– Vous nous avez fait des cachotteries, ma chère, il y a là un homme fort séduisant qui vous attend... Ne prenez pas cet air étonné, c'est un Français comme vous.

François... ce ne pouvait être que lui pour troubler ainsi ces gamines...

Elle se laissa conduire sur la terrasse, où buvait et bavardait une foule élégante, jusqu'à une table où se tenait François Tavernier entouré de trois jeunes filles qui semblaient sous le charme.

– La voilà, fit Guillermina.

Il se retourna avec nonchalance. Le climat argentin lui réussissait ; le bronzage faisait ressortir ses yeux clairs et accentuait son air animal. À la façon dont ils se regardèrent, toutes se rendirent à l'évidence : ces deux-là s'aimaient. Cette manière impudique qu'ils avaient de prendre possession l'un de l'autre ! Tavernier se rendit compte qu'ils étaient devinés, cela pouvait être dangereux, mais aussi, comment faisait-elle pour être aussi désirable ? À chacune de leurs rencontres, elle était plus belle ! Il faillit éclater de rire devant les mines déçues des jeunes filles quand ils se serrèrent la main comme de vieux copains. Déception accrue quand Léa demanda :

– Comment va ta femme ?

– Très bien, elle m'a chargé de toutes ses amitiés.

– Vous avez sûrement des tas de choses à vous raconter, nous vous laissons, dit Mercedes. Venez, vous autres.

François et Léa attendirent qu'elles se fussent suffisamment éloignées pour laisser éclater leur hilarité. Un serveur s'approcha.

– Que veux-tu boire ?

– Un *naranja bilz*.

– *¡Dos, por favor !*[1]

– *Muy bien, señor*[2].

– Je suis heureuse que tu sois là. Que fais-tu ici, où est Sarah ?

– Moi aussi, je suis heureux de te voir. J'avais rendez-vous à Mar del Plata avec des Chiliens. Après leur départ, j'ai entendu ces filles dire qu'elles t'attendaient, je leur ai dit que je t'attendais également. Sarah est rentrée à Buenos Aires.

– Pourquoi n'es-tu pas venu à la villa Victoria ?

– J'y serais venu si je ne t'avais pas rencontrée. Je dois rentrer immédiatement pour Buenos Aires. Daniel a disparu.

– Daniel ?…

– Oui, depuis trois jours. La dernière fois qu'on l'a vu, c'était à l'« A. B. C », une brasserie fréquentée par des nazis. Amos et Uri sont sur une piste par l'intermédiaire d'un journaliste de *La Plata Zeitung*.

– Et Samuel ?

– Il est comme un fou. Quant à Sarah, elle a eu confirmation de la présence de Rosa Schaeffer et de son assistante Ingrid Sauter à Buenos Aires. Elles sont descendues à l'hôtel « Jousten » et ne se déplacent que la nuit avec trois ou quatre gardes du corps.

– N'est-ce pas dans cet hôtel qu'était Daniel ?

– Oui. La veille de sa disparition, il m'avait fait part de son intention de quitter l'hôtel ; il ne s'y sentait plus en sécurité.

– La police est au courant ?

– Plus ou moins. Hier j'ai vu le général Velazco à l'ambassade de France. Il m'a demandé sur le ton de la

1. Deux, s'il vous plaît !
2. Bien, monsieur.

conversation si j'avais entendu parler de réseaux sionistes chargés de la chasse aux nazis. Je ne suis pas sûr d'avoir réussi à le convaincre de mon ignorance.

– Je rentre à Buenos Aires.

– Il n'en est pas question. Les choses risquent de se précipiter. À Mar del Plata tu es moins en danger. À Buenos Aires il règne un tel climat de suspicion que tu risquerais d'être inquiétée. Beaucoup de gens sont arrêtés par la police péroniste : des étudiants, des communistes, des étrangers...

– Raison de plus pour être avec toi.

– Je t'en prie, Léa, n'ajoute pas à la confusion. Si tu voulais vraiment m'être agréable, tu prendrais le premier avion pour Paris...

– Tu ne m'aimes pas, sinon...

Il lui saisit le bras avec violence.

– Tais-toi, petite sotte, si je ne t'aimais pas cela me serait bien égal que tu sois ici ou ailleurs. Mais je tiens à toi. Je ne désespère pas que nous nous retrouvions un jour, tous les deux, loin de tout ça. Reste à Mar del Plata auprès de Victoria Ocampo.

Il y avait une véritable supplication dans sa voix. Léa en fut émue.

– Comme tu voudras.

– Oh ! merci, ma chérie, si tu savais le poids que tu m'enlèves. Maintenant, je dois partir.

– Déjà ?...

– J'ai quatre cents kilomètres à faire par des routes impossibles et l'on m'attend dans la soirée.

– Quand te reverrai-je ?

Il ne répondit pas mais le regard dont il l'enveloppa faillit la précipiter dans ses bras. Tout son corps se rebellait contre l'effort qu'elle faisait pour résister à ce désir. Elle lui abandonna une main tremblante et molle.

– Je t'en prie... tu ne vas pas pleurer ?

Non, fit-elle de la tête, les yeux plein de larmes.

Au fur et à mesure qu'il s'éloignait, il lui semblait qu'on la déchirait.

– Votre ami est parti?... Quel dommage qu'un homme aussi séduisant soit marié, dit Guillermina.

– Les Français sont-ils tous comme celui-là? demanda Mercedes.

Léa fit un effort pour répondre en riant:

– Tous. Vous devriez demander à vos parents de vous envoyer en France.

– Vous êtes bien gaies, les filles... On peut savoir ce qui vous amuse, dit Jaime Ortiz qui venait d'arriver avec deux autres jeunes gens.

– Nous parlions des hommes français.

– Ma petite Guillermina, il n'y a pas que les hommes français, les Argentins sont les meilleurs du monde, tu devrais le savoir, dit Francisco Martinelli en l'enlaçant.

– Tu es fou, pas devant mon frère, fit-elle en se dégageant. Attention, voilà ma mère.

Une femme vêtue d'une robe de plage, le visage bronzé et maquillé, abrité par un grand chapeau, s'approcha. Les garçons se levèrent et s'inclinèrent.

– Bonjour à tous. Mon mari organise une grande soirée demain à l'*estancia*, il y aura un orchestre brésilien...

– Hourra!... Magnifique!... Quelle bonne idée!...

– Bien entendu, Léa, vous êtes des nôtres. Mon mari a tellement entendu parler de vous par les enfants qu'il désire fort vous connaître... Pas d'objection, je suis passé à la villa Victoria et madame Ocampo m'a donné son accord.

« Pourquoi pas? pensa Léa. Cela me distraira. »

– Vous verrez, vous ne serez pas déçue, l'*estancia* Ortiz est une des plus belles de la région, dit Jaime. Quand partons-nous, maman?

– Demain matin de bonne heure. Nous resterons

trois jours. Mon mari y est déjà avec des amis. À demain, Léa, Jaime passera vous prendre à six heures.

– Merci, madame, à demain.

La grosse voiture cahotait sur la route dans un nuage de poussière. À perte de vue ce n'étaient que champs avec de temps en temps un bouquet d'arbres annonçant une *estancia*. Des troupeaux de bovins animaient parfois le morne paysage. La route de terre filait droit vers l'horizon, on salua un groupe de cavaliers.

– Nous approchons, dit Jaime, ce sont les gauchos de mon père qui viennent à notre rencontre.

Léa s'étonna de leur tenue et des bottes à bouts ouverts que portaient certains d'entre eux ; des larges ceintures cloutées de pièces de monnaie, du pantalon bouffant sur lequel venait se rajouter, pour quelques-uns, une sorte de jupe.

– On appelle cela le *chiripa*. Devant eux, sur le cheval, cette couverture pliée c'est le poncho.

– Et ces boules qui pendent ?

– Des *boleadoras*. Cela sert à arrêter un animal qui s'enfuit, cheval ou vache. La cravache plate à manche d'argent c'est le *rebenque* et le couteau, *facón*. Ils ont mis leur tenue des grands jours en notre honneur. Ce sont des hommes fiers et de merveilleux cavaliers.

Précédant la voiture, les gauchos s'engagèrent dans une allée bordée d'arbres gigantesques. Après la poussière et la chaleur, cette ombre fraîche fut la bienvenue. On roula sur près d'un kilomètre. Au bout de l'allée, se dressait une grande demeure en bois d'un étage, aux balcons ouvragés, dominant de toute sa blancheur une vaste pelouse. En haut du perron, un groupe d'hommes discutaient. Le maître de maison s'avança pour accueillir les arrivants.

– Vous êtes mademoiselle Delmas ?... Bienvenue à l'*estancia* Ortiz. Vous êtes encore plus ravissante que ne me l'avait annoncé mon fils. J'ai une surprise pour vous, un de vos amis qui se trouve être également des miens m'a fait la surprise de sa visite.

– Un ami?...

– Oui : monsieur Vanderveen.

Léa eut du mal à dissimuler sa contrariété.

– Bonjour, Léa... Le monde est décidément bien petit. Quand j'ai su que vous veniez, j'ai accepté avec joie l'invitation de mon camarade Ortiz. J'ai bien fait, n'est-ce pas ?

– Bien sûr, dit Léa, tout en pensant : « Qu'il aille au diable ! »

– Je vois que votre séjour en Argentine se passe le mieux du monde. Vous voici maintenant tout à fait introduite : les familles Ocampo, Ortiz, ce qu'on fait de mieux.

– Vous êtes très bien introduit, vous aussi.

– Les affaires, ma chère, les affaires. Comment vont vos charmants amis les Tavernier ?

– Bien, je crois.

– Ne me dites pas que vous êtes sans nouvelles d'eux, vous avez l'air tellement intimes.

Guillermina la tira d'embarras.

– Venez, Léa, que je vous montre votre chambre, elle est près de la mienne, comme cela nous pourrons bavarder.

L'intérieur de la maison respirait le confort et la richesse : de très beaux meubles de l'époque victorienne, de sombres portraits d'ancêtres, d'élégantes statues de bronze et de somptueux tapis. En haut de l'escalier menant à l'étage, une tapisserie du XVIIIe siècle aux tons assourdis représentant le jugement de Salomon, attira l'attention de Léa.

– Vous aimez ? demanda Guillermina. Moi je la déteste. Quand j'étais petite j'avais très peur d'être attrapée par le roi et qu'il me coupe en deux. À chaque fois que je passais devant, je poussais de tels cris qu'on a fini par m'installer au rez-de-chaussée avec ma gouvernante.

– Un jour, dit Jaime, je me suis déguisé en roi Salomon, si vous l'aviez vue !... C'est tout juste si on ne l'a pas rattrapée au lasso.

– Et toi, le jour où je m'étais glissée sous un drap pour faire le fantôme, tu n'étais pas fier non plus.

– C'est vrai, mais c'était il y a longtemps. Mais toi, avoue que tu as toujours peur du roi Salomon.

– Ce n'est pas vrai, fit Guillermina, rouge de colère.

– Si, c'est vrai.

– Les enfants !... arrêtez de vous chamailler. Que va penser votre amie ?... On dirait que vous avez huit ans, dit madame Ortiz, debout en haut de l'escalier.

Penauds, le frère et la sœur haussèrent les épaules en se lançant un regard noir.

C'était comme ça entre Laure et Françoise, pensa Léa en souriant d'indulgence. Mais le souvenir de Laure effaça son sourire. Son cœur se serra de chagrin. Attristée, elle se laissa en silence conduire à sa chambre.

La pièce était belle, une vraie chambre de jeune fille, au lit orné de rideaux de dentelle blanche, comme dans les films hollywoodiens. Il y régnait une odeur de cire et de lavande. Comme à Montillac. À nouveau, elle fut submergée de tristesse. Sa maison lui manquait. Que faisait-elle ici, loin de ce qui était réellement sa vie ? Que cherchait-elle ? Un mal-être profond l'envahissait ; dans sa tête tout se heurtait comme un oiseau pris au piège, la confusion de son esprit la faisait aller et venir dans la pièce, pauvre animal en cage !

Léa se réveilla en sursaut, un mal de tête lui serrait les tempes. Quelle heure pouvait-il être ?... il faisait très sombre.

La soirée s'était terminée tard dans la nuit. Après

l'*asado*, les gauchos avaient fait montre de leur adresse à cheval, un chanteur avait entonné des airs mélancoliques puis Jaime et sa sœur avaient voulu danser : samba, *merenge*, *boogie-woogie* s'étaient succédé. Léa avait dansé comme une folle, se jetant à corps perdu dans le rythme. Le maître de maison, Manuel Ortiz et Rik Vanderveen avaient souvent interrompu leur conversation pour la regarder. Elle avait beaucoup bu aussi. Avec Jaime, elle avait fait une démonstration de tango qui leur avait valu les applaudissements de l'assemblée. Rik l'avait invitée pour un slow, elle avait aimé être serrée contre lui et s'en était voulu. Une danse, passe encore, mais pourquoi avait-elle accepté de le suivre dans le jardin et ne l'avait-elle pas repoussé quand il l'avait embrassée ?... L'alcool, le manque d'homme ?... Léa se leva dans le noir et se versa un verre d'eau qu'elle but lentement en écartant les rideaux de la fenêtre. Tout était si calme... pas un bruit, pas une lumière. Cependant, là-bas... un rond lumineux... quelqu'un avec une lampe... la lueur se rapprochait de la maison... Trois ou quatre silhouettes d'hommes qui semblaient porter un paquet encombrant... des chuchotements lui parvinrent... de l'espagnol... La lampe éclaira un visage... monsieur Ortiz... que faisait-il ainsi, chez lui, avec des mines de conspirateur ?... Un autre visage surgit brièvement de l'ombre... Rik Vanderveen !... L'un des porteurs jura en allemand... Léa se rejeta en arrière, saisie de peur... ce n'était pas possible, elle devait rêver... elle avait cru reconnaître la voix de celui qui se faisait appeler Barthelemy... alors, l'autre, c'était... Que faisait Ortiz avec des nazis notoires ?... Ce paquet ?... c'était un corps !... les quatre hommes s'éloignaient... un bruit de moteur... au bout de quelque temps des phares s'allumèrent... puis disparurent sous les arbres. Toujours dans l'obscurité, Léa ouvrit la porte de sa chambre ; des veilleuses éclairaient faiblement le couloir désert. La vaste demeure semblait dormir. Elle hésita devant la porte de Guillermina… se dirigea vers l'escalier. C'est vrai que le roi Salomon avait l'air terrible, il lui sembla qu'il la suivait d'un regard réprobateur. Le rez-de-chaussée était plongé dans l'obscurité… pas tout à fait ; sous une porte, à l'autre bout de l'immense salon, une faible clarté… Léa s'avança en tentant d'éviter les meubles… tout à coup, la porte s'ouvrit, elle eut juste le temps de se jeter derrière un canapé… Jaime sortit, laissant la porte ouverte… De la pièce venait une forte odeur de cigare… Debout, des hommes parlaient d'une voix étouffée. Non !… elle rêvait !… là, sur le mur… un portrait et deux drapeaux !… ce portrait ! ces drapeaux !… ici !… Sarah et Samuel avaient raison !… Partout !… ils étaient partout !… ils n'étaient pas morts !… un cliquetis de verres et de bouteilles… Jaime revenait, poussant une table roulante chargée de boissons… la porte se referma sur de discrètes exclamations de joie… Le bruit d'un bouchon de champagne… le silence… Puis, claquant, vigoureux, sépulcral, maudit dans la calme nuit argentine, un cri en chœur… *Heil Hitler !…*

23

– Dépêchez-vous, Léa, nous vous attendons, nous allons faire une promenade à cheval dans la pampa, criait Guillermina à travers la porte.

– J'arrive...

– Pourquoi vous êtes-vous enfermée ?... Je vous fais monter du thé... Faites vite, les hommes sont déjà partis depuis longtemps.

Léa se leva précipitamment et écarta les rideaux. Elle ferma les yeux, éblouie. Elle se jeta sous une douche froide... Peu à peu, elle sentit son corps et son esprit se remettre à fonctionner... et dut se retenir aux parois glissantes. Cette nuit ?... un cauchemar ?... elle se laissa glisser le long du mur et, accroupie, se recroquevilla sous le jet... une nausée... elle vomit... Des coups violents tambourinés à la porte la tirèrent de son marasme. Péniblement, elle parvint à s'extraire de la cabine, à s'envelopper d'un peignoir et, les cheveux dégoulinants, poussa le verrou.

– Oh !... qu'est-ce qui vous arrive ?... vous nous avez fait peur !... Nous allions appeler quelqu'un pour enfoncer la porte... Quelle mine vous avez !... vous êtes malade ?... Maman, maman, Léa n'est pas bien !...

– Laissez, Guillermina, ce n'est rien. J'ai mal dormi, c'est tout. Et j'ai très mal à la tête.

– Ça ne m'étonne pas, si vous vous voyiez, vous êtes pâle à faire peur ! Vous avez sans doute trop bu hier soir.

– Que se passe-t-il ? On me dit que vous êtes souffrante, dit madame Ortiz en entrant en tenue de cheval, cravache à la main.

– Oui, madame, mais ce ne sera rien. Si vous le permettez, je resterai dans ma chambre...

– Et notre promenade ? fit Guillermina, déçue.

– Surtout, ne changez rien pour moi. Allez-y. Moi, je vais me reposer pour être en forme ce soir.

– Vous êtes certaine que cela ne vous ennuie pas de rester toute seule ?

– Non Guillermina, merci, pas du tout. Amusez-vous bien. Excusez-moi, madame.

– Mais non, je vais donner des instructions pour qu'on vous prépare un repas léger. En attendant, prenez votre thé.

– Merci beaucoup.

Après avoir bu deux tasses de thé, Léa commença à se sentir mieux et à envisager un peu plus clairement la situation : d'abord sécher ses cheveux, s'habiller, savoir si c'était bien un corps qui était transporté hier soir et joindre François ou, à défaut, Victoria Ocampo. Elle poussa la porte de la pièce à l'autre bout du salon où, la veille, s'était déroulée cette terrifiante cérémonie. Une bibliothèque aux boiseries sombres éclairées par de belles reliures ; plus de portrait ni de drapeaux, seulement un endroit confortable et calme. Sur une table, un téléphone... Léa décrocha : non !... elle n'avait point pensé que l'opératrice ne parlait qu'espagnol !... Elle raccrocha avec rage. Errant dans la maison, elle demanda aux domestiques d'obtenir pour elle le numéro : ils secouèrent la tête d'un air navré.

Le soleil était haut ; un chapeau de paille traînait sur un des fauteuils de rotin de la véranda. Léa le mit, traversa la pelouse et rejoignit une allée qui filait entre les arbres. Elle marchait depuis un bon moment, perdue dans ses pensées, quand elle perçut un bruit de moteur. Instinctivement, elle recula dans le bois et se dissimula derrière un arbre : comme pendant la guerre, pensa-t-elle. Une camionnette poussiéreuse passa lentement. À l'intérieur, des hommes armés regardaient attentivement de chaque côté du chemin. Plaquée contre le sol, Léa se félicita d'avoir mis des vêtements sombres. Le véhicule s'éloigna. Le bruit du moteur s'était éteint depuis longtemps quand elle se décida à quitter sa cachette et à reprendre sa marche. À travers les arbres, elle aperçut une construction basse. Après une courte hésitation, Léa se dirigea vers la bâtisse. Elle en fit le tour... l'endroit avait l'air abandonné. Les quelques ouvertures, donnaient toutes sur une cour intérieure encombrée d'herbes, de charrettes cassées, de matériaux rouillés. Pas un bruit. Par une porte ouverte, elle entrevit une pièce sordide remplie de détritus de toutes sortes. Au milieu, une vieille table en bois aux pieds rongés disparaissait sous des assiettes, des verres sales et des cendriers débordant de mégots de cigares et de cigarettes ; il régnait dans la pièce une odeur de moisi et de tabac froid. Dans un coin, une cheminée encrassée de suie où l'on avait brûlé des papiers. Léa toucha la cendre, elle était encore tiède ; sur quelques feuillets épargnés par le feu, s'alignaient des chiffres. À l'opposé de la cheminée, un épais matelas de paille était étendu sur le sol. Et si le paquet de la nuit était caché là ?... La paille était fraîche et propre, ce qui contrastait avec la saleté des lieux. En éternuant, elle l'écarta. Bientôt une trappe apparut... fermée par un cadenas, mais... le cadenas était ouvert ! Léa fit glisser la trappe sans trop de difficultés. Une échelle de meunier descendait et se perdait dans un trou noir. Il devait bien y avoir quelque chose pour s'éclairer, ici ?... Sur la table, une vieille lampe à pétrole. Pas très rassurée, elle descendit, tenant la lampe d'une main et de l'autre l'échelle. Ses pieds touchèrent un sol recouvert de sable fin. Elle était dans une sorte de puits de terre d'où partait un souterrain. « On se croirait dans les oubliettes de l'ancien château de Saint-Macaire », se dit-elle. Le souvenir de ses excursions d'enfant lui redonna courage. Courbée, elle s'enfonça dans le souterrain. Presque aussitôt, une grille lui barra le chemin, mais celle-ci céda sous sa main. Là, elle put se redresser. Par terre, sur le sol meuble, de la paille, des chiffons et des chaînes. Une vraie prison de romans noirs !... À l'aide de la lampe, elle examina les guenilles. En fait de guenilles, il s'agissait d'une veste de toile déchirée et tachée. Sans surprise, elle constata que c'était du sang. Avec dégoût, elle jeta la veste puis, se ravisant, s'accroupit et examina les poches... vides. Au ras du sol, près de l'endroit où était tombé le vêtement, une lueur... elle gratta le sable et élargit la brèche jusqu'à pouvoir passer sa tête : elle respira avec volupté le parfum de la terre boisée. Elle éteignit la lampe et, à l'aide du pied, agrandit l'ouverture. Quelqu'un était passé par là il y avait peu de temps, ce qui expliquait la relative facilité du travail. Enfin, elle se retrouva à l'air libre, entre les racines d'un arbre d'une hauteur impressionnante dont les troncs multiples formaient à eux seuls un petit bois. Tout autour, des plantes écrasées, des marques profondes montraient que plusieurs personnes avaient examiné le sol autour de l'arbre. Secouant ses cheveux et ses vêtements couverts de terre, Léa suivit les traces et se retrouva sur le chemin. Elle revint sur ses pas, s'assit et s'appuya contre un des troncs, tout en se disant qu'elle ne devait pas moisir ici. Fatiguée, elle s'assoupit.

Le bruit d'une chute, un gémissement étouffé la tirèrent de sa torpeur. Elle ouvrit les yeux, une main se plaqua sur ses lèvres, éteignant son cri.

– Taisez-vous, ne dites rien !... Calmez-vous !... Non, vous ne rêvez pas, je peux vous lâcher ?

Oui, fit-elle de la tête.

C'était Daniel !... Daniel, sale, barbu, les yeux injectés

de sang, la poitrine nue ceinte d'un pansement dégoûtant, sans chaussures, le pantalon en lambeaux.

– C'était vous qu'ils transportaient la nuit dernière ?

– Oui, j'étais évanoui, ils m'ont torturé... ils voulaient savoir si je vous connaissais et quels étaient mes complices. Je ne leur ai rien dit, sauf que j'étais allemand comme eux et que j'avais fui l'Allemagne à l'aide de faux papiers.

– Ils vous ont cru ?

– À Buenos Aires, les vrais ou faux policiers argentins qui m'avaient arrêté ont eu un doute mais cela n'a pas duré longtemps. Ils m'ont jeté dans une voiture et m'ont conduit ici où ils ont recommencé à me rouer de coups. Ils m'ont bandé les yeux. J'ai repris connaissance dans une sorte de cave. Me croyant sans doute plus amoché que je ne l'étais, ils ont négligé de m'attacher. Dans la nuit, j'ai senti un filet d'air, j'ai creusé et je suis sorti au pied de cet arbre.

– J'ai suivi le même chemin que vous, mais je ne savais pas qui j'allais trouver au bout.

– Est-on loin de Buenos Aires ?

– Je ne sais pas très bien. Six cents, huit cents kilomètres. Vous êtes ici à l'*estancia* Ortiz, à deux cents kilomètres de Mar del Plata.

– Que faites-vous ici ? Vous n'êtes pas prisonnière ?

– Non... pas encore. J'habite chez Victoria Ocampo mais je suis venue passer quelques jours à l'*estancia* avec les enfants d'Ortiz. Cette nuit, j'ai surpris ensemble les deux nazis du bateau avec Ortiz. Rik Vanderveen est aussi à l'*estancia*.

– Rik Vanderveen ?... Que vient-il faire là-dedans ? Les renseignements de Tel-Aviv à son sujet sont formels : il s'agit bien d'un industriel hollandais.

– Peut-être... c'est pour le moins étrange...

– Mais...

– Attendez, je n'ai pas fini : j'ai également surpris à l'*estancia* une réunion à laquelle participait le fils de la maison, Jaime, devant un portrait de Hitler et des drapeaux à croix gammée.

– C'étaient des Allemands ?

– Il y en avait sans doute, je n'ai pas pu voir combien ils étaient. De plus, ils parlaient espagnol.

– Vous avez compris ce qu'ils disaient ?

– Vous savez bien que je ne parle pas un mot de cette langue.

– Moi, j'ai commencé à l'apprendre, j'arrive à me débrouiller. Il faut que je retourne à Buenos Aires. Pouvez-vous me procurer de l'argent et des vêtements ?

– Je vais essayer. Mais vous ne pouvez pas rester ici. Tout à l'heure j'ai rencontré un camion d'hommes en armes.

– C'est moi qu'ils cherchent.

– Comment avez-vous pu leur échapper ?

– J'ai eu de la chance, ils ont regardé sous les arbres, dans les buissons mais pas en l'air. J'ai grimpé dans l'arbre et je me suis caché entre les branches. Quand je vous ai aperçue, j'ai cru que la fièvre me donnait des hallucinations.

– Qu'allons-nous faire ?

– Vous allez retourner vers la maison. Je vous suivrai de loin, à travers bois et cette nuit vous m'apporterez ce dont j'ai besoin.

– Si vous croyez que cela va être facile. Entre les arbres et la maison, il y a une pelouse grande comme la place de l'Étoile et la nuit je crois bien que les gardes patrouillent. Il vaut mieux faire ça en plein jour.

– En plein jour ?...

– Oui, ils sont tous partis à cheval pour la journée, il n'y a que les domestiques. Je vais aller leur demander une collation que je mettrai dans un panier avec des vêtements.

– Pour les vêtements, comment allez-vous faire ?

– Jaime est à peu près de votre taille, je vais en trouver dans sa chambre.

– Très bien, allons-y.

256

Daniel se leva péniblement en grimaçant.
– Vous croyez que vous allez pouvoir marcher?
– Ne vous inquiétez pas, ça ira.

Quand ils arrivèrent en vue de la maison, Daniel, épuisé, se laissa tomber; une odeur désagréable montait de son pansement souillé.
– Il vous faut un médecin.
– On verra plus tard, faites vite.
Léa s'éloigna en courant vers la maison.

– Voilà qui ira, dit-elle à haute voix en décrochant de la penderie un costume de lin marron.
Dans le tiroir de la commode, elle prit des sous-vêtements et une chemise; dans un placard, elle trouva des chaussures de toile souple et, dans l'armoire à pharmacie de la salle de bains de quoi faire un pansement.
Comme elle sortait de la chambre, le téléphone sonna. Quelqu'un décrocha. Quelques instant après une voix appela en bas de l'escalier:
– *Señorita... señorita, una llamada para usted*[1].
Léa descendit quatre à quatre.
– *¿Cómo*[2]?
– *El teléfono esta en la oficina*[3], fit la domestique en désignant la bibliothèque.
– Allô!...
– Allô!... c'est toi, Léa?...
– François!...
– Tu es seule?...
– Oui.
– Bien, ne m'interromps pas... Tu es en danger... je vais venir te chercher... Je suis à Mar del Plata... Victoria Ocampo va m'accompagner...

1. Mademoiselle... mademoiselle, le téléphone pour vous.
2. Comment?
3. Le téléphone est dans le bureau.

– Mais…

– Tiens-toi prête, dans la soirée.

– Laisse-moi parler… J'ai retrouvé Daniel.

– Daniel ?

– Oui, il était prisonnier… il s'est évadé…

– Comment va-t-il ?

– Pas très bien, il est blessé à la poitrine.

– Grave ?

– Je ne sais pas.

– Fais très attention jusqu'à mon arrivée…

– Allô !… allô !…

La communication était coupée. Elle raccrocha.

À l'office, elle fit comprendre par gestes qu'elle voulait qu'on lui prépare de quoi manger et qu'on mette la nourriture dans un panier avec une bouteille d'eau. Le cuisinier, habitué aux extravagances de ses maîtres, ne s'étonna pas. Léa emporta le panier dans sa chambre. Elle sortit les victuailles, cacha dans le fond le linge, le costume et les chaussures, puis remit le tout par-dessus.

D'un air dégagé, Léa traversa la pelouse et s'enfonça dans le bois. Elle n'avait rencontré personne.

– Daniel, appela-t-elle à voix basse.

Où était-il ? Désemparée, elle regarda autour d'elle… là… l'herbe foulée… il était allongé sur le ventre dans un fossé peu profond. Elle se glissa jusqu'à lui.

– Daniel…

Il ne bougea pas. Prise de peur, elle le secoua. Il était évanoui. Avec difficultés, elle le retourna. Le pansement avait glissé. Sous le sein droit, une large plaie purulente où se collaient de la terre et des feuilles. Serrant les dents et les narines, elle versa de l'eau sur la blessure. Nettoyée, l'horrible lésion était encore plus inquiétante. Quand elle y versa de l'alcool, le blessé sursauta et ouvrit les yeux. Malgré sa souffrance, il parvint à sourire.

– J'ai soif.

Léa fit glisser de l'eau entre les lèvres brûlantes et lui lava le visage. Il parvint à se redresser et regarda sa blessure.

– Ce n'est pas très beau.

– Tenez la compresse.

Une fois pansé, Léa l'aida à retirer son pantalon déchiré et à mettre les vêtements apportés. Les chaussures étaient un peu grandes.

– Vous voilà plus présentable. Maintenant, il faut manger.

– Je n'ai pas faim.

– Moi si, et vous, vous devez faire un effort... Là, c'est bien... Maintenant, écoutez-moi. François Tavernier a appelé... je lui ai dit que vous étiez là... il vient nous chercher...

– Enfin une bonne nouvelle ! Quand vient-il ?

– Dans la soirée... Vous croyez que vous tiendrez le coup jusque-là ?

– Ne vous inquiétez pas. Vous n'auriez pas apporté un peu d'alcool ?

– Tenez, j'y ai pensé. J'ai piqué une bouteille d'armagnac.

– De l'armagnac ? Voilà qui me remonte le moral. Léa...

– Oui ?

– Merci pour tout.

– Vous êtes bête... Attendez que l'on soit sorti d'ici... Maintenant, je dois rentrer. Surtout ne changez pas d'endroit.

– Embrassez-moi.

Léa se pencha sur le front couvert de sueur et y déposa un baiser.

– Mieux, fit-il en l'attirant.

Leurs lèvres se rencontrèrent. Léa réprima un mouvement de dégoût : la fièvre le rongeait.

Bouleversé, il la regarda s'éloigner.

24

Léa venait à peine de regagner sa chambre qu'un bruit de cavalcade la mit à la fenêtre. Les cavaliers étaient de retour. Aussitôt, la maison fut envahie de cris, de rires, de piétinements, de courses dans l'escalier. Sa porte s'ouvrit sur Guillermina et Jaime qui se bousculaient pour entrer. Impossible d'imaginer que c'était le même homme que celui de la veille. Rien d'une tête de salaud.

– Comment ça va?… mieux, je vois. Vous nous avez manqué. Qu'avez-vous fait?

– J'ai pique-niqué sous les arbres.

– Ça ne te regarde pas ce qu'elle a fait, dit Guillermina. Pauvre chérie, vous avez dû vous ennuyer toute seule?… Vous allez vous rattraper ce soir. Je vais me changer, à tout à l'heure… Tu viens, Jaime?

– Va, je te rejoins.

– Faites attention, il se prend pour un don Juan.

– Vas-tu filer, sale fille? dit-il en claquant brutalement la porte.

– C'est toujours comme cela entre vous?

– Depuis que nous sommes petits, nous ne pouvons pas nous sentir, mais nous ne pouvons pas nous passer l'un de l'autre.

– C'était comme moi, avec mes sœurs.

– On vous a téléphoné cet après-midi. Qui était-ce?

Quelle dureté dans le ton ! Plus rien à voir avec celui qu'il employait tout à l'heure.

– Mais cela ne vous regarde pas !

– Tout ce qui se passe ici nous regarde, mon père et moi. Je répète : qui était-ce ?

– Madame Ocampo.

– Cette chère Victoria, pourquoi ne pas l'avoir dit tout de suite ?

– Je n'en voyais pas l'importance.

– Que voulait-elle ?

– Savoir comment cela se passait, si je me plaisais chez vous.

– Qu'avez-vous répondu ?

– Que c'était un endroit horrible, avec des gens épouvantables.

Jaime éclata de rire.

– Je vois que vous aimez la plaisanterie, moi aussi. Vous n'avez vu personne ?

– À part les domestiques, personne.

– Je vous laisse, faites-vous belle pour ce soir.

Restée seule, Léa prit un bain, se lava les cheveux et s'habilla élégamment et confortablement ; ce n'était pas le moment d'être gênée par une robe encombrante. Elle mit quelques affaires auxquelles elle tenait dans un sac qu'elle posa derrière la porte et descendit.

Une dizaine de personnes buvaient des apéritifs, assis sous la véranda. Parmi elles, Rik Vanderveen. Il s'avança, un verre à la main.

– Vous allez mieux ? On m'a dit que vous étiez souffrante.

– Beaucoup mieux, merci. Comment s'est passée cette journée ?

– Très agréablement. Et la vôtre ?

– Calme et reposante.

– Vous vous êtes promenée dans les bois ?

– Non, je suis restée sous les arbres en bordure de la pelouse.

Jaime vint vers eux avec son père.

– Vous êtes ravissante, je suis heureux de voir que vous êtes rétablie.

– Merci, monsieur.

– Mon fils m'a dit que vous aviez eu madame Ocampo au téléphone ? Comment va cette chère amie ?

– Bien. J'ai cru comprendre qu'elle viendrait nous voir.

Le regard qu'échangèrent Manuel Ortiz et Rik Vanderveen n'échappa pas à Léa.

– Quelle bonne idée, dit ce dernier. Vous buvez quelque chose ?

– Merci, plus tard.

La nuit tomba rapidement, la pelouse et les alentours de la maison s'illuminèrent. Léa répondait machinalement aux propos des invités, tout en guettant un bruit de moteur. À l'écart, Manuel et Jaime Ortiz s'entretenaient avec Rik Vanderveen. On allait passer à table quand un ronflement de plus en plus fort fit lever les têtes ; des lumières clignotaient dans le ciel et se rapprochaient de l'*estancia*.

– Un avion, s'écria Guillermina.

– Ce doit être José qui nous fait la surprise de venir, dit madame Ortiz.

Le petit avion atterrit sur la pelouse, roula jusqu'à son extrémité, fit demi-tour et s'arrêta face au perron. Tout le monde se précipita vers lui. Le cœur battant, Léa reconnut François aux commandes. «Je ne savais pas qu'il pilotait, pensa-t-elle. Il y a tant de choses que je ne sais pas de lui.» Manuel Ortiz aida Victoria Ocampo à descendre de l'appareil.

– Quel plaisir de vous revoir, dit-il en lui baisant la main.

– J'ai tenu à accompagner mon ami, monsieur Tavernier. Sa femme malade réclame la présence de Léa. Nous sommes venus la chercher.

– Mon Dieu ! Sarah est malade ?

– Oui, gravement, elle insiste pour que tu viennes auprès d'elle, dit François d'un ton affligé.

– Alors, partons, je vais préparer mes affaires.

– Tout cela est bien contrariant, dit le maître de maison, mais je n'accepterai pas que vous quittiez ma demeure sans avoir partagé le repas qui nous attend.

– Mais…

– Ma chère Léa, montez faire votre bagage et vous nous rejoindrez à la salle à manger. Guillermina va vous aider.

Le ton était sans réplique ; il fallait céder. Comment prévenir Daniel ? Elle s'approcha de Tavernier, lui prit le bras et dit d'une voix plus forte qu'il n'était nécessaire :

– Ne vous dérangez pas, François va m'aider, pendant ce temps il me parlera de Sarah.

Ils étaient déjà dans l'escalier, personne ne les suivit. Dans la chambre, ils s'étreignirent violemment.

– Où est Daniel ?

Léa l'entraîna à la fenêtre.

– Tu vois cette allée là-bas ? Il est dans un fossé. Mais comment aller le chercher avec toutes ces lumières ?

– Il faudrait couper le courant. Tu n'as pas remarqué où étaient les compteurs ?

– Non… enfin… je ne sais pas. Près de l'office, il y a un tableau avec plein d'interrupteurs.

– Il faut tenter notre chance. Tu ne comptes pas emporter cette valise ?… il n'y a pas de place, prends juste un sac.

– Voilà, il était déjà prêt.

– Ça ira. Maintenant, montre-moi où est l'office. Si j'arrive à éteindre ces satanées lumières, pas de panique, ne bouge pas afin qu'ils ne se doutent de rien. Dans l'obscurité, je ramènerai Daniel.

Tout le monde était à table quand ils entrèrent. La maîtresse de maison fit signe à François Tavernier de venir s'asseoir auprès d'elle. Léa se retrouva entre Jaime et son père qui avait Victoria Ocampo à sa droite.

– Oh, François, pouvez-vous aller à l'avion, j'ai oublié mon châle. Excusez-moi, cher ami, dit-elle en se tournant vers Ortiz, je suis un peu grippée ces temps-ci.

Tavernier sortit, courut à l'avion, prit le châle, revint, toujours en courant, et se dirigea vers l'endroit indiqué par Léa. Il écarta une tenture. C'était bien le tableau de commande de l'éclairage de la maison et du jardin. Pas le temps de fignoler. Il sortit de sa poche son briquet, vida le contenu, aspergea le tableau et la tenture et craqua une allumette. Une flamme bleue jaillit, le rideau s'enflamma comme une torche, puis le tableau.

– Vas-tu sauter, nom de Dieu !

Le ciel dut l'entendre, des étincelles jaillirent, les lumières s'éteignirent dans le jardin puis dans la maison. François se précipita au-dehors.

Dans la salle à manger, on s'exclamait :

– Encore une panne !

– Déjà hier !

– Ne vous inquiétez pas, mes amis, on va allumer les lampes... Maria, José... voilà... C'est très romantique, n'est-ce pas ?

– Vous avez souvent des pannes ? demanda Victoria Ocampo.

– Hélas oui, nous ne sommes pas aussi bien équipés qu'à Buenos Aires, ou en France, n'est-ce pas mademoiselle Delmas ?

Répondre... parler pour qu'il ne se doute de rien.

– Vous savez, en France, dans le Bordelais, cela arrive tout le temps, surtout pendant les orages qui sont là-bas très violents.

– Je ne connais pas la région de Bordeaux, par contre je connais son vin, excellent. Vous faites du vin dans votre famille ?

– Oui, il est bon, mais ce n'est pas un très grand cru.

J'espère que lors de votre prochain voyage en France vous me ferez le plaisir de venir chez moi pour le déguster.

– Merci, mademoiselle, je retiendrai votre invitation. Jaime, tu vas voir ce que fait monsieur Tavernier, il a dû se perdre dans l'obscurité.

Le jeune homme sortit, Léa serra les poings sous la table.

– *¡ Papá, papá, hay un incendio !*[1]

Tous se levèrent et se précipitèrent vers la porte.

De hautes flammes couraient le long des murs, l'accès à l'office et aux cuisines était interdit. Un garde entra avec un seau d'eau.

– Patron, j'ai vu le feu, avec les autres on organise une chaîne, il vaudrait mieux que les dames sortent.

– Daniel... Daniel... c'est moi, Tavernier !

– Je suis là.

– Ça va ?... Vous pouvez marcher jusqu'à l'avion ?

– Ça ira.

Ils n'étaient plus très loin de l'appareil quand les flammes sortirent de la maison.

– C'est vous qui avez fait cela ?

– Je n'avais pas le choix, montez...

– Aïe !...

– Je suis désolé, mon vieux... Mettez cette bâche sur vous... surtout ne bougez pas, cela peut être long.

Tavernier prit un seau des mains d'un domestique.

– Ah, vous êtes là, merci de nous aider, dit Jaime.

– Comment l'incendie a-t-il pris ?

– Je ne sais pas, on verra plus tard. Pour l'instant il faut l'éteindre.

Ce qui fut fait avec moins de difficultés qu'on ne le

1. Papa, papa, il y a le feu !

craignait. L'office était détruit ainsi qu'une partie de la cuisine. Manuel Ortiz examina les dégâts fumants.

– Nous avons eu de la chance, cela aurait pu être plus grave. Sans doute un court-circuit. J'en serai quitte pour refaire une installation moderne. Mesdames, retournez à la salle à manger, ces messieurs et moi allons nous nettoyer. Messieurs, merci pour votre aide. Monsieur Tavernier, vous avez été particulièrement efficace, encore merci, dit Manuel Ortiz en lui tendant la main.

Le dîner, éclairé par des lampes à pétrole, venait enfin de se terminer. Les hommes allèrent sur la véranda fumer un cigare. Il faisait très sombre.

Victoria Ocampo s'approcha de Manuel Ortiz.

– Cher ami, nous allons prendre congé, je suis morte de fatigue.

– Vous êtes sûre que vous ne voulez pas passer la nuit ici ?

– Oui, j'en suis sûre, monsieur Tavernier doit être à Buenos Aires le plus vite possible. Sa femme est vraiment dans un état grave. Léa, êtes-vous prête ?

– Oui. Je ne prends qu'un sac, Guillermina me rapportera ma valise à Mar del Plata.

François prit le sac et, suivi de Victoria et de Léa, se dirigea vers l'avion après avoir salué Manuel Ortiz, sa femme, ses enfants et leurs invités.

Victoria Ocampo monta la première. Les phares d'un véhicule apparurent dans la nuit. Tavernier aida Léa puis monta à son tour. Une camionnette s'arrêta devant le perron dans un brutal crissement de freins. Deux hommes, pistolets à la ceinture, en descendirent. François mit le moteur en marche. L'hélice tourna. Un des hommes, l'air agité, dit quelque chose à l'oreille de Manuel Ortiz. Celui-ci eut un geste de colère. L'avion commença à rouler... Ortiz courut vers l'appareil, suivi de son fils et des hommes de la camionnette, pistolet au poing... l'avion prit de la vitesse... un coup de feu claqua... La lisière du bois approchait rapidement... le décollage se fit au ras des arbres...

À l'intérieur de l'avion régnait un silence tendu, chacun s'attendant au pire. Bientôt on fut à une certaine altitude, les passagers se détendirent.

– Nous avons eu beaucoup de chance, dit Victoria Ocampo d'une voix calme.

– Oui, je n'aurais pas cru que cela se passe aussi facilement, dit François. Comment va Daniel?

– Il est évanoui, répondit Léa.

– Un médecin nous attend à Buenos Aires.

– Comment, nous n'allons pas à Mar del Plata? dit Victoria.

– Non, c'est trop près de la bande d'Ortiz. Les nazis ont trop de complicités dans le coin. À Buenos Aires il sera plus en sécurité. Je suis désolé, madame, de vous avoir entraînée dans cette aventure.

– Cela ne fait rien. Je hais les nazis et leurs complices, surtout quand ce sont des compatriotes. Si j'ai pu vous aider à sauver ce jeune homme, tout est bien.

L'avion atterrit au club aéronautique du Rio de la Plata. Samuel et Sarah étaient là.

– Daniel est avec vous?

– Oui.

– Est-il gravement touché?

– C'est possible, il est sans connaissance depuis notre départ.

– Une voiture nous attend avec un médecin.

Avec précaution, on descendit Daniel, toujours inanimé. On le mit dans la voiture, qui partit avec Sarah et Samuel.

– Je n'ai pas prévenu de mon arrivée, dit, ironique, Victoria. Je vais prendre une chambre au « Plaza ».

– Je vous accompagne, dit François en ouvrant la porte du taxi qui les attendait.

267

La porte de l'ascenseur se referma sur Victoria Ocampo.

– Enfin seuls, souffla François. Toutes ces émotions m'ont donné soif. Que dirais-tu d'un verre de champagne ?

– Ce ne serait pas de refus, mais tu as vu l'heure ?... Le bar est fermé depuis longtemps.

– Je vais arranger ça.

Il alla parler au concierge en lui mettant une liasse de billets dans la main.

– Cela ne t'ennuie pas d'attendre un peu ? Je préfère m'en occuper moi-même.

Ensommeillée, recroquevillée dans un fauteuil, Léa acquiesça. Appuyé au comptoir de la réception, François l'observait avec émotion. Quelle drôle de petite bonne femme ! Pas un moment elle n'avait flanché au cours de cette étrange soirée. Il savait que si la bande d'Ortiz avait réussi à arrêter l'avion et trouvé Daniel, leur peau n'aurait pas valu très cher. Il connaissait les méthodes expéditives des nazis d'Amérique du Sud. La présence de Victoria Ocampo les avait protégés, mais jusqu'à quel point ? Il ne leur aurait pas été difficile de fabriquer un accident d'avion, dans lequel la grande dame aurait également trouvé la mort. Plus de témoins...

– *Aquí tiene su Champagne. ¿ Esta seguro que no quiere que se lo subamos ?* [1]

– *No, gracias. Buenas noches.* [2]

– *Buenas noches señor Buenas noches señorita.* [3]

L'envie qu'ils avaient l'un de l'autre ne leur permit pas de boire le champagne frais.

---

1. Voici votre champagne. Vous ne voulez vraiment pas qu'on vous le monte ?
2. Non, merci beaucoup, bonne nuit.
3. Bonne nuit, monsieur, bonne nuit mademoiselle.

25

Léa et Carmen Ortega finissaient de déjeuner au grill du « Plaza ».

– Je ne comprends pas pourquoi Daniel est chez toi. Je ne savais pas que tu le connaissais.

– *Che*, je ne le connaissais pas ! Des camarades m'ont demandé de le cacher le temps qu'il se rétablisse.

– Des camarades ?...

– *Che*, des camarades des jeunesses communistes.

– Parce que tu es communiste ?...

– Oui, répondit fièrement Carmen.

– Mais je croyais...

Léa regardait, perplexe, sa nouvelle amie. Jamais elle n'eût pensé cela de la jolie et excentrique animatrice de Radio Belgrano. Des communistes, Léa en avait rencontré dans la Résistance, mais la plupart étaient des hommes...

– Qu'est-ce que Daniel a à voir avec les communistes ?

– Nous luttons contre les mêmes ennemis et nous échangeons des renseignements.

– Eva Perón sait que tu es communiste ?

– Oui, c'est même une des raisons de nos disputes, mais il y en a tant !

– Ce n'est pas dangereux pour toi d'héberger Daniel ?

– Nous sommes très prudents. L'appartement est surveillé jour et nuit par des camarades. Il y a en permanence quelqu'un auprès de lui. *Che*.

– Quand pourrai-je le voir ?

– Pas maintenant, il a besoin de calme et de repos. Tu n'as pas oublié la leçon de tango, ce soir ?

– Non, je viendrai avec Sarah.

– *Che*, je suis obligée de te quitter, j'ai une émission dans une heure et je dois passer à *La Nación* avant.

– Je vais écrire à ma sœur Françoise et ensuite j'irai faire un tour dans les magasins.

– Passe chez «Gath y Chaves», ils ont reçu des robes des États-Unis, pas chères du tout.

– Merci du renseignement, j'irai.

– Plus de souplesse, mademoiselle, plus de souplesse !... les épaules bien droites... Là, c'est mieux, disait Arturo Sabatini avec cet accent qui faisait la joie de Sarah et de Léa.

Les deux jeunes femmes dansaient ensemble. Léa arrivait à suivre les circonvolutions de Sarah mieux que celles du professeur.

– Tu danses vraiment bien, tu sais.

– Toi, tu fais des progrès.

– Ne te moque pas de moi !

– Mais je ne me moque pas, je t'assure... À propos, Daniel te réclame.

– Mais... Carmen m'a dit qu'il devait se reposer ?

– Sans doute, mais pour son moral, il faut que tu viennes.

– Je ne demande pas mieux...

– Mademoiselle Léa, on ne parle pas en dansant le tango.

– Excusez-moi, monsieur le professeur, dit-elle en pouffant.

Le cours terminé, Carmen, Sarah et Léa se retrouvèrent sur le trottoir de l'*avenida* de Mayo.

– Si nous allions prendre un chocolat au café Tortoni ?
C'est tout à côté.

– Un chocolat, par cette chaleur !… Tu es folle, dit Léa.

– Le chocolat c'est très… comment dites-vous ?…
réchauffant ?… non… restituant ?…

– Reconstituant.

– *Che*, c'est ça, reconstituant.

– Reconstituant ou non, je préfère une boisson fraîche.

– Tu boiras ce que tu voudras.

Après une longue discussion avec Sarah, Carmen
accepta de les emmener chez elle voir Daniel. Elles prirent un taxi, qui les déposa près du cimetière de la
Recoleta…

– C'est tout près, allons-y aller à pied, c'est préférable.

Devant l'entrée d'un immeuble bourgeois, Carmen dit
quelques mots à un jeune homme. Après avoir dévisagé
Léa et Sarah, il fit signe qu'elles pouvaient passer.

Arrivée au troisième étage, Carmen sonna trois coups.

– *Ábre, soy yo.*[1]

La porte s'ouvrit.

– *¿Quién es?*[2]

– *Amigas de Daniel, las conozco.*[3]

L'homme qui avait ouvert s'effaça pour les laisser
entrer.

– *¿Cómo sigue?*[4]

– *Mejor, Ernesto está a su lado.*[5]

– *Sabes Ernesto, me alegra mucho volver a verte.*[6]

Elle poussa une porte. La chambre était fraîche grâce
à un ventilateur et plongée dans la pénombre.

1. Ouvre, c'est moi.
2. Qui est-ce ?
3. Des amies de Daniel, je les connais.
4. Comment va-t-il ?
5. Mieux, Ernesto est auprès de lui.
6. Ernesto, je suis bien contente de te revoir !

– ¿ *Che, Ernesto como andás ?* [1]

Un jeune homme aux cheveux bruns coupés court, au beau visage où brillaient des yeux noirs magnifiques, se leva du lit sur lequel il était assis.

– *Muy bien, Carmen, me dijeron que Daniel estaba en tu casa y que quería verme.* [2]

– Bonjour Daniel, tu as l'air en pleine forme. Je t'amène de la visite.

– Léa !… Sarah… cela me fait plaisir de vous voir. Samuel est passé ce matin, puis Ernesto, maintenant vous deux, je suis comblé. Si j'avais su que deux jolies femmes venaient me rendre visite, je me serais rasé.

– La barbe t'ira très bien quand elle sera plus longue, dit Sarah. Je ne te trouve pas mal du tout comme cela. Tu n'es pas de cet avis, Léa ?

– Non, je n'aime pas les barbus.

– Demain, c'est promis, je me raserai.

– Tu te raseras quand tu iras mieux, *che*, dit Carmen.

– Jamais je ne me suis senti aussi bien.

Puis, d'un ton plus sérieux, il demanda à Sarah :

– As-tu des nouvelles ?

Le visage de sa cousine se contracta.

– Oui, fit-elle d'une voix étouffée.

– Vivement que je sois sur pied… Ernesto, voici ma cousine Sarah dont je t'ai parlé et notre amie Léa Delmas. Lui, c'est Ernesto, je l'ai rencontré à Cordoba à une conférence sur l'archéologie précolombienne. Nous avons sympathisé. C'est lui qui m'a servi de guide à Cordoba.

– Et de traducteur aussi, malgré mon mauvais français.

– Qu'est-ce que tu racontes, ton français n'est pas pire que le mien, dit Carmen… Mais pourquoi riez-vous ? Ah ! je vois, c'est à cause de mon accent…

1. *Che*, Ernesto, comment ça va ?
2. Très bien, Carmen. On m'a dit que Daniel était chez toi et qu'il voulait me voir.

– Un peu, mais il est ravissant ton accent et, accent ou pas accent, on se comprend, c'est l'essentiel, dit Léa en embrassant son amie.

– Je dois partir, mon frère Roberto m'attend, dit Ernesto. Je reviendrai demain. Au revoir, mademoiselle, au revoir madame.

Le jeune homme était parti depuis quelques instants à peine quand on sonna trois coups.

– Ce doit être Samuel, il avait dit qu'il repasserait ce soir.

Léa, assise sur le lit, paraissait songeuse et inquiète.

– Qu'as-tu ? demanda Sarah.

– Je pensais que cela fait beaucoup d'allées et venues dans ce quartier et cet immeuble tranquilles. Pendant la guerre, beaucoup de résistants se sont fait prendre comme ça.

– Tu as raison, dit Sarah. C'est pour cela que demain, au plus tard après-demain, Daniel ira ailleurs. François a trouvé quelque chose près du port.

Samuel entra et se dirigea immédiatement vers son frère.

– Tu as l'air d'aller mieux, j'en suis bien heureux.

– Ça va... Comment vont Amos et Uri ?

– Bien. Ils me chargent de tous leurs vœux pour toi.

– Léa et Carmen, pouvez-vous nous laisser seuls ?

– D'accord, mais ne le fatiguez pas, *che* ? Tu viens, Léa ?

Quand elles furent sorties, Daniel demanda :

– C'est pour quand ?

– N'y pense pas, tu dois d'abord te rétablir.

– Mais je me sens très bien. Je sais que c'était prévu cette semaine... Pas question que vous passiez à l'action sans moi.

– Rassure-toi, Daniel, il n'en est pas question, dit Sarah, nous attendons le moment propice. En principe, elles doivent quitter l'hôtel Jousten vendredi. Cela te laisse trois jours pour retrouver ta forme.

– C'est plus qu'il n'en faut. Bien entendu, Léa reste à l'écart de tout cela.

– Bien entendu, dit Sarah d'un ton hésitant.

– Elle a déjà risqué beaucoup pour moi, je ne veux pas qu'il lui arrive quelque chose. Tu me le promets, Samuel ?

– Ma parole, tu es amoureux ?

Le jeune homme rougit.

– Oui, j'ai beau me dire que c'est idiot, qu'elle en aime un autre, je ne peux pas m'empêcher de l'aimer. Il y a chez elle quelque chose de libre et de fier et cependant de tendre et de fragile qui me donne envie de la prendre dans mes bras, de la protéger... Tu comprends, Sarah ?

– Oui, je comprends, mais tu ferais bien de n'y plus penser. Elle aime François et François l'aime. N'oublie pas que pour notre cause ces deux-là se sont sacrifiés. Nos motifs de vengeance ne sont pas les leurs.

– Je le sais bien, mais je me sens presque capable de tout laisser tomber pour qu'elle soit à moi.

– Que je ne t'entende plus jamais dire une chose pareille. Rappelle-toi notre serment après ma rencontre avec Simon Wiesenthal : nous en tuerons autant que nous le pourrons et rien ni personne ne pourra nous écarter de notre route... Tu as juré sur la mémoire de tes parents, de tes sœurs... Tu as juré par leur mort de racheter ce que tu avais commis...

– Je t'en prie, ne me parle plus de cela, fit Daniel en cachant son visage entre ses mains.

Très pâle, Samuel les regardait d'un air profondément malheureux.

– Je t'en reparlerai si tu restes dans cet état d'esprit. Toi et moi, nous avons beaucoup à nous faire pardonner.

Daniel se mit à sangloter.

– N'auras-tu pas pitié ?...

– Je ne connais plus le sens de ce mot.

– Arrête, Sarah, tu es cruelle ! Il est jeune, il peut oublier.

– Oublier !... tu parles d'oublier !... Oh ! Samuel, comment peux-tu ?

– Pour moi, oublier est impossible, mais pour lui ?...

– Pas plus pour lui que pour aucun d'entre nous. Tu ne comprends pas que c'est là-dessus qu'ils comptent, sur notre paresse, notre lâcheté ?... Ne commencent-ils pas à dire que les chambres à gaz n'ont jamais existé, que les documents photographiques sont truqués...

– Mais tout le monde sait bien que ce sont des mensonges, il y a des dizaines de milliers de témoins !

– Oui, mais dans dix ans, dans vingt ans, où seront-ils, ces témoins ? Morts ou ayant «oublié», comme tu dis. Je te dis, moi, que nous avons le devoir de faire qu'on se souvienne de l'horreur nazie et que les châtiments infligés aux survivants plongent les assassins cachés à travers le monde dans une angoisse quotidienne et dans l'impossibilité de connaître un seul jour de repos, une seule nuit d'un sommeil tranquille... Je ne peux continuer à vivre que si je fais tout pour qu'il en soit ainsi.

Sarah se tut, essoufflée. Elle était terrible à voir dans sa colère vengeresse : le visage rouge sur lequel se détachaient, livides, les marques de ses joues, ses traits crispés, sa bouche tordue, ses courts cheveux hérissés sur sa tête... l'air d'une gorgone...

Le silence qui suivit avait quelque chose de brutal.

On frappa à la porte ; la voix de Carmen se fit entendre :

– Vous avez fini ?... On peut entrer ?

Dès que Carmen et Léa furent dans la chambre, elles furent sensibles à l'atmosphère tendue et restèrent un bref instant interdites sur le seuil. Samuel, prenant sur lui, fit diversion.

– Nous allons laisser Daniel se reposer. Tu viens Sarah ?... Vous venez Léa ? À demain, petit frère.

– À demain... au revoir, Léa, dit-il d'un ton las.

Léa se pencha sur lui et l'embrassa avec tendresse.

– Merci, murmura-t-il.

– Je m'occupe de lui. À demain, dit Carmen.

– Je te dépose, Léa ?

– Non, merci Sarah, je vais marcher.

– Comme tu voudras.

Léa resta un long moment à regarder le taxi emmenant Sarah. Elle marcha droit devant elle et arriva sur une place animée où couraient des enfants sous de gros arbres. En face, un très haut mur derrière lequel on apercevait des croix et des toits de chapelles : le cimetière de la Recoleta. Elle entra par une porte monumentale. « Ce ne doit pas être le cimetière des pauvres », pensa-t-elle en parcourant les larges allées bordées de monuments funéraires attestant de la richesse des familles des défunts. Rien à voir avec l'humble cimetière de Verdelais où reposaient ses parents et sa sœur. Mais, comme à chaque fois, la présence des morts lui fut douce. Dans un cimetière, elle se sentait, comment dire ? protégée... oui, c'est cela, protégée. Elle n'aurait pas su expliquer pourquoi et cependant... Les morts, eux, ne pouvaient pas lui faire de mal.

Elle s'amusa de ce raisonnement enfantin.

– C'est rare de voir quelqu'un sourire dans un cimetière...

Tout à ses songeries métaphysiques, elle n'avait pas remarqué qu'un jeune homme la regardait. De quoi se mêlait-il ?...

– J'étais tout à l'heure chez Carmen... Vous ne vous souvenez pas ?

Oui, bien sûr le beau garçon aux yeux de fille.

– Excusez-moi, j'étais dans la lune.

– *Che* !... c'est surprenant de rencontrer *una chica linda* [1] se promenant dans un cimetière. Vous n'avez pas peur des fantômes ?

1. Jolie fille.

– Non, et vous ?

Il éclata d'un rire gamin qui aussitôt se transforma en une quinte de toux sifflante. Quand il réussit à reprendre son souffle, de la sueur perlait à son front.

– Je suis désolé... c'est mon asthme.

– Une de mes sœurs avait de l'asthme quand elle était petite : chaque année nous allions à La Bourboule pour elle. Je lui en voulais beaucoup au point de la faire enrager pour provoquer une crise. Je sais, ce n'était pas très gentil, mais... je détestais La Bourboule.

– Ce n'était pas très gentil, en effet. Comment va-t-elle ?

– Elle est morte.

– Oh ! pardon...

– Rassurez-vous, elle n'est pas morte de sa maladie.

– De quoi est-elle... ?

– Assassinée... parlons d'autre chose, voulez-vous ? Il y a longtemps que vous connaissez Daniel ?

– Non, un mois à peine. Comme il vous l'a dit, nous nous sommes rencontrés au cours d'une conférence sur l'archéologie précolombienne...

– Je ne savais pas qu'il s'intéressait à l'archéologie...

– J'ai été surpris, car manifestement il ne comprenait pas un mot de ce que disait le conférencier. Alors, je lui ai traduit...

– Comment saviez-vous qu'il parlait le français ?

– Je ne le savais pas, une intuition. Il a eu l'air surpris et m'a regardé droit dans les yeux, tendu. Je le trouvais sympathique, je lui ai souri et... lui aussi. À la fin de la conférence, nous étions devenus amis. Nous avons pris un verre ensemble et nous avons parlé de poésie, de Rimbaud, surtout.

Comment Daniel, si méfiant, s'était-il lié aussi vite avec un inconnu ? Cela est surprenant, se dit Léa. Quoique... ce garçon avait une manière si directe, si franche et si séduisante de regarder son interlocuteur qu'on avait envie de lui faire confiance immédiatement. Et ce sourire, désarmant de tendresse et d'ironie...

– Et Carmen ?

– Ses parents sont des amis de ma tante Beatriz chez laquelle je loge. C'est une fille amusante et gaie, ma tante l'aime beaucoup.

– Et vous ?

Ernesto rougit.

– Moi aussi... Vous, vous devez être la jeune fille dont m'a parlé Daniel, *che* ?

Léa ne répondit pas. Elle prit une allée latérale et s'assit sur les marches d'une chapelle. Il vint auprès d'elle.

– Que faites-vous ?

– Je suis étudiant en médecine... première année.

– Vous êtes communiste ?

– Non, je ne suis pas communiste. La politique ne m'intéresse pas. Par contre je suis contre l'injustice, toutes les injustices et contre l'argent qui salit tout. Et vous, que faites-vous ?

– Je ne sais pas très bien. Je suis venue en Argentine sur l'invitation de Victoria Ocampo.

– Victoria Ocampo ?... La directrice de la revue *Sur* ?

– Oui, nous avons fait connaissance en Allemagne.

– En Allemagne... fit-il d'un ton songeur. Pendant la guerre, mon père m'a emmené dans des réunions contre les nazis. J'étais très jeune, mais très impressionné. Là, j'ai compris qu'il fallait tout faire pour que les Allemands perdent la guerre. Il faut partir, les portes du cimetière vont fermer. Où allez-vous ? Je vais vous raccompagner.

– Au «Plaza *hotel*».

– *Che*, ça tombe bien, j'habite à Arenales, c'est tout près du «Plaza». Venez, il y a un tramway qui va par là...

26

En rentrant à l'hôtel, Léa trouva un message de François. « Sois à 21 heures au théâtre Colón, prends un taxi, passe par l'entrée latérale. Dis que tu es attendue à la loge spéciale numéro vingt-cinq. J'y serai. » Qu'est-ce que c'était encore que ce rendez-vous mystérieux ? Ne pouvait-il agir plus simplement ? « Qui sait si je ne vais pas encore le trouver assommé dans cette loge… » Elle monta dans sa chambre et se fit couler un bain.

– *Señorita, la entrada es acá.* [1]
– *Ya lo sé*, dit Léa devinant le sens de la phrase. *Palco especial veinticinco* [2], parvint-elle à dire, se sentant ridicule.

L'homme la regarda d'un air entendu et, avec un sourire égrillard, lui fit signe de la suivre. Il descendit quelques marches, prit un couloir, puis un autre plus étroit et mal éclairé, passa devant deux portes portant des numéros et s'arrêta devant la troisième. On entendait la musique du *Lac des Cygnes*.

– *Es acá señorita* [3], dit-il à voix basse, en frappant doucement à la porte.

1. Mademoiselle, ce n'est pas ici l'entrée.
2. Je sais. Loge spéciale numéro vingt-cinq.
3. C'est ici, mademoiselle.

– *¿Quién es?*[1]

– *Es el portero, estoy con una señorita que dice tener cita en el palco número veinticinco.*[2]

La porte s'entrouvrit. Tavernier lança un regard rapide dans le couloir et s'effaça pour laisser entrer Léa.

– *Bueno, gracias*[3], dit-il à l'homme en lui tendant un pourboire. *Que no me molesten.*[4]

– *Quédese tranquilo señor. Luigi vigila.*[5]

Léa ramassa les plis de sa robe de rayonne rouge sombre et s'assit sur une des banquettes recouvertes d'un velours de la même teinte, placées de chaque côté de l'entrée. Un rideau du même tissu refermait l'endroit, où régnait une chaleur étouffante. François poussa le verrou.

– On se croirait dans une boîte.

– Attends, tu n'as rien vu, dit-il en écartant le rideau.

Deux chaises capitonnées, encore un rideau.

– Viens voir.

Elle s'approcha, il entrouvrit légèrement la tenture ; une épaisse grille de fer forgé fermait la loge.

– De mieux en mieux, maintenant, on se croirait en prison.

– Chut, regarde.

Ils se trouvaient au ras du sol de l'orchestre avec vue sur les pieds des spectateurs. De la scène, on ne voyait rien. François ferma soigneusement le rideau et tourna un interrupteur. Une sorte de veilleuse fit surgir les contours de son visage. Dans cette pénombre, elle le trouva beau et inquiétant.

1. Qu'est-ce que c'est ?
2. C'est le portier, je suis avec une jeune demoiselle qui dit avoir rendez-vous dans la loge numéro vingt-cinq.
3. Ça va, merci.
4. Qu'on ne me dérange pas.
5. Soyez tranquille, monsieur. Luigi veille.

– Embrasse-moi... arrête... Qu'est-ce que tu fais?...
pas ici, tu est fou!...

– Pourquoi? Non, ce genre d'endroit a été conçu pour
les rendez-vous galants des couples adultérins ou de ceux
qui veulent voir sans être vus.

– François!...

Leur étreinte fut rapide, violente et... délicieuse.

Elle gisait à demi couchée sur l'étroite banquette, indifférente à l'ouverture indécente de ses jambes, le cœur
battant, les yeux clos, décoiffée. François sentit son
désir renaître et dut faire un véritable effort pour ne pas
la reprendre dans ses bras. À regret, rageusement il rabat-
tit la robe. C'était pour l'amour qu'elle était faite et non
pas pour ce vers quoi il l'entraînait. Face à tant de tranquille impudeur, il se haïssait.

– Tu as vu Daniel?

– Oui, fit-elle d'une voix languissante.

– N'y retourne pas, c'est trop dangereux.

Elle ouvrit les yeux et se redressa.

– Et pour Carmen et les autres, ce n'est pas dangereux?

– Si, mais ils savent ce qu'ils font.

– Parce que moi, je ne le sais pas?

– Je ne veux pas que tu sois mêlée à tout cela.

– Tu me l'as déjà dit. Mais je suis jusqu'au cou mêlée
à vos affaires, ce n'est pas la peine de se mentir.

Il eut un geste de découragement.

– Il est encore temps pour toi de partir.

– Je ne partirai pas, je veux vous aider.

Des applaudissements éclatèrent dans la salle. On
frappa à la porte.

– ¿ Quién es? [1]

– Un mensage para usted, Señor. [2]

_____

1. Qu'est-ce que c'est?
2. Un message pour vous, monsieur.

– *Páselo por debajo de la puerta.*[1]

François prit le papier, le déplia et le lut.

– C'est de Sarah.

– Comment sait-elle que nous sommes ici ?

– Nous utilisons cette loge comme boîte aux lettres.

– Que dit-elle ?

Il hésita.

– Que c'est pour ce soir.

– Déjà ? Allons-y.

– Mon amour, je t'en supplie…

Il y avait du désespoir dans sa voix ! Elle en fut émue.

– Je veux être avec toi, tu peux comprendre. Je t'aime, l'idée que tu me laisses seule alors qu'il y a du danger pour toi, pour Sarah, m'est insupportable.

François la prit dans ses bras, l'embrassa dans les cheveux et dit :

– Alors, viens.

Sa voiture était garée près du palais de justice.

– Où allons-nous ?

– Au parc Palermo, Amos m'attend.

Il y avait encore beaucoup de circulation dans l'avenue de Libertador, ils traversèrent la roseraie, contournèrent le lac et s'arrêtèrent avenue de l'Infanta Isabel. François lança trois appels de phare suivi de deux autres. Plus loin une voiture répondit.

– C'est lui, dit-il en redémarrant lentement.

Arrivé à la hauteur du véhicule, il s'arrêta.

– Que fait-elle ici ? demanda Amos.

– Elle remplace Daniel.

– Ce n'était pas prévu.

– Je sais, mais nous avons besoin de quelqu'un pour faire le guet.

– Comme vous voudrez, vous savez ce que vous faites.

1. Glissez-le sous la porte.

Les deux femmes quitteront l'hôtel à pied accompagnées d'un policier argentin. Tous les trois se dirigeront vers la *plaza* de Mayo. Une voiture les attendra près de la cathédrale. Samuel est sur place. Carmen est dans le hall de l'hôtel avec Uri, ils les prendront en filature jusqu'à la place. Vous les suivrez en voiture pour parer à toute éventualité.

– À quelle heure ?

– Vingt-trois heures trente. Soyez garés avenue Corrientes à une vingtaine de mètres de l'hôtel. Vous êtes armés ?

– Évidemment.

– Bien, à plus tard.

Sous un lampadaire, Carmen et Uri s'embrassaient, tandis que Rosa Schaeffer et Ingrid Sauter montaient dans le taxi garé devant la cathédrale. Les portières refermées, le policier continua son chemin vers la Casa Rosada. Il passa en sifflotant, sans un regard pour l'automobile dans laquelle s'enlaçait un couple.

– Maintenant, rejoins Carmen, elle sait ce qu'il y a à faire. Uri nous suit à moto.

– Où allez-vous ?

– Elles vont probablement tenter de s'embarquer au milieu de la nuit pour Montevideo. On se retrouvera tout à l'heure sur le port. Sois prudente, je t'aime, mon amour.

Léa descendit et se dirigea vers Carmen et Uri. S'il fut surpris de voir Léa, il ne manifesta rien, enfourcha sa moto et s'en alla avec un geste d'adieu.

La jeune Argentine saisit son amie par le bras.

– Je n'ai pas pu prévenir les autres à part Uri : Daniel a disparu...

– Enlevé ?

– Non, il est parti rejoindre Sarah.

– Comment le sais-tu ?

– Vers vingt et une heures ce soir, je suis sortie faire une course. Quand je suis revenue, j'ai trouvé le camarade de garde devant la porte assommé et celui de l'appartement enfermé. Sur la table, un mot de Daniel disant qu'il rejoignait Sarah.

– C'est tout ?

– *Che* ! il ne m'a pas écrit un roman !

– Mais blessé comme il l'est !... et Sarah, où est-elle ?

– Je n'en sais rien.

– J'ai l'impression que l'on nage en pleine incohérence... Attention, le taxi démarre.

Elles le suivirent des yeux : il fit le tour de la place et passa devant les deux jeunes filles qui se rejetèrent dans l'ombre.

– Carmen...

– Oui ?

– L'homme qui est à côté du chauffeur...

– *¿Qué ?*

– C'est Jones, un de ceux qui ont torturé Daniel.

– Tu es sûre ?

– Oui, il était à bord du bateau. Que doit-on faire maintenant ?

– On prend un taxi et l'on va *avenida* de Los Inmigrantes dans une *esquina.*

Les dockers et les marins buvant restèrent bouche bée en voyant entrer deux belles filles seules.

– *¡ Qué churrasca !*

– *¡ Qué taquerea !*

– *¡ Qué hembraje !*

Mains sur les hanches, Carmen fit face :

– *Hijos de puta impotentes, cállense la boca bastardos, solo tienen huevos para insultar a las mujeres...* [1].

– *Deja, Carmen, no son mala gente. Señores, esta chica es mi sobrina y su amiga es... mi sobrina también.* [2]

1. Fils de pute, impuissants, fermez vos gueules de bâtards, ça n'a de couilles que pour insulter les femmes...
2. Laisse, Carmen ce ne sont pas de mauvais garçons. Messieurs, cette fille est ma nièce et son amie est... ma nièce aussi.

– *Discúlpanos Juán, no te podíamos adivinar.* [1]

– *Tienes suerte de tener sobrinas tan bien rellenas.* [2]

Les buveurs retournèrent à leurs verres. Juan fit passer « ses nièces » derrière le comptoir.

– *¿ Y esta, quién es?* [3]

– *No te preocupes, es una amiga.* [4]

Elles passèrent dans une arrière-salle encombrée de caisses. L'homme désigna une lucarne.

– *Da a la calle que es perpendicular a la avenida de Los Inmigrantes. De allí queden vigilar todo.* [5]

– *Gracias.* [6]

L'homme sortit, refermant la porte derrière lui.

– Ils ne vont pas tarder à arriver. Au bout de l'*avenida* c'est le quai d'embarquement. Les voilà.

Un taxi venait de s'arrêter. Le chauffeur et Jones descendirent et regardèrent autour d'eux puis se dirigèrent vers l'*esquina*. Les portières arrière restèrent fermées.

– Que font-elles? demanda Léa. Pourquoi ne descendent-elles pas?

– Tais-toi, laisse-moi écouter... Le chauffeur parle à quelqu'un, ce n'est pas au patron... Ils ont un complice dans la salle...

– Alors, il nous a vues?

Une moto s'arrêta... une silhouette traversa la rue... une voiture freina, puis une autre... un bruit de chaises renversées, de verres brisés... des cris... une femme sortit du taxi... un coup de feu... elle s'écroula... la voix de François Tavernier...

– Attention, ils s'enfuient...

1. On pouvait pas savoir, excuse-nous Juan.
2. Tu as de la chance d'avoir des nièces aussi bien roulées!
3. Qui c'est, celle-là?
4. Une amie, sois sans crainte.
5. Elle donne dans la rue qui est perpendiculaire à l'*avenida* de Los Inmigrantes. De là vous pouvez tout surveiller.
6. Merci.

Le chauffeur et Jones coururent vers le taxi, pistolet au poing... dans la lumière d'un réverbère, Sarah avec une mitraillette... une rafale... Jones tomba... le chauffeur démarra... on se battait dans l'*esquina*... Tavernier tirait en direction du taxi... Jones se redressa... Daniel...

– Daniel! cria Léa.

Jones tira... un coup de feu l'abattit... Daniel à terre... François se penchait vers lui... bousculant Carmen, Léa ouvrit la porte... un homme tenta de la retenir, elle s'arracha à son étreinte... Uri monta sur sa moto et se lança à la poursuite du taxi... Samuel tomba à genoux... des hommes quittaient l'*esquina* à toutes jambes... Sarah s'approcha, mitraillette tendue près du corps de la femme allongée sur le ventre... du pied, elle la retourna...

– Non, Sarah!

... Elle n'entendit pas Léa... elle n'entendait plus rien... tirait par rafales... le corps sursautait... monstrueuse danse de saint Guy... Sarah riait... pétrifiée, Léa regardait... oubliant le danger... fascinée par le ballet affreux exécuté sous ses yeux... des sirènes...

– Vite, la police!...

Léa s'arracha à sa morbide contemplation... François tirait Sarah par le bras... Sarah qui riait, riait... pourquoi Samuel portait-il Daniel?...

– *Carmen, ánda con él.*[1]

Sur la banquette arrière de la voiture de Tavernier, Sarah continuait de rire...

– Fais-la taire, supplia Léa, fais-la taire.

Il ne répondit pas, roulant à vive allure le long des quais. On n'entendait plus les sirènes. Il s'arrêta, se retourna et gifla Sarah à plusieurs reprises... enfin le rire dément cessa.

1. Carmen, va avec lui.

Il repartit... derrière, Sarah essayait de retrouver sa respiration.

– Attention !...

De justesse, il évita une charrette tirée par un âne. Ils entendirent les imprécations du charretier.

L'automobile roulait à vive allure le long des docks. Ils traversèrent un quartier misérable.

«Le faubourg est le reflet de la fatigue du voyageur», murmura Léa.

– Que dis-tu ? demanda François.

– C'est un vers de Borges qui me revient en mémoire.

Il lui lança un regard surpris.

– Tu lis Borges ?

– Non, mais à Mar del Plata, Victoria a dit ce poème, je trouvais le rythme très beau, je lui ai demandé de me le traduire.

Ils s'arrêtèrent dans une rue sombre bordée de hauts murs, couverts d'affiches déchirées et barrées de hautes lettres noires: «*VIVA PERÓN*». À l'aide d'une grosse clef, François ouvrit une porte de fer disparaissant sous les lambeaux de papier. Ils entrèrent. Un chat détala avec un miaulement rageur. Une lumière s'alluma dans le bâtiment d'en face, éclairant une cour encombrée de détritus divers; un chemin sillonnait au milieu, l'endroit puait la désolation.

– Où sommes-nous ?

– Chez des amis, les autres doivent nous rejoindre ici.

Dans la lumière se découpa la silhouette de Uri.

– Daniel est sérieusement touché, il n'arrête pas de demander après Léa.

– Je suis là.

– Je vous conduis près de lui.

Il gisait dans un coin, étendu sur des sacs, Samuel et Carmen auprès de lui. Samuel pleurait.

– Ne pleure pas, mon frère... j'ai froid... Léa, où est Léa ?...

– Je suis là, Daniel... on va te soigner... oh!...

Elle se rejeta en arrière, les mains sur les lèvres : le bas du ventre du jeune homme n'était qu'une bouillie.

– Léa...

Surmontant sa peur et son dégoût, elle s'assit près de lui et caressa ses cheveux. Son visage en sueur exprima un tel bonheur que Léa faillit éclater en sanglots.

– Je suis heureux... tu es là... penche-toi... j'ai du mal à parler... sois bonne pour Samuel... il n'avait plus que moi... je n'ai pas peur de mourir... mais c'est un peu tôt... jamais je n'ai connu de femme... quand je t'ai vue... j'ai su que c'était toi... Sarah... ?

– Oui, je suis là.

–... Je n'ai plus de haine... je suis en paix... je vais rejoindre mes parents... Léa?... je t'aime... Sarah... pas Léa... pas Léa... Léa...

Sa tête s'inclina contre son épaule.

Léa poussa un cri, arracha sa main de celle de Daniel et se jeta contre François.

– Non!... Oh! non... non!

Samuel se pencha sur le corps de son frère, lui baisa le front et lui ferma les yeux. Lentement, péniblement, il se redressa, contempla le cadavre... il sortit son mouchoir de sa poche, le déplia soigneusement, le déposa sur sa tête et, d'une voix ferme, prononça les paroles du kadish.

– *Yithgaddal weyitkkaddâsh Shemêh rabba beolmâ diverâ 'khire' outhé wegamli khmal khouthé be'bayye 'khôn ouveyome 'kkôn ouve 'hayyé dékhol beth Yisraël ba'agalâ ouvizman gariv weïmeron Amên...Ossé schalom bimerômân hou ya'assé schalom 'alenou we'al kel Yisraël weïmeron Amên.* [1]

_____

1. Que le nom du Très-Haut soit exalté et sanctifié dans le monde qu'il a créé selon sa volonté. Que son règne soit proclamé de nos jours et du vivant de la maison et Israël dans un temps prochain. Amen... Que celui qui entretient l'harmonie dans les sphères célestes la fasse régner parmi nous et parmi tout Israël. Amen.

27

Après avoir raccompagné Léa au « Plaza », après quelques mots au directeur de l'hôtel qu'il avait fait réveiller, François Tavernier partit avec Sarah Mulstein et Carmen Ortega. Ils n'allèrent pas dans l'appartement de la jeune Argentine de crainte qu'il ne soit surveillé par les nazis, mais se rendirent rue San Martín de Tours chez un médecin antipéroniste, Ricardo López, juif d'origine portugaise. Là, dans le cabinet luxueux du médecin, ils attendirent Samuel Zederman, Amos Dayan et Uri Zohar.

Ils arrivèrent à trois heures du matin. Le docteur López prit la tension de Samuel, blême et secoué de tremblements, et lui administra un sédatif. Bientôt le frère de Daniel sombra dans un sommeil agité.

Aux premières heures du jour, López alerta des amis pour aller récupérer le corps de Daniel et le transporter à l'hôpital de Rivadavia dans le service dont il était le directeur. Alors, Sarah et ses amis prirent un peu de repos.

Le surlendemain les journaux firent état en quelques lignes d'une bagarre à Los Inmigrantes ayant provoqué la mort d'une femme munie d'un passeport argentin au nom de Maria Escalada. Une photo illustrait l'article de *La Prensa*.

– Ce n'est pas Rosa Schaeffer, dit Samuel.

– C'est Ingrid Sauter. La grosse Bertha court toujours, ajouta Sarah.

– Elle n'est pas la seule. Un de mes confrères, le docteur Pino Frezza, qui faisait partie pendant la guerre de la suite de Mussolini, a déclaré à son ambassade avoir rencontré Martin Bormann non loin de la brasserie munichoise « A. B. C. », rue Lavalle. Prévenues, les organisations juives argentines ont fait effectuer des enquêtes, sans succès jusqu'à ce jour. Bormann est introuvable. Sous couvert de la Capri, dirigée par l'Allemand Karl Fuldner, les comités d'accueil, le trafic des faux passeports, notamment à San Isidro, sont tout à fait au point. Dans le journal *Der Weg*, dont les premiers numéros ont paru l'année dernière, le professeur Johannes von Leers, chef de la propagande antisémite de Goebbels, célèbre pour avoir publié *Die Juden sehen dich an*[1], a repris ses attaques contre les juifs et sa propagande en faveur du nazisme, tantôt sous le pseudonyme de docteur Euler, tantôt sous son vrai nom. Nous savons qu'il est en rapport avec les chefs nazis en fuite et qu'il entretient une importante correspondance avec l'Autriche et l'Allemagne. Son appartement du 863 Martín-Haedo y Vicente López est sous surveillance. Il est au mieux avec des personnalités péronistes très haut placées. Ils sont ici comme des poissons dans l'eau. Mais il ne faudrait pas croire que tous les Argentins sont pronazis. Il faut se rappeler la joie des habitants de Buenos Aires à l'annonce de la libération de Paris. De nombreux députés de l'opposition interviennent au Parlement pour dénoncer les services officiels qui emploient d'anciens nazis, notamment un de mes amis, le docteur Augustin Rodriguez Araya, et Sylvano Santander…

– Sait-on où est Rosa Schaeffer ? dit Sarah en interrompant Ricardo López.

1. Les juifs te regardent.

– Nous avons retrouvé le taxi, vide bien sûr, il avait été volé. Le propriétaire a porté plainte à la police qui l'a interrogé un peu brutalement. Le pauvre homme ne savait que dire : *Me robaron a mí... Me robaron a mí...* [1] il est actuellement en réanimation à l'Hôpital Espagnol.

– Vous le croyez complice ? demanda Tavernier.

– C'est possible. Il a pu louer son taxi et déclarer qu'il avait été volé. Un de mes confrères doit m'appeler dès qu'il aura repris connaissance. Quant à Rosa Schaeffer, après la fusillade, elle n'a pas pu s'embarquer : nous sommes à peu près sûrs qu'elle n'a pas quitté Buenos Aires. Nos meilleurs agents campent sur les lieux fréquentés par les nazis et leurs complices. Inévitablement, à un moment ou à un autre, Rosa Schaeffer entrera en contact avec l'un d'eux. Nous surveillons tout spécialement le domicile de von Leers et les bureaux de la Capri. Monsieur Tavernier, avez-vous appelé l'ambassade de France ?

– Oui. Personne ne s'est inquiété de nous, nous allons pouvoir réintégrer notre appartement de Viamonte.

– Bien. Monsieur Zederman devra venir reconnaître le corps de son frère et prendre les dispositions pour les obsèques.

– Courage Samuel, je viendrai avec vous, dit François.

– Moi aussi, je viendrai, dit Sarah.

– Est-ce bien nécessaire ?

– C'est à moi d'en juger. Je l'aimais comme un frère, comme un fils, je veux lui dire un dernier adieu.

– Comme tu voudras.

La mort de Daniel, si jeune encore, fut ressentie par tous comme une affreuse injustice.

Léa était comme brisée par cette mort. Durant les jours qui suivirent, elle resta presque constamment enfermée dans sa chambre du «Plaza», allongée sur le lit, les yeux grands ouverts. Après le drame, elle n'avait revu ni

1. C'est moi qui ai été volé... c'est moi qui ai été volé...

François, ni Sarah, ni Samuel. Carmen venait la voir chaque jour, essayant en vain de la faire sortir de sa retraite. Victoria Ocampo voulut la ramener à San Isidro, Léa refusa. Ce fut Ernesto, l'ami argentin de Daniel, qui la tira de son marasme. Très affecté, il vint chercher auprès d'elle un réconfort que bien évidemment, il ne trouva pas. Leur désarroi et leur chagrin les jetèrent dans les bras l'un de l'autre.

Il était monté dans sa chambre, un bouquet de fleurs à la main. Il avait trouvé la porte ouverte et Léa allongée sur le lit, somnolant, vêtue seulement d'une combinaison de soie bleu pâle, les rideaux à demi tirés sur la chaleur de midi. Bien que son aînée de quelques années, elle eut un comportement enfantin, elle se recroquevilla comme un animal apeuré.

– *Che*, c'est moi Ernesto, n'ayez pas peur... Vous ne devriez pas laisser votre porte ouverte.

– Je sais, fit-elle d'une petite voix.

Il la regardait, surpris, elle n'avait plus rien à voir avec la jeune femme décidée et forte de leur rencontre, elle avait l'air d'une petite fille apeurée et désemparée. Il se sentait maladroit, timide, follement désireux de la réconforter. Il s'assit sur le lit, lui caressa doucement les cheveux en lui disant des mots qu'elle ne comprenait pas mais dont la musique était douce et apaisante. Elle se retourna et le regarda, les yeux encore brillants de larmes mais un sourire aux lèvres.

– Merci, Ernesto, vous me faites du bien... Allongez-vous près de moi, tenez bien ma main... parlez-moi dans votre langue... j'aime votre voix...

Combien de temps restèrent-ils ainsi, comme deux enfants sages ? Tout naturellement, leurs lèvres se cherchèrent... à peine avaient-ils conscience du désir qui bouleversait leurs corps. Léa se blottit contre lui, ses mains glissèrent...

Comme à chaque fois qu'elle avait fait l'amour, Léa

se sentait renaître. Elle se pencha sur son jeune amant : qu'il était beau, que ses lèvres étaient douces et ses mains malhabiles, tendres! Elle n'eut pas un remords en pensant à François Tavernier. Il y avait eu tant de spontanéité, d'affection, de confiance dans leur étreinte! L'acte amoureux leur avait été consolateur.

– J'ai faim, dit-elle, si nous descendions déjeuner ?

Au grill de l'hôtel, on avait été heureux de revoir «*la linda francesa*»[1]. Les deux jeunes gens avaient été traités comme des hôtes de marque, malgré la tenue un peu débraillée d'Ernesto. Léa aurait aimé se confier à lui, mais elle ne savait pas jusqu'à quel point il était informé du rôle de Daniel. Carmen avait dit : «C'est un ami, mais il ne s'intéresse pas à la politique, il est antipéroniste, ça s'arrête là.» Elle lui parla de Montillac, disant que sa maison commençait à lui manquer, qu'ici, la nature était bien monotone.

– Monotone pour qui sait ne pas voir. Que diriez-vous si vous étiez dans le désert lunaire de la Patagonie !

– N'est-ce pas en Patagonie qu'il y a des baleines ?

– Oui, à Peninsula Valdés.

– Mon père était fou des baleines depuis qu'il en avait vu au Mexique. J'aimerais bien en voir.

– Il faut aller à Puerto Piramides où chaque année elles se rassemblent entre le mois de juillet et le mois de décembre.

– Il faudra m'y emmener.

Léa lui était reconnaissante de cette conversation anodine : on était loin de la peur, du chagrin, de la mort... Ils se quittèrent en se disant : «À demain.»

Cet intermède amoureux avait remis Léa sur pied. Apaisée, elle pensait à Daniel avec une tendre tristesse

1. «La jolie française».

293

et se rappela les derniers mots du jeune homme pour son frère Samuel. Elle se doutait bien que sa présence ne consolerait pas Samuel, mais au moins pouvait-elle tenter de lui apporter un peu de réconfort. Dans le modeste hôtel, non loin du «Plaza», où les deux frères étaient descendus, on lui dit ne pas les avoir revus depuis quatre jours. Quatre jours! déjà! Elle se décida à appeler François. Ce fut Sarah qui répondit.

– Te voici revenue sur terre? lui dit celle-ci.

Léa fut surprise et peinée du ton de la voix.

– Pourquoi me parles-tu comme cela?... J'étais anéantie, tu pouvais le comprendre?...

– Pardonne-moi, je comprends... Moi je suis au-delà de l'anéantissement. Cependant j'ai ressenti douloureusement la mort de Daniel, je ne pensais pas être capable de souffrir encore. Je croyais avoir épuisé mes capacités de souffrance, il n'en était rien... Ils ont encore réussi à me faire mal... ils ne m'avaient pas complètement tuée comme je le croyais... Daniel, c'était mon double... maintenant je me retrouve plus seule que jamais... Je vengerai sa mort comme j'aurais vengé sa vie... je tuerai...

– Toujours se venger... toujours tuer...

– Toujours, je l'ai juré cet après-midi sur sa tombe.

– Cet après-midi?... il a été enterré sans moi?...

– C'est Samuel qui l'a voulu, en disant que cela aurait été aussi le désir de Daniel.

Il y eut un long silence.

– Allô, tu es toujours là?...

– Oui... j'aurais voulu parler à François.

– Il est parti pour Mendoza tout de suite après l'enterrement.

– Il n'a rien dit pour moi?

– Si, il a laissé une lettre que je déposerai tout à l'heure.

– Non, je viens la chercher.

Léa trouva Sarah amaigrie et vieillie; ses courts cheveux

noirs ne rajeunissaient plus son visage. Elle était vêtue d'un ensemble blanc qui accentuait l'aspect terreux de ses joues. Elle eut cependant un mouvement de joie en voyant son amie.

– Tu es jolie comme tout. Ta retraite au «Plaza» t'a fait du bien.

Léa se sentit rougir.

– Merci, je vais mieux. Que fait François à Mendoza?

– Il est là-bas à titre officiel. Il faut bien donner de la vraisemblance à notre présence ici.

– Quand rentre-t-il?

– Dans trois ou quatre jours. Je suis invitée demain par Eva Perón à un thé en compagnie des dames de la Fondation Eva Perón. C'est une société de bienfaisance que la présidente a créé pour se venger de la société des Dames de la Charité. Cette société dont font partie toutes les femmes de l'aristocratie *porteña*, fort riche, a évincé de la présidence honoraire la belle Eva bien que, par tradition, ce titre revînt à la femme du président. Les *señoras porteñas* n'ont jamais accepté de la recevoir. Viens avec moi, le temps me paraîtra moins long.

– Qu'irai-je faire là-bas?

– Me tenir compagnie et surtout, faire en sorte que l'on nous croie proche de Perón. Cela peut nous être utile un jour.

– Comme tu voudras.

Dans le taxi qui la ramenait à l'hôtel, Léa lut la lettre de son amant:

Ma belle chérie,
Ces jours passés loin de toi m'ont paru une éternité. Je ne vis plus depuis que tu es ici. Sans cesse j'ai peur qu'il ne t'arrive quelque chose. Jamais je n'ai éprouvé autant de craintes pour quelqu'un; je suis comme paralysé. Cela me met hors de moi. Je t'en supplie une nouvelle fois, mon

bel amour, quitte l'Argentine, retourne en France et attends-moi à Montillac. Là-bas est ta place, non dans ce climat de violence et de haine. Tu es faite pour la vie, pour l'amour, tu n'es que lumière. Ne te laisse pas entraîner par des sentiments qui ne sont pas les tiens. Il y a en toi un vrai bon sens; tu es faite pour les choses aimables et tendres et ici, je ne puis t'offrir que l'insécurité et, qui sait, peut-être la mort. Pour t'arracher à ce pays, je suis prêt à tout abandonner, laisser nos amis se perdre dans cette boue... Je sais que cela te choque mais pars, mon amour... et si tu ne veux pas partir toute seule, je partirai avec toi. Je t'aime.

François.

C'est vrai qu'il devait l'aimer pour lui écrire une lettre pareille, lui l'homme d'honneur, le combattant intransigeant. Elle ne pouvait accepter sa proposition, son engagement auprès de Sarah avait quelque chose d'irrémédiable, de sacré. Elle ne lui aurait pas pardonné de trahir, même par amour pour ses engagements.

Ernesto avait donné rendez-vous à Léa au cimetière de la Chacaritas devant la tombe de Carlos Gardel.

– Comment la trouverai-je ? avait-elle demandé.

– N'importe quel gardien te l'indiquera, avait-il répondu.

En effet, Léa avait trouvé l'endroit facilement. Sur la tombe se dressait une grande statue de bronze du célèbre chanteur de tango, une main dans la poche de son pantalon, l'autre tenant... une cigarette allumée, dont la fumée bleue montait dans la chaleur de l'après-midi. Cette cigarette allumée étonna beaucoup Léa.

– C'est la coutume ici que d'offrir au grand Gardel une cigarette. Tu veux lui en donner une ?

Aidée par son compagnon, Léa glissa entre les doigts de bronze une nouvelle cigarette allumée.

À cette heure de la journée, il y avait très peu de

monde dans le cimetière, aussi l'attention de Léa fut-elle attirée par une femme en grand deuil, escortée de deux hommes. Pas de doute possible, l'un d'eux était Barthelemy. Alors?... cette femme?... ce ne pouvait être que Rosa Schaeffer. Il fallait absolument ne pas la perdre de vue. Elle prit Ernesto par le bras.

– Tu vois ces trois personnes là-bas?

– Oui.

– Fais cela pour moi. Suis-les, ne les lâche pas d'une semelle.

– Mais pourquoi?

– Je ne peux pas t'expliquer maintenant. Je ne peux pas les suivre moi-même, une d'entre elles me connaît. D'accord?

– D'accord. Je te trouve où?

– Je retourne au «Plaza». Dès que tu sais où elles demeurent, viens me rejoindre.

La nuit était tombée depuis longtemps quand Ernesto frappa à sa porte.

– Alors?

– Cela n'a pas été facile, ils ont pris le métro, un tramway, un taxi puis à nouveau le métro. J'ai eu de la chance de ne pas les perdre.

– Où sont-ils allés?

– Tiens-toi bien, tout près d'ici, à Paraguay.

– Tu es sûr?

– *Che*, je suis resté sous une porte cochère pendant près d'une heure, personne n'en est ressorti. Maintenant, peux-tu me dire?...

– Ces gens sont responsables de la mort de Daniel, ce sont des nazis.

Il resta un instant stupéfait.

– À mon tour de te demander: tu en es sûre?

– Oui. Excuse-moi, je ne peux pas t'en dire davantage. Peut-être même t'en ai-je déjà trop dit.

297

– Tu n'as pas confiance en moi?

– Ce n'est pas cela, mais ces gens sont très dangereux.

Léa appela Sarah; personne ne répondit.

Elle détacha ses cheveux qu'elle portait en chignon et les secoua comme pour se libérer de leur poids.

– Que tu es belle!

– Viens t'allonger près de moi, je suis fatiguée et je voudrais dormir.

– Dormir?...

Ils ne s'endormirent que beaucoup plus tard.

Ce fut la sonnerie du téléphone qui les réveilla.

– Allô, dit Léa en bâillant.

– Excuse-moi, mon amour, je te réveille?... Je voulais savoir comment tu allais... Sarah t'a remis ma lettre?... Je t'aime... tu me manques... Allô!... tu m'entends?

– Oui.

– Tu n'es pas seule?

– Non, ce n'est pas ça.

– Excuse-moi de t'avoir dérangée.

À Mendoza, François raccrocha rageusement. Léa le fit lentement, à regret. Ernesto la regardait d'un air interrogateur. Discret, il ne posa pas de question.

– Il est tard, je dois rentrer, ma tante et mon frère vont s'inquiéter.

Elle se blottit dans ses bras.

– Je suis bien avec toi.

Il la contempla d'un regard qui semblait lire en elle. Une fois habillé, il lui dit:

– À demain?

Léa répondit par un petit geste de la main.

28

Tard dans la matinée, Léa fut réveillée par le téléphone; Samuel demandait à la voir. Elle répondit qu'elle descendait. Un quart d'heure plus tard, elle était dans le hall.

Samuel attendait, assis dans un fauteuil, indifférent au va-et-vient des clients de l'hôtel, le regard vague, les mains abandonnées. Quel changement chez lui aussi! L'émotion laissa Léa quelques instants immobile. Ce fut ce moment que choisit Rik Vanderveen pour s'approcher. Léa n'avait plus eu de nouvelles de lui depuis leur fuite de l'*estancia* Ortiz. En le voyant, une peur folle la paralysa.

– Bonjour, ma chère, vous n'avez pas l'air heureuse de me revoir?... Nos amis ont été un peu étonnés par votre départ précipité. Comment va madame Tavernier?... mieux à ce qu'on m'a dit... Et ce cher monsieur Tavernier?... un excellent pilote.

Pendant ce monologue, Samuel s'était levé et se tenait à l'écart, regardant des dépliants publicitaires. Léa comprit; il ne fallait pas que Vanderveen fasse un lien entre le frère de Daniel et elle. Elle parvint à sourire.

– Bonjour Rik... Je suis surprise, je ne m'attendais pas à vous voir. Vous allez bien?

– Comme vous le voyez, je suis dans une excellente

forme, le climat argentin me réussit. À vous aussi, semble-t-il... Vous êtes chaque fois plus belle.

– Merci.

– Je suis pour quelques jours à Buenos Aires, me ferez-vous le plaisir de déjeuner ou de dîner avec moi ?

– Bien volontiers, mais je suis prise aujourd'hui et demain.

– Alors, disons après-demain pour dîner ? À neuf heures ?... Cela vous convient ?

– Oui, oui, très bien. Où êtes-vous descendu ?

– Ici, bien évidemment. Nous dormons sous le même toit. Je vous laisse, un rendez-vous important. N'oubliez pas... après-demain ?... Je compte sur vous.

Rik Vanderveen remit sa clef au concierge et sortit de l'hôtel après avoir fait un geste de la main à Léa.

Elle avait beau se dire que rien, dans les renseignements reçus concernant Vanderveen, ne pouvait le faire suspecter d'être le complice de Jones et de Barthelemy, sa présence à l'*estancia* Ortiz le désignait comme étant un des leurs. Dans ce hall, elle se sentait vulnérable, exposée aux regards : il ne fallait pas que l'on pût établir une relation entre Samuel et elle.

– Suivez-moi, chuchota-t-elle en le frôlant.

Léa marcha d'un pas nonchalant jusqu'à la station de métro San Martín en s'assurant que Samuel la suivait bien. Ils furent les seuls à monter dans le wagon à moitié vide. Personne ne les avait suivis.

Léa posa sa main sur le bras de Samuel. Ils restèrent un moment silencieux.

– Je suis venu vous dire de rentrer en France...

– Vous aussi ? Mais qu'est-ce que vous avez tous à vouloir me faire partir !

– Votre place n'est pas ici. J'ai toujours été contre le fait que vous soyez mêlée à nos affaires, malgré l'avis de Sarah.

– Sarah n'est pour rien dans ma venue en Argentine !

– Peu importe, vous devez partir.

– Non.

– Mais enfin, je ne comprends pas, notre combat n'est pas le vôtre !...

– Oubliez-vous l'assassinat de ma sœur ?... Pourquoi me refuser à moi le droit de me venger ?

La rame ralentit et s'arrêta.

– Descendons, dit-il.

Ils se retrouvèrent *plaza* de la República, face à l'obélisque.

– Allons dans Corrientes, il y a beaucoup de monde.

Ils marchèrent quelques instants, perdus dans la foule.

– Nous reparlerons de mon départ une autre fois, j'ai quelque chose à vous dire. J'ai essayé de joindre Sarah mais cela ne répond pas chez elle. Je sais où est cachée Rosa Schaeffer.

– Quoi ? Qu'est-ce que vous dites ?

– Je sais où est cachée Rosa Schaeffer, à Paraguay-Esmeralda.

– Mais c'est...

– Oui, c'est tout près d'ici.

– Allons-y.

– Vous ne voulez plus que je parte ?

Samuel ne répondit pas, il accéléra le pas et prit la rue Esmeralda. Léa avait du mal à le suivre.

– C'est ici.

Un immeuble vétuste, avec une boutique de mercerie au rez-de-chaussée.

– Attention !

Léa entra précipitamment dans le magasin, suivie de Samuel. La commerçante s'avança.

– *Buenos días señorita, buenos días señor. ¿Qué desean ?* [1]

Que répondre ? Léa fit le geste de recoudre.

1. Bonjour mademoiselle, bonjour monsieur. Que désirez-vous ?

– *¿Quieren hilo? ¿Qué color?* [1]

– Bleu.

– Me direz-vous ce qui se passe ?

Léa guettait à travers la vitrine.

– J'ai vu Barthelemy venir vers nous.

– Croyez-vous qu'il nous ait vus ?

– Je ne crois pas.

– *Aquí tiene señorita. ¿Es el color que me pidió?* [2]

– *Sí, gracias.* [3]

En sortant, Léa glissa la bobine dans sa poche.

– Il faut revenir avec quelqu'un parlant espagnol pour essayer de savoir à quel étage ils habitent. Venez, nous allons rejoindre Amos et Uri.

– Alors, je peux rester ?

Samuel haussa les épaules. Un taxi les conduisit chez le docteur Ricardo López. Averti, il dépêcha les deux meilleurs agents de son organisation. En attendant leur retour, le médecin fit servir une collation. Ils finissaient de boire le café quand on sonna à la porte d'entrée. C'était Sarah.

– Ah ! tu es là, dit-elle en voyant Léa. Tu n'as pas oublié que nous allons à la Casa Rosada ? Que fait-elle ici ? ajouta-t-elle en se tournant vers Samuel.

Il n'eut pas à répondre : on sonnait une nouvelle fois à la porte d'entrée. Cette fois, revenant de la rue Esmeralda, c'étaient les Argentins. Quand ils eurent rendu compte de leur mission, il sembla à tous que Sarah renaissait.

– Maintenant, elle ne peut plus m'échapper, dit-elle avec un sourire mauvais.

– Il faut la faire sortir de sa tanière, mais auparavant il faut localiser ses gardes du corps.

---

1. Vous voulez du fil ? Quelle couleur ?
2. Voici, mademoiselle. C'est la bonne couleur ?
3. Oui, merci.

– *Son tres*, dit un des Argentins, *un policía criollo vestido de civil vigila el inmueble desde el café de enfrente, un mestizo y un alemán.* [1]

– *¿Conocés al mestizo*[2] *?*

– *Si es un bandido muy peligroso, la policía lo utiliza a menudo para malos negocios.* [3]

Le médecin avait l'air inquiet.

– C'est très embêtant, dit-il en s'adressant à Samuel et à Sarah, cela veut dire que la police est dans le coup. Il va falloir jouer serré.

– Que comptez-vous faire ? demanda Sarah.

– Continuer la surveillance et essayer de gagner la confiance d'un des gardes du corps.

– Ils doivent se méfier.

– Aucun Argentin ne résiste à une jolie femme.

– À quoi pensez-vous ?

– On va envoyer Carmen en reconnaissance dans le café.

– Oh! non, pas Carmen! dit Léa.

– Carmen est un de nos meilleurs agents, de plus, elle est ravissante.

«Justement», pensa Léa.

Sarah s'approcha d'elle.

– Tu as fait du bon travail, ma chérie. Tu n'as pas oublié notre thé ?… Nous avons juste le temps de nous préparer. Il faut que nous ayons l'air très convenables.

Eva Perón trônait dans un fauteuil à haut dossier de bois doré et de velours rouge dans un des salons de la Casa Rosada. Elle était vêtue d'une exquise robe blanche au drapé savant, entourée de femmes chapeautées,

---

1. Ils sont trois: un policier *criollo* en civil surveille l'immeuble dans le café d'en face, un *mestizo* et un Allemand.
2. Tu connais le *mestizo*?
3. Oui, c'est un voyou très dangereux, souvent utilisé par la police pour de sales besognes.

toutes très élégantes. Sarah et Léa l'étaient aussi, mais d'une manière moins ostentatoire.

– Je suis heureuse de vous revoir, madame Tavernier, vous aussi mademoiselle.

Léa ne comprit pas, mais elle salua en souriant.

– Nous parlions, ces dames et moi, du rôle de la femme dans notre société. J'ai beaucoup médité là-dessus. Le général m'a aidée dans cette réflexion. Par sa patience et son affection, il m'a fait comprendre les différents aspects des innombrables problèmes qui concernent la femme dans mon pays et dans le monde. Ces conversations m'ont permis une fois de plus de comprendre le génie de sa personnalité. Des millions d'hommes ont sans doute, comme lui, affronté le problème chaque jour plus aigu en ce siècle angoissé de la femme au sein de la société. Mais je crois que bien peu d'entre eux se sont arrêtés, comme le général, pour l'examiner à fond. Les féministes des autres pays diront que commencer ainsi un mouvement féminin, c'est bien peu féminin… N'est-ce pas là, diront-ils, commencer, en quelque sorte, par reconnaître la supériorité d'un homme ? Ces critiques ne m'intéressent pas. Je suis engagée dans l'action et je dois accepter la tâche de guide spirituel des femmes de mon pays.

– Elle ne manque pas d'air, chuchota Sarah à l'oreille de Léa.

– Tu me raconteras, je n'ai rien compris.

On servit le thé.

– *Muchachos*, venez ici, dit Eva Duarte, en interpellant un des rares hommes de l'assemblée.

Ils vinrent tous.

Le colonel Mercante, Freude, chef du service présidentiel des recherches, personnage redouté, le père Benitez, son confesseur jésuite et Alberto Dodero, un gros armateur ami des Duarte, se précipitèrent vers elle. À voix haute, pour que tous entendissent, la belle Eva dit:

– J'ai accepté l'invitation du général Franco à me rendre en visite officielle en Espagne, ensuite j'irai à Rome demander au pape de prier pour Perón et le peuple argentin. Je terminerai mon voyage européen par Paris.

– Peut-on rêver plus belle ambassadrice que vous, dit Albert Dodero, en lui baisant la main.

La présidente eut un rire de gorge.

Léa regardait cette société si différente de celle dont faisait partie Victoria Ocampo. Ici, tout était clinquant, plutôt vulgaire, et personne ne venait à elle en lui parlant français alors que Victoria et ses amis s'exprimaient tous dans sa langue natale avec beaucoup de distinction. Malgré cela, elle n'arrivait pas à trouver Eva Perón antipathique, elle n'était pas loin d'éprouver une certaine admiration pour la petite actrice, tellement décriée dans les milieux de l'aristocratie de Buenos Aires, qui avait réussi si jeune – n'étaient-elles pas à peu près du même âge ? – à être la première dame de son pays. Mais pour rien au monde, Léa n'eût souhaité être à sa place.

Enfin, Sarah donna le signal du départ.

Elles traversèrent la *plaza* de Mayo. Devant la cathédrale, plusieurs taxis stationnaient. Léa se dirigea vers l'un d'eux.

– Si nous rentrions à pied, j'ai envie de marcher, dit Sarah.

– Comme tu voudras, passons par Florida, on regardera les magasins.

Elles n'échangèrent que des propos futiles jusqu'au siège du journal *La Nación*. Un groupe d'hommes, journal en main, commentaient les nouvelles du jour. En première page, un titre.

– Arrestation à Montevideo d'un criminel nazi, traduisit Sarah.

– Tu crois que François a quelque chose à voir avec ça ?

– Va savoir, répondit Sarah, laconique.

Elles arrivèrent en vue du « Plaza ».

– Que fais-tu ce soir ? demanda Sarah.

– Je vais au cinéma avec Victoria Ocampo. Il paraît qu'à « l'Ambassador » on passe un film avec Humphrey Bogart et Ingrid Bergman, ensuite je dîne avec elle, sa sœur Silvina et son beau-frère. Et toi ?

– Je reste chez moi, j'attends des nouvelles de François et Samuel doit passer me voir. Si tu as besoin de me joindre... Je ne bouge pas.

Elles s'embrassèrent. Soudain Léa demanda :

– Comment vas-tu ?

C'était si inattendu que Sarah se troubla.

– Que veux-tu dire ?

– Rien.

– Mais encore ?

– On ne dirait pas que Daniel est mort... Aïe ! tu me fais mal !

Sarah avait saisi le bras de son amie et le serrait d'une poigne de fer.

– Que veux-tu dire par là ?

– Lâche-moi ! tu es folle.

– Plus que tu ne le crois, dit-elle en la relâchant. Mais pour Daniel, ne te méprends pas. Cela a l'air comme avant, penses-tu, mais sache que, lui et moi, nous sommes restés là-bas et même si nous avons l'air vivant, si nous avons encore des émotions, elles ne sont qu'un reste de mémoire de ce qui était... avant. Nous sommes des morts vivants. Alors, mort ou pas mort, qu'est-ce que ça change ?... Peux-tu me le dire, toi qui crois être bien vivante ?

Des hommes passaient, regardant ces deux belles jeunes femmes qui devaient discuter chiffon avec ces mines sérieuses. Car, c'est bien connu, il n'y a que les futilités qui soient sérieuses pour les femmes.

Léa demanda sa clef, le concierge la lui remit avec un message qu'elle lut sur-le-champ. Il était d'Ernesto.

« Ma chère Léa, je ne pourrai pas te voir aujourd'hui, mes parents sont arrivés de Cordoba. Je pense à toi tendrement. »

« Dommage, je l'aime bien ce garçon », pensa-t-elle en prenant l'ascenseur.

Dans sa chambre, deux bouquets étaient disposés dans des vases, l'un était somptueux, l'autre simple et élégant. Tous les deux venaient du fleuriste en bas de l'hôtel. Le premier était de Rik Vanderveen, le second d'Ernesto.

La soirée passée avec Victoria Ocampo s'était terminée fort tard. Léa avait mal dormi, les fleurs du bouquet de Vanderveen lui avaient donné mal à la tête, François n'avait pas appelé, Carmen non plus. Elle ne pouvait s'empêcher d'être inquiète pour sa nouvelle amie : « J'ai peur qu'il lui arrive quelque chose », pensait-elle. Levée de mauvaise humeur, avec la migraine, elle décida de se rendre en fin de journée chez le docteur Ricardo López. Quand elle arriva rue San Martín de Tours, elle éprouva un sentiment de malaise ; il y avait beaucoup d'allées et venues dans l'immeuble. Elle se souvint d'avoir éprouvé la même sensation avenue Henri-Martin, à Paris, devant la porte de l'appartement du tortionnaire Massuy, des griffes de qui elle avait arraché Sarah. Elle hésitait à monter, quand Uri entra dans le hall.

– Ne restez pas là, venez.

Chez le médecin, plusieurs personnes s'activaient : parmi elles, Samuel, les cheveux en bataille, et Amos.

– Avez-vous des nouvelles de Tavernier ? demanda-t-il.

– Non. Il est arrivé quelque chose ?

– Carmen a disparu.

– Disparu ?

– Oui, hier soir vers minuit, elle a lié connaissance avec le policier en civil en faction dans le café. Elle a téléphoné ici pour faire son rapport. Depuis, plus rien.

– Elle a pu dormir chez une amie ?

– Non, elle nous aurait prévenus d'autant qu'elle devait retourner au café cet après-midi. Personne ne l'y a vue.

– Le policier y était ?

– Oui, il semblait nerveux.

– A-t-on appelé les radios ?

– Oui, là non plus, on ne l'avait pas vue.

– Que puis-je faire ?

– Pour l'instant, rien, nos camarades argentins s'en occupent.

– Sarah a-t-elle était prévenue ?

– Oui, elle avait un déjeuner à l'ambassade de France qu'elle ne pouvait remettre. Elle ne devrait pas tarder, un des nôtres l'attend. C'est inutile que vous restiez ici. Je vous fais raccompagner au « Plaza ». Évitez de sortir jusqu'à nouvel ordre.

Accablée, Léa se laissa reconduire. Elle éprouvait la même impression d'insécurité que pendant la guerre mais là, dans ce pays étranger dont elle ne parlait pas la langue, elle ne savait que faire. Où pouvait être Carmen ? Peut-être trouverait-elle un message à l'hôtel ? C'est avec un faible espoir qu'elle s'adressa au concierge.

– Non, mademoiselle, il n'y a aucun message pour vous.

– Merci.

29

Léa se fit servir à dîner dans sa chambre, essaya de lire, tout en surveillant le téléphone. Vers onze heures, n'y tenant plus, elle se rhabilla et descendit au bar où elle commanda une coupe de champagne, puis une autre.

– C'est triste de boire seule ainsi.

Rik Vanderveen était debout devant sa table. Enfin quelqu'un à qui parler ! Léa en oublia ses préventions.

– Vous avez raison, asseyez-vous, Rik. Demandez du champagne, ce soir j'ai décidé de boire.

– *Camarero, una botella de su mejor champagne.* [1]

– *Sí, señor.* [2]

– Avez-vous quelque chagrin à noyer ?... Dans ce cas, il fallait appeler tonton Rik !

Tonton Rik ! Il était ridicule. Bah, ce soir elle se contenterait de sa présence. Le serveur apporta la bouteille demandée, fit sauter le bouchon et servit. Léa leva son verre avant de boire.

– Hmm ! il est bien meilleur que l'autre.

– À votre santé, belle amie... N'est-ce pas hier que vous avez été reçue par la présidente ?

– Oui, comment savez-vous cela ?

1. Garçon, une bouteille de votre meilleur champagne.
2. Bien, monsieur.

– Les nouvelles vont vite à Buenos Aires, l'étrange madame Tavernier y était aussi. Une bien belle femme malgré ses légères cicatrices sur les joues... on dirait des brûlures de cigarettes.

Si elle n'avait pas bu trois verres de champagne, Léa aurait certainement été plus attentive. Mais là... elle demanda qu'on lui resservît à boire, ce que Vanderveen fit immédiatement.

– Avez-vous revu la charmante Carmen ?

– Pourquoi me demandez-vous cela ?

– Oh ! par simple curiosité : il m'avait semblé, à bord, que vous étiez devenues très amies. Malgré ses airs évaporés, c'est une jeune fille délicieuse.

– Je la vois de temps en temps. Donnez-moi à boire.

– *Señorita, una llamada para usted.* [1]

– *Gracias.* [2]

Léa alla dans la cabine et referma la porte derrière elle.

– Allô !...

– Léa ?... c'est moi... J'ai appris pour Carmen... Je t'en supplie, sois très prudente... évite de sortir seule... Je prends le bateau demain pour Buenos Aires... Je passerai te voir dès mon arrivée... d'accord ?

– Comme tu voudras.

– Tu m'en veux encore pour l'autre soir ?... Pardonne-moi, je suis jaloux... je t'aime...

« Moi aussi je t'aime, pensa-t-elle, tu me manques tellement. »

– Allô ?... tu m'entends ?... Parle-moi, dis quelque chose...

– Tu me manques...

– Je t'entends mal... Allô, allô... tu me parles ?...

La communication était coupée.

1. Mademoiselle, on vous demande au téléphone.
2. Merci.

Léa raccrocha lentement, prise d'une envie folle d'être entre les bras de son amant. Demain ! il serait là demain... Qu'avait-il dit ?... qu'elle soit prudente. Que risquait-elle ? Léa revint à la table, songeuse. Ces recommandations de prudences s'appliquaient-elles à Rik Vanderveen ? Ce Rik Vanderveen dont elle ne parvenait pas à se faire une idée. Pourtant, à maintes reprises, elle l'avait soupçonné d'être nazi.

– Vous avez l'air soucieux, à quoi pensez-vous ?

– Je me demandais si vous étiez un nazi.

« Pourquoi ai-je dit cela ? se dit-elle. Je suis folle. » Elle se sentit rougir.

Pas un muscle de son visage ne bougea. Avec un sourire ironique, il demanda :

– Pourquoi dites-vous cela ?

Que répondre ?... Il fallait trouver quelque chose.

– Je ne sais pas, une idée qui m'est passée par la tête.

– Cela a à voir avec votre appel téléphonique ?

– Oh non ! pas du tout. Messieurs Jones et Barthelemy sont bien des nazis ?

– Je n'en sais rien et, si cela était, quel rapport avec moi ?

Léa finit son verre de champagne, qui fut aussitôt rempli.

– Il y a beaucoup de nazis en Amérique du Sud.

– Cela ne prouve pas que j'en sois un.

– C'est juste, disons que c'est une impression.

– Ce sont des impressions dangereuses. En avez-vous parlé à vos amis Tavernier ?

Léa but avant de répondre.

– Oui.

– Et que disent-ils ?

– Que vous êtes un citoyen hollandais au-dessus de tout soupçon.

– Voilà qui doit vous rassurer ?

– En effet, aussi suis-je tout à fait rassurée.

– Vous m'en voyez ravi. Il n'est pas bon qu'une jolie tête comme la vôtre ait des pensées pareilles.

– Pourquoi ?

– Parce que cela peut être malsain.

Quel jeu jouait-elle ? Léa, elle-même, se le demandait. Ce devait être le champagne. Rik ne pouvait pas être un nazi malgré ses mauvaises relations.

– Il y a longtemps que vous connaissez monsieur Ortiz ?

– Oui, nous étions en affaire avant la guerre.

– Et lui, ce n'est pas un nazi ?

Il la regarda attentivement avant de répondre.

– Vous voyez des nazis partout, c'est une obsession. Venez, allons nous changer les idées, je vous emmène dans une boîte de tango.

– Mais il est trop tard !

– Pas en Argentine et pas pour le tango. Allez, venez c'est à deux pas, entre Corrientes et Sarmiento.

Malgré l'heure tardive, il y avait encore beaucoup de monde à Florida, des hommes surtout. Il faisait très chaud. Ils s'arrêtèrent devant une enseigne clignotante : « Marabú Maipú. » Des tables nappées de rouge entouraient la piste de danse, l'orchestre jouait une rumba. Des rideaux de perles multicolores bougeaient tout autour de la salle. Le jeu des lumières faisait naître un scintillement de mille couleurs. Ils venaient à peine de s'asseoir quand un maître d'hôtel apporta un seau argenté contenant une bouteille de champagne qu'il déboucha immédiatement.

– Mais... nous n'avons rien demandé ?

– On a deviné ce que vous aimiez.

Léa but. Un couple de danseurs de tango entra, elle en courte robe de satin noir fendue, de longues jambes émouvantes sous les bas à résilles, lui en costume clair, coiffé d'un chapeau qui lui donnait un faux air de Carlos Gardel. L'air grave, l'homme guidait sa souple compagne au regard noyé, sensuelle avec dédain. La musique, triste, profonde, nostalgique, bouleversait Léa. «Cette pensée triste qui se danse» la rendait à chaque fois mélancolique. Elle aimait la mélancolie, la tristesse issues de cette musique, miroir de la difficulté de vivre d'un romantisme morbide. L'espace d'un instant, elle se vit dansant entre les bras de François. Que faisait-elle ici?... La musique s'arrêta, le public applaudit et manifesta bruyamment sa satisfaction.

– Je voudrais rentrer, je suis fatiguée.

– Pas avant que vous ne m'ayez accordé une danse.

Lasse, un peu ivre, Léa se laissa guider, lointaine. Son corps suivait le rythme, docile, indifférente au désir de son partenaire qu'elle sentait contre son ventre.

– J'ai envie de vous, murmura-t-il à son oreille.

Elle eut un rire de gorge qui le trompa et frissonna quand ses lèvres se posèrent sur son cou.

– Léa, voulez-vous?

– Quoi? dit-elle d'une voix alanguie.

– Faire l'amour.

– Non.

Ce fut un «non» dur et cinglant. Avec violence, il la serra contre lui.

– Pourquoi?

– Je n'en ai pas envie.

– Je suis convaincu du contraire.

– Libre à vous. Raccompagnez-moi, je veux rentrer.

– Sale petite putain, est-ce que tu crois que tu peux te moquer de moi impunément?

Léa se dégagea et regagna la table. D'un trait, elle vida son verre. En le reposant, son regard rencontra celui d'un homme accoudé au bar; elle avait déjà croisé ce regard... dans la vitrine... Jones... Elle était en danger. Elle se leva, fit quelques pas en titubant. L'homme quitta le bar et vint dans sa direction. Léa s'arrêta et chercha des yeux Rik Vanderveen: il avait disparu; un sentiment de panique l'envahit.

Dehors, il·faisait un peu moins chaud, les promeneurs étaient moins nombreux. Pas de taxi en vue. «Ne sors pas seule», c'était bien ce que François avait dit?... Dans Florida, elle marcha d'un pas qu'elle croyait décidé. Les garçons se retournaient sur cette *linda chica*[1] seule qui n'avait pas l'air bien assurée sur ses jambes.

– *¿ Adonde va?*[2]
– *¿ Podemos ayudarla?*[3]
– *¿ Puedo acompañarla?*[4]

Cette rue Florida n'en finissait pas. Elle se retourna, crut apercevoir l'homme du bar et se mit à courir. À Viamonte, une main saisit son bras. Elle cria. La pointe d'un couteau sur sa gorge éteignit son cri. Une voiture s'arrêta à leur hauteur. Sans la lâcher, l'agresseur ouvrit la portière et la poussa à l'intérieur de la grosse limousine; une odeur de cuir, de tabac puis, plus rien.

Surtout, ne pas ouvrir les yeux, laisser la migraine se calmer; il fallait penser à ne plus boire autant de champagne: vivement un bon bain pour nettoyer cette sensation de saleté et d'écœurement. Avec précaution, Léa souleva les paupières, les referma. Il lui sembla entendre un gémissement... c'était encore ce cauchemar!... Il fallait se réveiller, se lever, appeler Sarah et Samuel. Elle rouvrit les yeux... ce n'était pas un cauchemar.

Depuis combien de temps était-elle ici, attachée dans cet endroit nauséabond et mal éclairé? Cette fois, le gémissement était bien réel. Malgré les liens qui entravaient ses bras et ses pieds, Léa parvint à se redresser. À quelques pas seulement, c'était d'un corps roulé en

---

1. Jolie fille.
2. Vous allez loin?
3. Pouvons-nous vous aider?
4. Puis-je vous raccompagner?

boule, agité de tremblements, que venaient les plaintes. Elle parvint à se mettre debout, avança en sautillant... et se laissa tomber près du corps tremblant. Ce vêtement jaune, abîmé... tâché... une impression de déjà vu... cette sensation d'impuissance, ce déchirement !... le mal, toujours le mal... Carmen...

– Carmen !

Un bref instant, le tremblement s'arrêta. S'aidant de ses mains nouées, Léa parvint à la retourner. Oh non !... un œil fermé, le visage couvert d'ecchymoses, la bouche en sang...

– Carmen... parle-moi... ma chérie, je t'en prie...

Les pauvres lèvres déchirées esquissèrent un sourire qui devint rictus de douleur. Deux dents manquaient...

– *Che... ¿Léa, tú tambén?*[1]

– *Che*, Carmen.

Blottie contre son amie, Léa se mit à sangloter.

– Ne pleure pas... j'ai soif... là, calme-toi...

Combien de fois lui avait-on dit «calme-toi» ?... Elle eut honte de ses larmes, releva la tête... Ce n'était pas seulement le visage de Carmen qu'ils avaient massacré, mais ses mains... ses seins... les mêmes brûlures que Sarah... Non ! la guerre était finie... on ne torturait plus... l'Argentine n'était pas l'Allemagne... et cependant ?... Là ?... cette *linda chica* défigurée... ces doigts écrasés... ces seins brûlés... cette jupe serrée entre les cuisses... ce sang !... tout ce sang...

Le hurlement de Léa fit sursauter Carmen.

– Tais-toi... ils vont revenir... tais-toi... je n'ai rien dit... Je ne sais pas pourquoi, mais je n'ai rien dit... Ils veulent Sarah et les autres... toi non plus... ne dis rien...

– Mais je ne veux pas que l'on me fasse du mal !

Malgré ses souffrances, cette réflexion arracha un sourire à Carmen qui se termina sur un cri.

1. Léa... toi aussi ?

315

– Pardonne-moi, je dis n'importe quoi. Qui t'a mise dans cet état ?

– *Una mujer.*[1]

– Une femme !... mais comment cela est-ce possible ?... Oh non !...

L'image de Sarah portant son enfant mort... la tête fracassée du bébé... ce médecin riant... Rosa Schaeffer !... Rosa Schaeffer... accablée, Léa sentait sa raison la quitter.

Il fallait pourtant faire quelque chose, elle n'allait pas se laisser massacrer comme Carmen ?... D'abord, se défaire de ses liens. De ses doigts engourdis, elle parvint après bien des tentatives à dénouer la ficelle de chanvre qui entourait ses chevilles. Avec ses dents, elle s'attaqua à celle de ses poignets mais ne réussit qu'à en resserrer les nœuds. La sueur ruisselait le long de son visage et de son dos, sa légère robe fleurie lui collait à la peau. Dans la sorte de cave où elles étaient, il n'y avait que des caisses, des tonneaux, pas le moindre instrument tranchant... il lui sembla que les gémissements de Carmen se faisaient de plus en plus faibles... elle s'avança... la jeune Argentine était évanouie. «Cela vaut mieux, pensa-t-elle, elle souffre moins... » Soudain, un bruit de voix... des mots en allemand... Léa se recroquevilla près de son amie.

– *Wo ist das Mädchen ?... Ich sehe es nicht.*[2]

– *Hier, Doktor, sie hat es geschafft, ihre Beine zu freizumachen.*[3]

Rosa Schaeffer et Barthelemy ; derrière eux, l'homme du bar.

– *Da ist also die berühmte kleine Französin... Hübsches Mädchen... Schade ! Ich hoffe, sie ist weniger hartnäckig als die kleine Argentinerin... Ist sie tot ?*[4]

1. Une femme.
2. Où est la fille ?... Je ne la vois pas.
3. Ici, docteur, elle a réussi à détacher ses jambes.
4. Voici donc la fameuse petite Française... Jolie fille... dommage ! J'espère qu'elle sera moins coriace que la petite Argentine... Est-elle morte ?

– *Noch nicht* [1], dit Barthelemy en donnant un coup de pied à Carmen qui gémit et en forçant Léa à se relever.

– *Dann, bringen ihr sie um.* [2]

– Non! hurla Léa.

Rosa Schaeffer éclata de rire.

– *Wir waren nicht sicher, daß du deutsch verstehst... Es ist eine gute Sache, da werden wir Zeit gewinner. Ich will die Namen und Adressen der Mitglieder des Netzes deiner jüdischen Freundin... willst du nicht antworten? Wenn du dich darauf versteifst, wirst du nie wieder einen Liebhaber haben... wie du willst. Worauf warten ihr, um die andere umzubringen?* [3]

– *Ich bitte Sie, laß sie leben!* [4]

– Non! fit Rosa Schaeffer.

D'un geste si rapide que Léa ne se rendit pas compte tout de suite de ce qui se passait, Barthelemy trancha la gorge de Carmen.

Cette lame dégouttante de sang... ce gargouillis... ce corps agité de soubresauts... et puis cette tête qui semblait ne tenir à rien... Léa glissa à terre et regarda sans paraître comprendre ce qu'elle voyait.

– Carmen, murmura-t-elle doucement.

Des gifles la ramenèrent à elle.

– *Wirst du sprechen, du Hure!* [5]

– *Es nützt jetzt nichts mehr. Sie ist nicht bei Sinnen und*

1. Pas encore.
2. Alors, tuez-la.
3. Nous n'étions pas sûrs que tu comprennes l'allemand... Voilà une bonne chose, cela va nous permettre de gagner du temps. Je veux les noms et adresses des membres du réseau de ton amie juive... tu ne veux pas répondre?... Si tu persistes dans ton attitude, tu n'auras plus jamais d'amoureux... comme tu voudras. Mais enfin, qu'attendez-vous pour tuer l'autre?
4. Je vous en supplie, laissez-la vivre!
5. Tu vas parler, salope!

versteht nicht, was gesprochen wird. Lassen wir sie zu sich kommen. [1]

– *Wir haben nicht viel Zeit, morgen müßt ihr gehen.* [2]
– *Ich weiß, warten wir etwas. Bindet ihr sie fest.* [3]
– *Was machen wir mit der Leiche?* [4]
– *Tut ihr sie in den Sack, wir werden später sehen.* [5]

L'homme du bar et Barthelemy firent glisser le cadavre recroquevillé dans un grand sac de jute et le poussèrent dans un coin.

Seule, assise sur le sol souillé, Léa se balançait d'avant en arrière avec un étrange sourire.

Des éclats de voix, des bruits de bagarre lui parvinrent... la porte de la cave s'ouvrit brusquement... un homme... fusil en main... Léa arrêta son balancement et leva les yeux... «Je vais mourir», pensa-t-elle. Pourquoi lui enlevait-il ses liens?... Elle sentit un chaud liquide couler le long de ses jambes... rien ne pouvait le retenir... c'était immonde!... cette peur...

– Ne craignez rien, je viens vous sauver.

La sauver?... il avait bien dit : la sauver?... elle avait envie de rire... Il l'aida à se relever, sa jupe, mouillée, collait à ses cuisses... elle eut honte... prit appui sur lui pour monter les marches... un vaste magasin de produits alimentaires... personne... quelle heure était-il? Quel jour? C'était une lumière de fin de journée... une grosse limousine odeur de cuir et de tabac...

– Vous n'avez pas oublié que nous devons dîner ensemble ce soir, dit Rik Vanderveen en démarrant.

1. C'est inutile maintenant. Elle est sonnée et ne comprend rien à ce qu'on lui dit. Laissons-la récupérer.
2. Nous n'avons pas beaucoup de temps, c'est demain que vous devez partir.
3. Je sais, attendons un peu. Attachez-la solidement.
4. Que fait-on du corps?
5. Fourrez-le dans un sac, on verra plus tard.

30

Quelques instants à peine après le départ de Léa, deux automobiles s'arrêtèrent devant le magasin. Les badauds surpris regardèrent quatre hommes s'engouffrer dans l'entrée, des armes mal dissimulées sous leurs vestes.

– Comment se fait-il qu'il n'y ait personne ?

– C'est une entreprise bidon, elle sert de couverture aux trafiquants nazis. Les employés, peu nombreux, sont tous d'origine allemande. Mais il y a toujours quelqu'un pour garder l'endroit, aussi, soyons prudent. Qu'Amos reste près de l'entrée, pour surveiller la rue. François et Uri, suivez-moi.

Apparemment, les lieux étaient vides.

– Allons voir à la cave, dit Narciso Colomer, qui leur servait de guide.

– Je ne comprends pas, dit François Tavernier, pourquoi les portes étaient ouvertes. On dirait un piège.

Il venait à peine de terminer sa phrase qu'un coup de feu éclata et qu'une balle vint s'enfoncer dans le bois d'une étagère à quelques centimètres de sa tête. Il se jeta à plat ventre. Amos et Uri tirèrent. Un cri. Un homme tomba au milieu des caisses. Au-dessus d'eux, d'une large poutre métallique, un autre homme tira en direction de Narciso mais celui-ci fut plus rapide et abattit le tireur qui bascula à son tour. Puis ce fut le silence.

Laissant le rez-de-chaussée à la surveillance d'Amos et d'Uri, Tavernier et Colomer descendirent à la cave. Très vite, François remonta. Il se laissa tomber sur une caisse, bouleversé.

– Alors ?

Il fit signe qu'il était incapable de parler. Les deux jeunes gens descendirent à leur tour. Quand Uri revint, il pleurait. Narciso et Amos remontèrent, pâles, les yeux étincelants de colère... Pendant quelques instants, on n'entendit que la respiration haletante des quatre hommes.

– Nous la vengerons, dit Uri en essuyant ses yeux.

Dans la voiture qui l'emmenait, Léa commençait à reprendre ses esprits.

– Je suis arrivé à temps, on dirait, dit Rik Vanderveen en posant sa main sur son genou.

– Merci, balbutia-t-elle.

La limousine filait maintenant à vive allure dans les faubourgs de Buenos Aires. Peu à peu les maisons s'espacèrent, la terre remplaça l'asphalte : devant, à perte de vue, la pampa.

– Où allons-nous ?

– Je vous conduis en lieu sûr.

– Comment m'avez-vous retrouvée ?

– Je vous suivais, mais je n'ai pu intervenir à temps.

– Vous avez vu ce qu'ils ont fait à Carmen ? Il faut prévenir la police.

– Vos amis s'en chargeront.

Que voulait-il dire par là ? Tout était confus dans son esprit. Voyons, il fallait qu'elle réfléchisse, vite.

– Je ne comprends pas.

– C'est simple pourtant : messieurs Tavernier, Ben Zohar, Zederman et Dayan ne sont-ils pas de vos amis ?

Comment connaissait-il les noms d'Amos, de Samuel et d'Uri ? Son cœur s'emballa, ses mains devinrent moites.

– Vous faites bien partie d'un réseau de vengeurs ?...
Ils étaient sur le point de vous retrouver.

– Mais alors pourquoi...

–... vous avoir arrachée des mains de Rosa
Schaeffer ?...

Tout tournait dans la tête de Léa... Il connaissait Rosa
Schaeffer... Alors ?... elle tenta d'ouvrir la portière.

– Ne faites pas cela, vous vous tueriez.

Un pistolet avait surgi dans sa main libre.

– Si vous recommencez, je vous tire une balle dans le
genou.

Malgré tous ses efforts, Léa ne parvint pas à retenir
ses larmes.

– Ne pleurez pas, belle enfant, vous allez gâcher ce
joli visage. Tenez, je vous promets que si vous me dites
très gentiment ce que vous savez de l'organisation de vos
amis juifs, vous aurez la vie sauve, parole d'officier SS.

SS, il avait bien dit SS ? Toutes les horreurs de la guerre
étaient dans ce mot. Elle revit ses amis assassinés, les monceaux de cadavres du camp de Bergen-Belsen, le corps
mutilé de Carmen... Ses doigts lâchèrent la poignée de
la portière. Elle s'affaissa contre Rik Vanderveen.

François Tavernier fit part à l'ambassade de France de
la disparition de Léa. L'ambassadeur et lui furent reçus
à leur demande par le chef de la police, le général Velazco.

– Je me souviens très bien de mademoiselle Delmas,
une jeune fille ravissante. Elle a sûrement fait une escapade amoureuse, vous ne devriez pas vous inquiéter,
monsieur l'Ambassadeur. Les jeunes filles européennes,
maintenant...

– Général Velazco, nous sommes certains qu'il ne s'agit
pas d'une escapade...

– Vos informateurs seraient-ils mieux renseignés que
les miens ?

– Il ne s'agit pas d'informateurs, mais de témoins qui

ont vu mademoiselle Delmas entraînée de force dans une voiture. Un des témoins a relevé le numéro du véhicule.

– Pourquoi n'est-il pas venu trouver la police de son pays ?

– Il aura eu quelque crainte.

– Monsieur Tavernier, un homme honnête n'a rien à craindre de la police.

– Sans doute...

– Quel est son nom ?

– Je ne l'ai pas retenu.

– Vous vous moquez de moi, monsieur Tavernier... vous dites avoir un témoignage concernant la disparition de mademoiselle Delmas et vous ne vous souvenez pas du nom du témoin ?

– C'est pourtant le cas, répondit-il froidement.

Le général Velazco se leva.

– Excellence, monsieur... vous avez bien fait de venir me voir. Malgré le peu d'éléments dont je dispose, je vais ordonner une enquête... Je ne manquerai pas de vous tenir au courant.

– L'hypocrite, le salaud !

– Calmez-vous, mon cher, cela ne sert à rien de vous mettre dans un état pareil, dit Vladimir d'Ormesson. Nos services vont enquêter de leur côté.

– Mais Léa sera morte avant. Vous savez ce qu'ils ont fait à Carmen Ortega ?

L'ambassadeur poussa un soupir de découragement.

– Je vous en prie, Tavernier, soyez prudent...

– Je n'en ai rien à foutre de vos conseils de prudence... c'est ce que je disais à Léa il y a deux jours.

– Puis-je vous déposer quelque part ?

– Non, merci, je vais marcher.

La voiture officielle s'éloigna.

– Mon nom est Albert Van Severen, je suis Flamand.

J'ai été un des premiers volontaires de la Légion flamande avec mon camarade le député Reimond Tollenaere. Nous nous sentions très proches de l'Allemagne. Dès le début de la guerre, Tollenaere écrivait dans le journal de notre parti, le *Volk en Staat* : «Dans ce monde d'attentistes, d'anglophiles et de lâches bourgeois, nous ne cachons pas notre sympathie pour le combat que mène l'Allemagne. Nous sommes dans le même camp et, plus que jamais, son combat est le nôtre !» Nous sortîmes de Radom avec le grade de *Untersturmführer SS*[1]. Nous combattîmes devant Leningrad. Là, Tollenaere, mon camarade, mon frère, fut tué le 21 janvier 1942. Cette mort renforça ma foi en Hitler. La Légion flamande fut héroïque au point que le *Reichsführer* Himmler dit de nous : «Les Flamands se battent comme des lions !» Blessé sur les bords du Volkhov, encerclé avec mes hommes par les Russes, je réussis à me dégager. C'est à cette occasion que l'on m'a remis la Croix de fer. Après quelques mois passés à l'hôpital, je repartis au front avec la brigade d'assaut Langemark. Je fus fait prisonnier sur l'Oder, je réussis à m'enfuir et pus rejoindre, à Hanovre, Jef Van de Wiele et August Borms, des purs. J'y rencontrai le chef du peuple wallon, Léon Degrelle, qui aurait été digne d'être Flamand. À la fin de la guerre, avec un groupe d'anciens de la Wiking, nous avons décidé de nous expatrier pour préparer la revanche. Nous sommes nombreux à combattre pour cet idéal. Chaque jour de nouveaux amis se joignent à nous et nous ne laisserons pas de prétendus combattants juifs se mettre en travers de notre route. Nous les exterminerons tous, nous terminerons le travail commencé...

– Taisez-vous ! s'écria Léa.

Sans tenir compte de l'interruption, Albert Van Severen alias Rik Vanderveen continua.

1. Sous-lieutement.

–... par le peuple allemand. Ce que je ne comprends pas, c'est qu'une femme telle que vous soit avec cette canaille. Quant à Tavernier, votre amant, son engagement m'est encore plus incompréhensible.

– L'idée que nous luttions pour la liberté, la dignité de l'homme, ne vous est pas venue ?

– Pas de grands mots, je vous en prie. La liberté n'est l'apanage que de quelques-uns, la masse est faite pour obéir. Allez, soyez gentille, dites-moi tout ce que vous savez sur nous, comment vous avez su que le juif Zederman était détenu à l'*estancia* Ortiz et comment vous avez pu prévenir Tavernier et madame Ocampo... Vous savez que vous m'avez bien eu, pendant quelque temps je vous ai pris pour une ravissante idiote. Même chez Ortiz, je doutais encore.

– Et pour Carmen, vous doutiez ?

– Non, nous avons su très vite qu'elle était communiste... Ce qui est arrivé à Carmen devrait vous rendre plus circonspecte ; cela m'ennuierait de vous remettre entre les mains de mes amis...

– Parce que vous ne vous chargez pas des sales besognes ?

– C'est à peu près cela, il y a les exécutants et ceux qui les commandent. Racontez-moi tout depuis le début.

Surtout gagner du temps.

– À l'heure actuelle, l'ambassadeur de France doit être informé de mon enlèvement...

– C'est possible, et alors ?

– La police va intervenir.

– Cela m'étonnerait beaucoup. Le chef de la police, le général Velazco, ne nous est pas franchement hostile. De plus, nous sommes loin de Buenos Aires. Ici, en Argentine, chacun est maître sur ses terres. Les gauchos de l'ami qui nous prête cette *estancia* sont tout dévoués à leur maître. Vous n'avez aucune chance de vous échapper d'ici. Abandonnez tout espoir, vous êtes seule entre nos mains. Dites-moi ce que vous savez, à moins que vous ne préfériez attendre la venue du docteur Schaeffer. Elle est très en colère depuis la mort de sa compagne. À défaut de Sarah Mulstein, c'est sur vous qu'elle se vengera.

Léa n'écoutait plus, elle glissait dans un désespoir profond, un désespoir sans questions, sans révolte, évident, tranquille. La conscience de ce désespoir la laissait... comment dire ? sereine, oui, c'est cela : sereine. Ce n'était pas incompatible. Elle se sentait irrésistiblement happée, submergée, roulée, enfoncée, noyée dans une houle sombre, irrésistible, puissante, véhémente, forte et vigoureuse, elle coulait dans un univers de deuil où le mal était la règle. Pour supporter cette douleur, il ne fallait pas résister, il fallait se laisser emporter loin, si loin que l'on devenait inaccessible. Oui, inaccessible, voguant vers des rivages inabordables...

– Mais ?... c'est trop fort, vous ne m'écoutez pas !

Léa le regardait sans même le voir, l'air de dire : «Là où je suis, vous ne m'atteindrez pas.» Le SS flamand semblait désarçonné par ce qu'il devinait de souffrance tranquille chez cette femme si belle. Il pressentait qu'il lui suffirait d'étendre la main pour la saisir, la prendre dans ses bras et la soumettre à son désir, sans rencontrer d'autre résistance que celle de son regard perdu dans un monde dont il ne détenait pas la clef. Ce n'était pas cela qu'il voulait d'elle. Qu'importait après tout qu'elle fût une ennemie : n'était-elle pas une femme qu'il avait désirée au premier regard ? De femmes, dans sa vie de soldat, il n'avait guère connu que les prostituées et quelques malheureuses violées après l'assaut. Ces étreintes ne lui avaient apporté que dégoût de lui-même et presque de la haine pour ces créatures veules ou épouvantées. La présence de Léa sur le bateau lui avait fait soupçonner qu'il y avait peut-être autre chose que le rapprochement furtif de deux corps. Il lui dit d'une voix basse et suppliante :

– Parlez, je vous en conjure, parlez.

Léa secoua la tête lentement.

Pour la première fois de sa vie, il avait peur... peur pour elle. Il savait qu'elle devrait parler, de gré ou de force. Il répugnait à la torture, la trouvait indigne d'un soldat, mais les autres ?... mais Rosa Schaeffer ?...

– Donnez-moi une cigarette.

Il s'empressa de lui présenter un paquet de Carrington.

– Vous n'avez rien d'autre ? dit-elle en tirant sur la cigarette.

– Grâce au numéro d'immatriculation relevé par le témoin, nous avons retrouvé le nom du propriétaire du véhicule : c'est celle d'un riche négociant en vins du Chili, Remondo Navarro, client assidu de l'« A. B. C. » qui, quand il vient à Buenos Aires, passe ses soirées à boire de la bière avec des anciens de la Gestapo. Grand ami d'Heinrich Doerge, qui pendant la guerre était conseiller de la Banque centrale d'Argentine, et de Ludwig Freude, ambassadeur officieux du Reich à Buenos Aires. Nous savons que c'est Freude qui a été chargé de dissimuler le trésor nazi. Certains de nos informateurs affirment qu'une partie de ce trésor serait au Chili entre les mains des dirigeants d'une société secrète nazie.

François Tavernier marchait de long en large, écoutant attentivement les propos du docteur. Dans un coin, Amos Dayan et Uri ben Zohar fourbissaient leurs armes.

– Remondo Navarro est introuvable pour le moment. Nous savons qu'il se rend fréquemment dans une *estancia* située à cent kilomètres de la capitale en direction du nord. Deux de nos agents sont partis. S'ils trouvent l'*estancia*, ils nous le feront savoir par radio. En attendant, nous devons nous séparer. Léa connaît cette adresse... j'ai une petite maison près du fleuve à San Isidro, elle appartient aux parents de ma femme. Je suis à peu près sûr que ni la police ni nos ennemis ne la connaissent. J'y tiens en état de marche un bateau à moteur qui peut nous permettre de fuir en cas d'attaque. Près de l'église de San Isidro, il y a une *esquina* tenue par des amis, c'est un de nos lieux de rendez-vous. Des instructions seront déposées là-bas dans la soirée. Le mot de passe est : « Où se trouve le presbytère ? » ; on doit vous répondre : « Le père n'est pas là. » Cet après-midi, il y a une manifestation des travailleurs des chemins de fer *plaza* de Mayo. Nous pensons que c'est à la faveur de ce grand rassemblement populaire que Rosa Schaeffer quittera sa cachette. Plusieurs des nôtres sont sur place près de son domicile et aux alentours. Sarah est avec eux.

— Sarah ?... mais c'est de la folie, Rosa Schaeffer va la reconnaître, dit Tavernier.

— C'est ce que nous lui avons dit, mais rien n'a pu la faire changer d'avis. Samuel est avec elle.

31

Une jeune femme blonde, les yeux cachés par des lunettes noires, regardait les groupes d'hommes en chemise se rendant *plaza* de Mayo. De la place lui parvenait le son sourd et obsédant des *bombos*.

Rosa Schaeffer avait quitté la rue Esmeralda et était entrée dans l'église de Maïpu. La femme blonde l'avait suivie, mais était ressortie presque immédiatement. Elle avait fait signe à un homme qui était entré à son tour. Peu après, deux religieuses et un prêtre avaient quitté l'église. Malgré le déguisement, Sarah reconnut Rosa Schaeffer qui n'eut pas un regard pour la femme blonde qu'elle frôla presque. Un des deux hommes devait être Barthelemy.

L'avenue de Mayo était noire d'une foule agitant des banderoles et criant des slogans propéronistes. Les *bombos* donnaient une dimension dramatique à ce rassemblement. L'homme de Mayo; les vengeurs étaient sur leurs traces. Les cris s'amplifièrent, Juan Perón et Eva venaient d'apparaître au balcon de la Casa Rosada. Les noms du président et de sa femme étaient scandés au rythme des *bombos* :

– Perón !... Evita !...

La chaleur était épouvantable. Sous sa perruque, Sarah transpirait.

Il y avait à peine moins de monde au parc Colón. Près

de Luna Park, Sarah entrevit Samuel. Quelqu'un la bouscula et lui murmura :

– Attention, leurs voitures sont là. Nos indicateurs ont bien travaillé.

– Docteur ! Que faites-vous ici ?

– Je voulais m'assurer que tout se passait bien. Vous voyez la camionnette blanche ? Il y a des gens à nous à l'intérieur. Approchez-vous sans précipitation, frappez deux coups plus un à l'arrière, on vous ouvrira.

– Ne pourrait-on tenter de les arrêter maintenant ?

– Non, il y a des mouchards partout, il vaut mieux les prendre en filature.

Sarah s'engouffra par la porte arrière. À l'intérieur, un homme, casque sur les oreilles, manipulait les boutons d'une radio.

Au volant d'une voiture, derrière la camionnette, se tenait Amos ; près de lui, Uri. Tous deux portaient des chapeaux qui leur cachaient le haut du visage. Samuel et le docteur López montèrent à bord d'un autre véhicule. L'automobile de Rosa Schaeffer démarra. Le docteur López la suivit, puis la camionnette, et enfin Amos.

La circulation était dense, les piétons nombreux ; on roulait lentement. Avenue Corrientes et au-delà de la *plaza* de la República, on avançait au pas.

Sarah avait retiré sa perruque et ébouriffé ses cheveux courts. À l'intérieur de la camionnette régnait une chaleur circulaire. Le conducteur, un jeune Argentin, tirait nerveusement sur un cigarillo qui empestait. On se dirigeait vers le nord.

– Ils prennent la direction de l'*estancia* Colomer, dit le docteur López, l'*estancia* où se rend Remondo Navarro.

– Vous en êtes sûr ? demanda Samuel.

– Une chance sur deux : s'ils continuent tout droit, c'est là qu'ils se rendent, s'ils tournent à gauche, c'est l'inconnu.

– Mais nous ne pouvons pas les suivre longtemps comme ça, ils vont finir par s'en rendre compte.

– Rassurez-vous, au prochain embranchement, nous ne prendrons pas la même route qu'eux. Nous avons un relais. La camionnette et nous, irons dans la même direction. Seuls Amos et Uri les suivront.

La voiture de Rosa Schaeffer continua tout droit. Maintenant la route était en terre et l'on avançait dans un nuage de poussière. Bientôt, Amos dut abandonner un chemin bordé d'arbres et s'arrêta dès qu'il fut hors de portée de vue non sans s'être assuré que le relais poursuivait bien la route. Derrière le relais, une grosse limousine roulait.

– Eux aussi ont pris leurs précautions, dit Uri.

La camionnette les rejoignit peu après, puis le docteur López et Samuel.

– Ils n'ont qu'une seule voiture de protection. Pour l'instant tout se déroule comme prévu, dit le médecin. Dans quinze minutes, nous repartons.

– *Conseguí a comunicarme con el señor Tavernier, confirmó que se dirigen a la estancian Castelli. Segun las informaciones, es una verdadera guarida. El señor Tavernier va al aero-club y llega en avión*[1].

– *Gracias Carlos*[2].

La nuit était tombée quand Rosa Schaeffer et ses complices arrivèrent à l'*estancia* Castelli. Celle-ci, de petite dimension, était entourée d'un bois; au-delà, la pampa. Il était pratiquement impossible d'y arriver sans être vu. Rik Vanderveen les accueillit :

– *Dieser Anzug sitzt sehr gut!*[3] dit-il en éclatant de rire.

– *Mir ist nicht zum lachen*[4], dit le docteur Schaeffer en arrachant sa cornette.

Il ne restait plus grand-chose de sa beauté brutale. Son

1. J'ai réussi à joindre monsieur Tavernier, c'est bien à l'*estancia* Castelli qu'ils se rendent. D'après les renseignements, c'est un véritable camp retranché. Monsieur Tavernier se rend à l'aéro-club et nous rejoint en avion.
2. Merci Carlos.
3. Ce costume est tout à fait seyant !
4. Je n'ai pas le cœur à rire.

visage s'était épaissi et ses yeux avaient une expression traquée. Ses cheveux prématurément blanchis et décoiffés lui donnaient l'air d'une vieille femme.

Ils se dirigèrent vers la maison.

Rosa Schaeffer se laissa tomber sur un vieux canapé.

– *Geben sie mir zu trinken, und danach nehme ich ein gutes Bad*[1].

– *Zu trinken ist kein Problem, aber was Bad angeht… es gibt lediglich eine klapprige Dusche, aus der nur verrostetes Wasser kommt. Damit werden sie sich abfinden müssen*[2].

Elle eut un geste fataliste.

– *Wo kann ich mir dieser grotesken Verkleidung entledigen*[3]?

– *Folgen sie mir*[4].

Quand elle revint, elle avait tiré ses cheveux en un chignon bas sur la nuque et troqué son habit religieux contre un pantalon et une chemise d'homme. Ainsi son caractère violent ressortait… Elle prit le verre que lui tendait Vanderveen.

– *Hat sie gesprochen*[5]?

Depuis son arrivée, il redoutait cette question.

– *Ich glaube, sie weiß nichts*[6].

– *Das würde mich wundern. Wo ist sie*[7]?

– *In einem der Zimmer*[8].

– *Begleiten Sie mir*[9].

– *Später, wir haben etwas zu besprechen*[10].

1. Donnez-moi à boire, après je prendrai un bon bain.
2. A boire, c'est facile, quant au bain… il n'y a qu'une misérable douche qui donne une eau rouillée. Il faudra vous en contenter.
3. Où puis-je retirer ce déguisement grotesque ?
4. Suivez-moi.
5. A-t-elle parlé ?
6. Je crois qu'elle ne sait rien.
7. Cela m'étonnerait. Où est-elle ?
8. Dans une des chambres.
9. Conduisez-moi.
10. Plus tard, nous avons à parler.

Le soldat qui n'avait pas connu la peur devant Leningrad frissonna sous le regard que lui lança Rosa Schaeffer.

– *Wie sie wollen*[1].

Pendant le dîner, ils mirent au point la poursuite du voyage qui devait les conduire au Brésil. La soirée était avancée quand elle dit :

– *Gehen wir jetzt zu der Kleinen*[2].

– Je n'ai repéré que trois sentinelles à l'extérieur ; l'une d'elle est dans l'éolienne, une devant la maison, l'autre à l'arrière, dit Uri.

– Et à l'intérieur, combien sont-ils ? demanda le docteur López.

– Pas moins de cinq, peut-être plus.

– Tavernier est-il arrivé ?

– Oui, son avion s'est posé à trois kilomètres, il ne devrait pas tarder.

– Tout à l'air calme.

– Trop calme. Jusqu'ici tout a été facile, trop facile.

– Amos a réussi à se glisser sous le hangar, je vais essayer de le rejoindre.

– Je viens avec vous, dit Sarah.

– Il faudrait que l'un d'entre nous puisse neutraliser la sentinelle qui est à l'arrière de la maison.

– Docteur, laissez-moi m'en charger, j'ai l'habitude de ce genre d'action, dit Uri.

La sentinelle grimpée sur l'éolienne alluma une cigarette, cela fit un bref éclair dans la nuit.

– Ils sont bien imprudents, marmonna Samuel.

Uri rampa vers la maison, il se confondait avec le sol. Il atteignit la zone lumineuse qu'il contourna jusqu'à se trouver à l'arrière du bâtiment. Là, il disparut aux yeux de ses camarades.

1. Comme vous voudrez.
2. Maintenant, allons voir cette petite.

– Depuis combien de temps sont-ils là-dedans ? demanda François Tavernier en arrivant.

– Deux heures environ.

– Rien de suspect ?

– Aucun bruit, en tout cas. Uri s'occupe d'une des sentinelles. Tiens, regardez, le voilà.

L'ombre du Palestinien se découpa un bref instant dans la lumière puis se confondit avec l'herbe sombre. Dans l'*estancia*, personne ne bougea.

– C'est fait, dit simplement Uri en revenant.

– N'avez-vous rien remarqué ?

– Léa est dans une pièce à l'arrière, j'ai reconnu sa silhouette...

– Elle était seule ?

– Je crois. Il y a un grillage épais à la fenêtre. Où est Sarah ?

– Elle est sous le hangar.

– Tavernier, pensez-vous pouvoir nous débarrasser de la sentinelle qui est devant la porte ? demanda Samuel.

– Ce n'est pas facile, il faut trouver le moyen de l'attirer par ici...

– *¿ Pedro, todo está bien* [1] *?* cria l'homme de l'éolienne.

– *Muy bien Marcello* [2].

– *Tendrías que ir a ver Henrique, vigilo por vos* [3].

– *De acuerdo* [4].

Pedro quitta son poste, fusil en main, poncho sur l'épaule.

– Voilà notre chance, dit François, en rampant dans la direction prise par Pedro.

Quelques instants plus tard, on vit revenir Pedro, enveloppé de son poncho, qui reprit sa faction.

– *¿ Marcello ?*

1. Pedro, tout va bien ?
2. Très bien, Marcello.
3. Tu devrais aller voir Henrique, je surveille à ta place.
4. D'accord.

– *Sí* [1].

– *Todo está en orden* [2].

– *Bien* [3].

Pedro alluma une cigarette.

– Qu'est-il arrivé à Tavernier ? demanda le docteur López.

– Rien, c'est lui qui monte la garde, répondit Samuel.

– Bravo.

À peine entrée dans la pièce où se tenait Léa, Rosa Schaeffer demanda pourquoi elle n'était pas attachée.

– *Die* estancia *ist gut bewackt, sie kann nicht entfliehen,* [4] répondit Rik Vanderveen.

Celui-ci n'avait pas remarqué que Rosa avait une cravache à la main. D'un geste brutal, elle l'abattit sur Léa qui cria en se protégeant le visage de ses bras nus. Trois coups de la plate lanière l'atteignirent avant que Rik réagisse et saisisse le bras de la nazie.

– *Was ist denn in sie gefahren, lassen sie mich los* [5] !

– *Laßt sie los, ich sage euch, sie nichts* [6].

Un pistolet apparut dans la main de Rosa Schaeffer.

– *Raus, sie Schappschwanz. Ich bin mir sicher, daß dieses Mädchen, etwas weiß, und sie wird es mir sagen... Raus oder ich schieße* [7].

– Rik, ne me laissez pas. Attention !

...

Les *boleadoras*, lancées par le faux prêtre, s'enroulèrent autour des jambes de Vanderveen qui tomba.

– *Hauptsturführer Van Severen, ich mißtraue ihnen*

1. Oui.
2. Tout est en ordre.
3. Bien.
4. L'*estancia* est bien gardée, elle ne risque pas de s'échapper.
5. Qu'est-ce qui vous prend, lâchez-moi !
6. Laissez-la, je vous dis qu'elle ne sait rien.
7. Sortez, vous êtes une femmelette. Je suis sûre que cette fille sait quelque chose et elle va me le dire... Sortez ou je tire.

334

schon seit einiger Zeit. Bringen sie ihn weg und lassen sie ihn gut bewachen[1].

Le faux prêtre et la fausse religieuse traînèrent Rik Vanderveen hors de la pièce après lui avoir immobilisé bras et jambes.

Pétrifiée, Léa regardait s'avancer vers elle celle qui avait tué l'enfant de Sarah et tant de femmes innocentes. Elle savait qu'elle n'avait nulle pitié à en attendre.

François Tavernier avait sursauté en entendant crier Léa.

– *¿ Marcello, oiste? Creo que nos necesitan*[2] *?*

– *¿ Te parece? Nos dijeron de no mover de aqui*[3].

– *Veni, te digo, acà dentro hay pelea*[4].

Marcello descendit avec souplesse de l'éolienne et s'approcha de Tavernier.

– *Pero no sos...* [5]

– *No*[6], dit François en lui enfonçant un poignard dans le cœur.

L'homme s'effondra sans un bruit.

Samuel Zederman et le docteur López le rejoignirent en courant. Un nouveau cri précipita Tavernier sur la porte.

– Doucement, dit Ricardo López. S'ils nous entendent ils risquent de l'abattre sur-le-champ...

François transpirait à grosses gouttes, il essuya ses mains moites sur son pantalon sans lâcher sa Kalachnikov. Doucement, il tourna la poignée de la porte. La grande salle mal éclairée paraissait vide... Des rires leur parvinrent, puis des gémissements...

1. Lieutenant Van Severen, je me méfiais de vous depuis quelque temps. Qu'on le mette sous bonne garde.
2. Marcello, tu as entendu?... Je crois qu'on a besoin de nous.
3. Tu crois? On nous avait dit de ne pas bouger.
4. Arrive, je te dis, on se bat là-dedans.
5. Mais tu n'es pas...
6. Non.

– Regardez, s'écria à voix basse Samuel.

Un homme attaché et bâillonné gisait dans un coin.

– Mais c'est notre ami Van Severen ! s'écria à voix basse Uri qui venait de les rejoindre.

Il lui retira le bâillon, un doigt sur les lèvres. L'autre acquiesça.

– Léa est là, dépêchez-vous, dit-il en s'adressant à Tavernier.

– Salaud, fit-il en lui donnant un coup de crosse qui lui brisa le nez, c'est vous qui l'avez amenée ici.

– Peu importe, dépêchez-vous, bredouilla-t-il, le visage en sang.

Léa cria une nouvelle fois. François, fou de peur, se jeta sur la porte désignée par Rik.

Torse nu, suspendu par les poignets attachés à une poutre, les chevilles entravées, le corps de Léa se balançait. François eut un rugissement animal et tira sur la femme qui se baissait pour prendre l'arme gisant à ses pieds. Rosa Schaeffer lâcha le cigarillo allumé qu'elle tenait et se rejeta derrière un fauteuil dont le dossier vola en éclats. Le docteur López tomba, touché par Barthelemy ; celui-ci s'élança vers la fenêtre, mais une rafale de mitraillette interrompit son élan, le couchant, mort, en travers de la pièce. Par le grillage en partie arraché surgit Amos, suivi de Sarah.

– Où est la grosse Bertha ?... qu'on ne la tue pas !... elle est à moi !

Des coups de feu éclatèrent dans la grande salle, suspendant les gestes des vengeurs. Amos enjamba le cadavre de Barthelemy et bondit dans la salle. Un inconnu gisait en travers de la porte, le visage défoncé. Non loin de lui, blessé à l'épaule, Samuel tentait de se relever.

– Combien sont-ils ? hurla Amos en abattant son pied sur le nez cassé de Rik Vanderveen.

– Huit, mais nous attendons du renfort. Détachez-moi, je vais vous aider...

– Tu te fous de notre gueule, fumier.

Sous les coups, le Flamand perdit connaissance.

Sans plus s'occuper de Rosa Schaeffer et de Sarah, François détachait Léa. Il jura entre ses dents en voyant les brûlures et les meurtrissures de ses seins. Avec précaution, il la posa sur un divan à demi dissimulé dans une alcôve.

– Mon amour, pardonne-moi, murmura-t-il en la recouvrant.

Vite, trouver de l'eau, la soigner. Il sortit sans un regard pour Sarah et Rosa.

– Détachez-moi, je veux vous aider, parvint à dire Rik Vanderveen malgré ses lèvres éclatées.

– Où trouverai-je de l'eau et des pansements ? demanda Tavernier.

– Dans le bahut près de la porte… détachez-moi, j'irai chercher de l'eau… comment va-t-elle ?

Un bref instant les deux hommes se regardèrent dans les yeux. François se pencha et avec son poignard, trancha les liens de Rik. Des coups de feu, tirés dans leur direction, les jetèrent à terre.

– Les renforts sont arrivés, souffla Vanderveen en prenant le pistolet que lui tendait Samuel.

En rampant ils se rapprochèrent de l'entrée ; un homme tomba en travers de la porte. Toujours à plat ventre, Tavernier se fit un rempart du corps ; il tira à plusieurs reprises, atteignant deux hommes. Sautant par-dessus le corps, il rechargea son arme en courant.

– Par ici ! cria une voix venant du hangar.

Il obéit, suivi de Samuel.

Une grenade lancée par Uri explosa sur une voiture, qui prit feu immédiatement. Du véhicule sortirent trois silhouettes en flammes qui se mirent à courir vers le bois : une à une elles s'effondrèrent. Dans les lueurs de l'incendie, ils virent Amos se diriger vers eux en zigzaguant. Il allait atteindre le hangar quand une grenade explosa près de lui.

– Amos! cria Uri en se précipitant vers lui.

Samuel se cacha les yeux de sa main valide. François, impuissant, regardait Uri serrer contre lui le corps déchiqueté de son ami. Vanderveen tira en direction de l'éolienne; quelqu'un tomba en hurlant dans le brasier.

On n'entendait que le crépitement des flammes et les sanglots d'Uri. François Tavernier et Rik Vanderveen s'approchèrent. Uri se redressa, le visage sali, barbouillé de larmes. Il releva sa mitraillette et s'avança vers le Flamand qui, lentement, leva les mains. Une rafale interrompit son geste. Il tomba, mort, aux pieds de François.

Telles deux fauves, les deux femmes tournaient en silence sans se quitter des yeux; une même haine les habitait, annihilant toute peur. Elles étaient effrayantes à voir, les cheveux hérissés, la face grimaçante, la bouche bavante. Sarah avait une arme, l'autre n'en avait plus. On n'entendait que leur souffle haletant.

Dans l'alcôve, Léa reprenait connaissance. Tout à l'heure, elle avait cru voir François... Elle avait rêvé, elle était seule. Seule?... non!... Sarah souriait et c'était terrifiant. Rosa souriait également et c'était horrible... folles, elles étaient folles... Sarah lâcha une rafale de mitraillette qui pulvérisa la jambe droite de son ennemie... le sourire sinistre disparut... Sarah riait en tirant sur l'autre jambe... l'Allemande ne criait pas... sur le dos, elle ressemblait à un insecte mutilé...

– *Jetzt gehörst Du mir*,[1] cracha Sarah.
– *Scher Dich zum Teufel, du Hure!*[2]

1. Maintenant, tu es à moi.
2. Va te faire foutre, putain!

– *Wie in Ravensbrück, das wird lange dauern. Erinnere Dich...* [1]

– Une rafale arracha la main gauche, puis la main droite... Sarah riait, un air de bonheur répandu sur son visage redevenu lisse et beau... «Comment cela est-il possible», se demandait Léa, fascinée... il y avait du sang partout... Sarah en était tout éclaboussée... elle riait... elle jeta la mitraillette inutile... et tira de la poche de sa robe un couteau dont elle fit jaillir la lame puis, se ravisant, le referma... Léa s'était redressée, à genoux sur le divan, les mains pressées contre sa poitrine... Sarah se penchait vers l'insecte mutilé... se mit à califourchon sur sa proie... un hurlement jaillit de la carcasse sanglante... Léa hurlait... Sarah riait... comme elle riait... un œil roulant entre ses doigts... Léa s'était rejetée en arrière... un coup de feu claqua...

– Non... elle est à moi !

D'une balle entre les deux yeux, Tavernier venait d'abattre Rosa Schaeffer.

La voix de Samuel :

– Mon Dieu !...

1. Comme à Ravensbrück, ça va durer longtemps. Rappelle-toi...

32

Les semaines qui suivirent la mort d'Amos Dayan et de Rosa Schaeffer furent pour tous un cauchemar. Sans cesse Léa revoyait Sarah brandissant l'œil de son bourreau devenu victime. La présence de François, venu s'installer au «Plaza», apaisa un peu ses angoisses. Elle avait revu Ernesto avec lequel elle faisait de longues promenades à travers Buenos Aires. Par son père il avait su ce qui c'était passé à l'*estancia* Castelli. Il faisait en sorte de distraire la jeune fille de ses noirs souvenirs. Victoria Ocampo s'y essayait aussi en l'emmenant chaque fin d'après-midi au cinéma.

Le 25 mai, jour de la fête nationale, Léa revit Eva Perón, resplendissante dans une robe en lamé or au théâtre Colón en compagnie de Vladimir d'Ormesson et des ambassadeurs de Grande Bretagne et des États-Unis.

En juin, Victoria Ocampo l'emmena écouter le récital de Charles Trenet dans les studios de la radio El Mundo. Léa eut du mal à retenir ses larmes, cela sentait si bon Paris. Le même mois, Jo Bouillon présentait Joséphine Baker au «Politeomo». Là, quand elle entendit la chanson: *J'ai deux amours, mon pays et Paris*, elle pleura.

– Je crois pour toi qu'il est temps de rentrer, lui murmura tendrement François.

Elle posa sa tête contre son épaule.

– Je ne rentrerai qu'avec toi.

Samuel Zederman s'était remis de sa blessure et était reparti pour Munich. Uri Ben Zohar, désespéré de la mort de son ami, errait dans les rues chaudes de la Boca à la recherche d'un hypothétique oubli dans l'alcool et les filles. Par crainte des représailles, le docteur Ricardo López, à peine rétabli, s'était réfugié en Bolivie avec sa femme et ses enfants. Quant à Sarah, quelque chose semblait s'être brisé en elle. À la demande insistante de François, elle la voyait de temps en temps. Les deux jeunes femmes avaient repris leurs leçons de tango mais le fantôme de Carmen venait troubler Léa.

L'hiver approchait ; un grand bal se préparait au « Plaza », auquel assisterait toute la bonne société argentine. François avait offert à Léa une somptueuse robe de taffetas d'un bleu changeant.

La veille du bal, une heureuse nouvelle parvint de Montillac.

Ma sœur chérie,

Pierre a une petite sœur, nous lui avons donné le prénom de maman : Isabelle. Alain et moi nous aimerions que tu sois la marraine du bébé, c'est Charles qui sera le parrain.

Ma fille est magnifique. Ruth dit que c'est tout ton portrait. Tu nous manques à tous. Quand reviens-tu ? Sans toi, Montillac n'est plus Montillac. Les vendanges s'annoncent magnifiques, ce devrait être une très grande année.

Je te laisse, le bébé pleure, il a faim.

Embrasse François pour nous. Pour toi les baisers et la tendresse de tous.

Françoise.

P. S. T'ai-je dit que j'étais heureuse ?

Enfin ! Françoise avait trouvé le bonheur ! Léa le trouverait-elle un jour auprès de son amant ? Elle en doutait.

Bien qu'il ne vécût plus avec Sarah, Léa ne pouvait pas s'empêcher d'être jalouse de leur amitié. Pourtant jamais François n'avait été aussi présent, aussi amoureux. Chaque nuit les voyait dans les bras l'un de l'autre, dormant enlacés dans une douce fatigue.

Les grands salons du « Plaza » étincelaient de lumières, une foule élégante déambulait dans les couloirs, un orchestre jouait les airs à la mode. Léa dansait, oubliant, comme à chaque fois dans la danse, ses soucis, ses angoisses. François la reconduisit à leur table en bordure de piste. Sarah, qui était allée déposer son manteau dans la chambre de son amie, était bien longue à revenir. Les lumières s'éteignirent, seule la piste demeura éclairée. Un couple de danseurs de tango fit une démonstration très applaudie. Les lumières se rallumèrent, puis s'éteignirent à nouveau. L'orchestre attaqua *Adios muchachos*. Une main se posa sur l'épaule nue de Léa.

– Viens, dit Sarah.

Surprise, elle se laissa entraîner. Oh non !... Les yeux fixés sur le visage de sa cavalière, elle sentit son corps obéir à la pression de la main de Sarah... *Adios muchachos, compañeros de mi vida*... les larmes coulent le long de ses joues... Sarah... pardon... je n'ai pas compris... *Me toca a mí, voy enfrantar la retirada*... l'orchestre a un moment d'hésitation... une fausse note... comme tu danses, Sarah... *Ya me voy, y me resigno contra el destino*... jamais son corps n'a fait corps avec un autre corps de cette façon là... pourquoi Sarah... pourquoi ?... cette croix infamante sur ton crâne rasé... *Nadie la ataja se terminaron*... non, tu n'es pas une putain... je t'aime Sarah... tu ne leur ressembles pas... *Mi cuerpo enfermo no resiste más*... je sens que tu vas me quitter... tu ne les vois pas... *Recuerdos de otros tiempos*... Regarde, ils font cercle autour de nous... *buenos momentos*... emporte-moi Sarah... emporte-moi loin d'eux... sens ma main qui serre la tienne… Jamais je n'ai dansé aussi bien le tango… *Adios muchachos*… tu souris!… tu as compris ce que je te dis en silence… ma chérie… tu souris!… je retrouve ton sourire… *Es Dios el juez supremo*… À travers ses larmes Léa sortit aussi… je t'emmènerai Sarah… *Pues mi vida me hizo*… Cette musique d'angoisse est faite pour toi… *Dos lágrimas sinceras derrama a mi partida*… comme tu danses bien… tu verras… *El día postrero*… en toi… le mal… je sens que le mal est mort… mort… *Le doy toda mi alma*… Sarah… non!…

François Tavernier sépara les deux femmes. À toute volée, par trois fois, il gifla Sarah… La musique s'était arrêtée. La foule était figée, silencieuse. Sarah fit face, splendide, ange de la mort, le corps insolent moulé dans un fourreau rouge, haut fendu sur la cuisse… visage d'une fatale beauté… le crâne rasé marqué d'une croix gammée faite avec son rouge à lèvres…

– Cigarette, s'il vous plaît.

Cinq ou six étuis se tendirent… autant de flammes… Voluptueusement, Sarah tira une bouffée.

Léa n'éprouvait plus aucune jalousie à l'égard de Sarah, mais une immense pitié. Par ce tango scandaleux, elle signifiait qu'elle n'avait plus rien à faire dans cette société élégante et policée, qu'elle rompait avec elle et se mettait en marge. Elle prit un mouchoir dans la poche du smoking de François et s'approcha pour essuyer le symbole honni. Avec douceur, Sarah l'écarta.

– Laisse, tu n'effaceras que le visible.

Sans ménagement, François Tavernier prit le bras de Sarah.

– Viens, je te raccompagne chez toi.

– Laisse-moi, je vais monter me rafraîchir dans la chambre de Léa… Non, ne viens pas, ma chérie. J'ai envie d'être seule.

– Je ne veux pas te laisser, je viens avec toi.

L'orchestre se remit à jouer ; il y eut une brève lueur dans le regard de Sarah.

– N'insiste pas, on se verra demain.

Elle se tourna vers l'assemblée et lança :

– *Adios, amigos* !

Sans tenir compte du désir de son amie, Léa la suivit. François la rattrapa sur le seuil du grand salon et la retint.

– N'y va pas.

Elle tenta de se dégager.

– On ne peut pas la laisser seule, elle me fait peur.

– À moi aussi, elle fait peur.

Tout en parlant, ils étaient arrivés auprès des ascenseurs. Sarah appuya sur le bouton d'appel. Léa essayait de desserrer l'étreinte de François pour la rejoindre, mais la poigne de son amant l'en empêchait. Un jeune liftier ouvrit la porte. Sarah entra et leur fit un geste ironique de la main. La porte se referma. Léa eut un serrement de cœur.

Ni l'un ni l'autre n'avait envie de retourner dans la salle de bal. Ils demandèrent leurs vêtements au vestiaire et sortirent de l'hôtel. Ils traversèrent la *plaza* San Martín et marchèrent sans but. La nuit était belle et fraîche ; peu de monde dans les rues. Il lui mit le bras autour des épaules. Elle était tendue, hostile.

– J'ai trouvé Sarah très belle ce soir, dit-elle comme se parlant à elle-même.

– Belle ?… Oui, d'une certaine manière… une sorte de divinité païenne et vénéneuse… Tu avais l'air d'un insecte pris dans la toile d'une noire araignée… Malgré tes larmes tu semblais fascinée… c'était très étrange votre couple, très troublant. Malgré le scandale, je ne regrette pas d'avoir été là pour voir leur tête à tous.

– Alors, pourquoi avoir interrompu notre danse ?

– Parce que c'était obscène.

Agacée, Léa se dégagea.

Sans s'en rendre compte, ils étaient arrivés près de

l'ambassade de France. Une voiture freina violemment non loin d'eux. Immédiatement, François fut sur ses gardes. Quelle stupidité d'être sorti sans arme! Un homme descendit de la voiture. Avec soulagement, il reconnut Vladimir d'Ormesson.

– Eh bien, mon cher, j'en apprends de belles!... Bonjour mademoiselle Delmas... Bravo, on ne parle que de ça!... vous rendez-vous compte du scandale?... Madame Tavernier doit quitter au plus vite Buenos Aires. Quant à vous, mademoiselle, je vous conseille de rentrer en France. Demain toute la ville parlera de ce tango. Je m'attends à être convoqué par le ministre de l'Intérieur, le président même...

– Vous ne croyez pas, monsieur l'Ambassadeur, que vous noircissez un peu le tableau?

– Tavernier, vous savez aussi bien que moi que l'opposition ne cesse de reprocher au gouvernement de ce pays ce qu'elle appelle ses sympathies fascistes. L'affaire de l'*estancia* Castelli inquiète beaucoup les péronistes. La femme d'un diplomate français dansant avec une croix gammée sur la tête, vous ne trouvez pas cela scandaleux? Passez me voir en fin de matinée à l'ambassade.

Après un bref signe de tête à Léa, l'ambassadeur remonta dans sa voiture.

Ils reprirent leur marche en silence.

Ils entrèrent dans un grand café de l'avenue, bruyant et fortement éclairé; leur arrivée provoqua des murmures et des regards masculins appuyés. Léa resserra sur ses épaules nues son élégante cape du même bleu que celui de sa robe. Le garçon s'approcha.

– ¿ *Buenas noches, que quieren tomar?* [1]
– *Dos copas de cognac, por favor.* [2]
L'alcool qu'on leur apporta n'avait de cognac que le

1. Bonsoir, que désirez-vous?
2. Deux cognac, s'il vous plaît.

nom. Ils burent en silence, loin l'un de l'autre pour la première fois, chacun se remémorant les événements de la soirée. Léa revoyait le tragique visage de Sarah comme éclairé de l'intérieur, le sourire tendre et narquois qui flottait sur ses lèvres, la pression ferme de ses mains, son corps nerveux et souple auquel le sien obéissait et surtout cette croix qu'elle avait tracé d'un geste sûr. Nul doute que la folie l'emportait... N'avait-elle pas tenté au long de ces semaines de le lui faire comprendre? Léa n'avait rien vu, rien voulu voir : malgré l'horreur qu'elle lui inspirait, elle aurait dû essayer de comprendre, de l'aider. Au lieu de quoi, elle lui avait manifesté par son attitude sa peur et son dégoût ; elle l'avait rejetée, la laissant seule face à son acte monstrueux.

Les pensées de François n'étaient pas très éloignées des siennes. Comme elle, il se disait qu'il aurait dû être plus attentif au désarroi de Sarah. Il se sentait coupable d'avoir abandonné son amie à ses fantômes, de n'avoir pas su l'éloigner de ses idées de vengeance ; la connaissant, il aurait dû la protéger contre elle-même, s'appuyer sur la mémoire de son père qu'elle adorait. Que dirait-il s'il revenait lui demander : «Qu'as-tu fait de Sarah?»

Ensemble, par-dessus la table, ils se tendirent la main. Enfin ils se retrouvaient.

– Allons chercher Sarah, dit-il.

Le bal battait son plein quand ils rentrèrent au «Plaza».

Ils montèrent à la chambre de Léa, la porte était ouverte, Sarah n'était pas là... Sur l'oreiller, bien en évidence, une enveloppe portant le nom de Léa. Sur le papier à en-tête de l'hôtel, elle lut :

Ma chérie,
Bientôt je vais te rejoindre dans le grand salon.
Je ne sais pas encore si je serai en vie quand tu liras cette lettre. Mais il faut que je te l'écrive, que j'essaie de t'expli-

quer encore ce qui fait que je suis devenue un monstre. Je ne cherche pas à me justifier, je me fais horreur. J'ai compris ces dernières semaines que la vengeance n'apportait pas la paix mais un dégoût de soi et cependant, je la crois nécessaire. Je n'ai plus le désir d'y participer. Non que je l'aie assouvie, mais aucune vengeance ne pourra réparer le mal qui a été fait. Non seulement ils ont tué mon père, mon enfant, m'ont mutilée à jamais en faisant sur moi des expériences mais ils m'ont rendue complice de leurs ignominies. C'est cela surtout que Daniel et moi ne pouvions nous pardonner. Complices nous l'avons été, lui en dénonçant un déporté pour le vol d'un morceau de pain, moi en volant une couverture à une mourante, nous l'avons été par notre impuissance à nous révolter. Et puis, plus que tout, comment se pardonner d'être vivant? Je sens la folie s'emparer de moi, je sens toute humanité m'abandonner. J'ai vu que j'étais comme eux, capable de m'acharner sur un être sans défense et j'ai beau me dire pour me trouver un soupçon d'excuse: «eux l'ont bien fait», je cherche en moi un reste d'orgueil qui me retienne sur cette sinistre pente. Souviens-toi, je te disais: «Je serai pire qu'eux.» D'une certaine façon je l'ai été et cela, vois-tu, c'est la pire chose qu'ils pouvaient encore me faire.

Les paroles de Simon Wiesenthal, celle du père Henri me reviennent en mémoire, le juif et le prêtre catholique parlaient tous deux de justice, de foi dans l'homme. Je ne crois pas en la justice, je ne crois plus en l'homme. Mon père était un juste, ils l'ont tué, Daniel était un enfant écorché, ils l'ont tué, Amos était un pur, ils l'ont tué. Mille morts ne vengeront aucune de ces morts-là.

Et puis, il y a toi, toi que j'aimais et à qui j'ai fait tant de mal. Je t'ai montré ce qu'il y avait de plus abject en moi, je t'ai sacrifiée, mettant ta vie en jeu pour assouvir ma vengeance.

Tu es la seule de qui j'implore le pardon car tu es de ces êtres rares qui font croire que la vie, l'amour sont *encore possibles. Tu diras à François que je l'ai aimé comme un frère et que je regrette d'avoir été un obstacle entre vous. Garde-le bien, il t'aime et jamais deux personnes n'ont été aussi évidemment faites l'une pour l'autre que toi et lui. Rentrez en France, ce pays que j'ai aimé, il y fait bon vivre. Retourne sur ta terre de Montillac, du moins pendant quelque temps, là sont les lieux qui t'ont forgée.*

Ne garde pas de moi l'image grotesque de ce tango mais celle de la femme meurtrie qui se promenait avec toi parmi les vignes ou autour du calvaire de Verdelais. Ton amie qui t'aime,

Sarah.

Suivaient quelques lignes d'une écriture hachée :

Le moment est venu, pardonne-moi cette dernière épreuve. Je sais que la folie est là. Adieu.

Le visage décomposé, Léa tendit la lettre à François. Pendant toute la lecture, elle marcha de long en large en se tordant les mains. Quand il eut terminé, il était très pâle. Les mâchoires crispées, il s'allongea sur le lit, les mains derrière la tête.

– Mais !... C'est tout ce que tu trouves à faire ?

– Il n'y a plus rien à faire.

Elle se jeta sur le lit et se mit à le secouer.

– Salaud ! Ce n'est pas vrai, ce n'est pas vrai !

– Si, c'est vrai, et tu le sais aussi bien que moi. Pour Sarah, il n'y avait pas d'autre issue.

– Tais-toi, je vais aller la chercher.

– Il est trop tard.

– Comment peux-tu en être aussi sûr ?

– Je connais Sarah et à sa place j'aurais fait la même chose.

– Fais ce que tu veux, moi je vais la chercher.

348

Léa n'attendit pas l'ascenseur et descendit en courant. À la réception, elle bouscula des clients attendant leur clefs.

– Avez-vous vu madame Tavernier ?

– Non, mademoiselle, répondit le concierge, pas depuis qu'elle est montée.

– Il y a longtemps.

– Oh oui ! Vous étiez là quand elle a pris l'ascenseur.

Ainsi Sarah n'était pas sortie du « Plaza ».

Dans la chambre François n'avait pas bougé.

– Viens m'aider, supplia-t-elle. Sarah est dans l'hôtel.

Ils montèrent jusqu'aux terrasses qui dominaient la ville ; au loin, devant eux, s'étendait le port. Seules quelques lumières brillaient. On entendit la sirène d'un bateau. Un vent froid soufflait, Léa frissonna.

– Viens, il n'y a personne, tu vas attraper froid.

À regret, elle vint vers lui.

– Là !...

Sur des chaises longues, quelqu'un était allongé. Ils s'approchèrent. Sarah semblait dormir. Son visage était détendu, un sourire heureux flottait sur ses lèvres. Par terre, près de sa main pendante, un revolver.

Le suicide de Sarah après le bal scandaleux fit la une des journaux argentins. Cinq ou six personnes seulement assistèrent à son enterrement au cimetière de la Recoleta. Parmi elles, Ernesto Guevara.

Une semaine plus tard, François et Léa embarquèrent pour Bordeaux à bord du paquebot le *Kerguelen*. Ernesto et Uri les accompagnèrent. Avant de monter dans le bateau, elle se retourna. Le jeune Argentin lui fit un dernier signe.

– *Che*, Léa.

Boutigny-sur-Opton, le 7 septembre 1991.

Aux éditions Fayard :
Blanche et Lucie, roman, 1976.
Le Cahier volé, roman, 1978.
Contes pervers, nouvelles, 1980.
Les Enfants de Blanche, roman, 1982.
Sous le ciel de Novgorod, roman, 1989.

Aux éditions Jean-Jacques Pauvert :
O m'a dit, entretien avec l'auteur d'Histoire d'O, 1975.

Aux éditions du Cherche-Midit :
Les cent plus beaux cris de femmes, 1980.

Aux éditions Nathan :
Léa au pays des dragons, contes et dessins pour enfants, 1991.

Aux éditions Ramsay :
La Bicyclette bleue, roman, 1981.
101, avenue Henri-Martin, (*La Bicyclette bleue*, tome II), 1983.
Le Diable en rit encore, (*La Bicyclette bleue*, tome III), 1985.
L'Apocalypse de saint Jean, dessins pour enfants.
Lola et quelques autres, nouvelles, 1983.
Ma cuisine, livre de recettes, 1989.

Aux éditions de la Table ronde :
La Révolte des Nonnes, roman, 1980.

Aux éditions Albin Michel/Régine Deforges :
Le Livre du point de croix, en collaboration avec Geneviève Dormann, 1987.
Marquoirs, en collaboration avec Geneviève Dormann, 1987.

Aux éditions Albin Michel :
Pour l'amour de Marie Salat, roman, 1987.

Aux éditions du Seuil :
Le Couvent de sœur Isabelle, livre illustré pour enfants, 1991.

Léa et les diables, livre illustré pour enfants, 1991.
Léa et les fantômes, livre illustré pour enfants, 1992.

Aux éditions Plume :
Rendez-vous à Paris, illustré par Hippolyte Romain, 1992.
L'Agenda 1993 du point de croix, 1992.

Aux éditions Hoëbeke :
Toutes belles, sur des photos de Willy Ronis, 1992.

Aux éditions de l'Imprimerie nationale :
Juliette Gréco, sur des photos d'Irméli Jung.

IMPRIMÉ EN FRANCE PAR BRODARD ET TAUPIN
Usine de La Flèche (Sarthe).
LIBRAIRIE GÉNÉRALE FRANÇAISE - 6, rue Pierre-Sarrazin - 75006 Paris.

ISBN : 2 - 253 - 06445 - 9   ◈ 30/9697/1